Les dames de Beauchêne
Tome II
de Mylène Gilbert-Dumas
est le sept cent soixante-quatorzième ouvrage
publié chez
VLB ÉDITEUR.

La collection « Roman »
est dirigée par Jean-Yves Soucy.

D1413261

L'auteure tient à remercier ses conseillers : Marcel Bernard, du musée Stewart, Yvon Desloges, de Parcs Canada, ainsi que Simon Gilbert, collectionneur et conférencier.

Merci également aux premiers lecteurs de cet ouvrage : Josée Gagnon, Sylvie Lachance, Marie-Josée Quinn, Marie-Josée Soubrier, Luce Vachon et Pierre Weber.

VLB éditeur bénéficie du soutien de la Société de développement des entreprises culturelles du Québec (SODEC) pour son programme d'édition.

Gouvernement du Québec – Programme de crédit d'impôt pour l'édition de livres – Gestion SODEC.

Nous reconnaissons l'aide financière du gouvernement du Canada par l'entremise du Programme d'aide au développement de l'industrie de l'édition (PADIÉ) pour nos activités d'édition.

Nous remercions le Conseil des Arts du Canada de l'aide accordée à notre programme de publication.

LES DAMES DE BEAUCHÊNE

Tome II

DE LA MÊME AUTEURE

Les dames de Beauchêne, t. I, Montréal, VLB éditeur, 2002.
Mystique, Montréal, La courte échelle, 2003.

Mylène Gilbert-Dumas

LES DAMES DE BEAUCHÊNE

Tome II

roman

vlb éditeur

VLB ÉDITEUR
Une division du groupe Ville-Marie Littérature
1010, rue de La Gauchetière Est
Montréal (Québec) H2L 2N5
Tél.: (514) 523-1182
Téléc.: (514) 282-7530
Courriel: vml@sogides.com

Conception de la couverture: Nancy Desrosiers
Illustration de la couverture: Élisabeth Vigée-Lebrun (1755-1842), *Portrait de la comtesse Golovine*,
19ᵉ siècle, collection particulière. © Photo12.com/ARJ

Catalogage avant publication de la Bibliothèque nationale du Canada

Gilbert-Dumas, Mylène, 1967-
      Les dames de Beauchêne: roman
      (Collection Roman)
      ISBN 2-89005-816-6
      ISBN 2-89005-875-1 (v. 2)
      1. Canada – Histoire – 1755-1763 (Guerre de Sept Ans) – Romans, nouvelles,
etc.   I. Titre.
PS8563.I474D35   2002   C843'.6   C2002-941650-7
PS9563.I474D35   2002

DISTRIBUTEURS EXCLUSIFS:

• Pour le Québec, le Canada
  et les États-Unis:
  LES MESSAGERIES ADP*
  955, rue Amherst
  Montréal (Québec) H2L 3K4
  Tél.: (514) 523-1182
  Téléc.: (514) 939-0406
  *Filiale de Sogides ltée

• Pour la France et la Belgique:
  Librairie du Québec / DNM
  30, rue Gay-Lussac
  75005 Paris
  Tél.: 01 43 54 49 02
  Téléc.: 01 43 54 39 15
  Courriel: liquebec@noos.fr
  Site Internet: www.quebec.libriszone.com

• Pour la Suisse:
  TRANSAT SA
  C. P. 3625, 1211 Genève 3
  Tél.: 022 342 77 40
  Téléc.: 022 343 46 46
  Courriel: transat-diff@slatkine.com

Pour en savoir davantage sur nos publications,
visitez notre site: **www.edvlb.com**
Autres sites à visiter: www.edhexagone.com • www.edtypo.com
www.edjour.com • www.edhomme.com • www.edutilis.com

© VLB ÉDITEUR et Mylène Gilbert-Dumas, 2004
Dépôt légal: 3ᵉ trimestre 2004
Bibliothèque nationale du Québec
Bibliothèque nationale du Canada
ISBN 2-89005-875-1

Pour Pierre

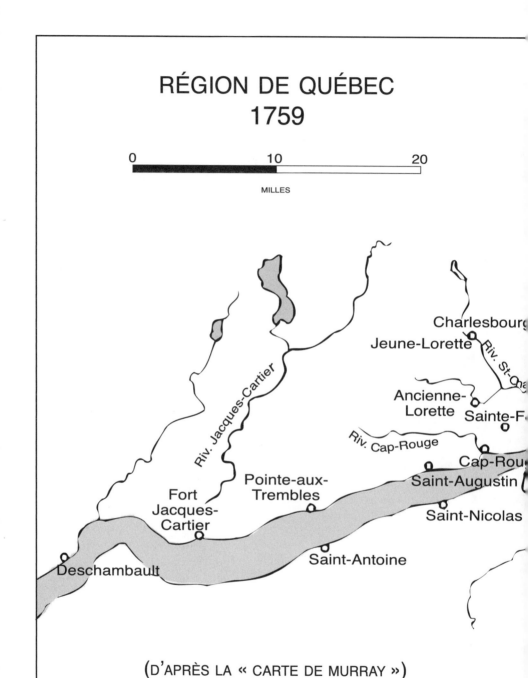

RÉGION DE QUÉBEC
1759

0   10   20

MILLES

Charlesbourg

Jeune-Lorette

Riv. St-Cha

Ancienne-
Lorette   Sainte-F

Riv. Cap-Rouge

Riv. Jacques-Cartier

Pointe-aux-
Trembles

Cap-Rou

Saint-Augustin

Fort
Jacques-
Cartier

Saint-Nicolas

Saint-Antoine

Deschambault

(D'APRÈS LA « CARTE DE MURRAY »)

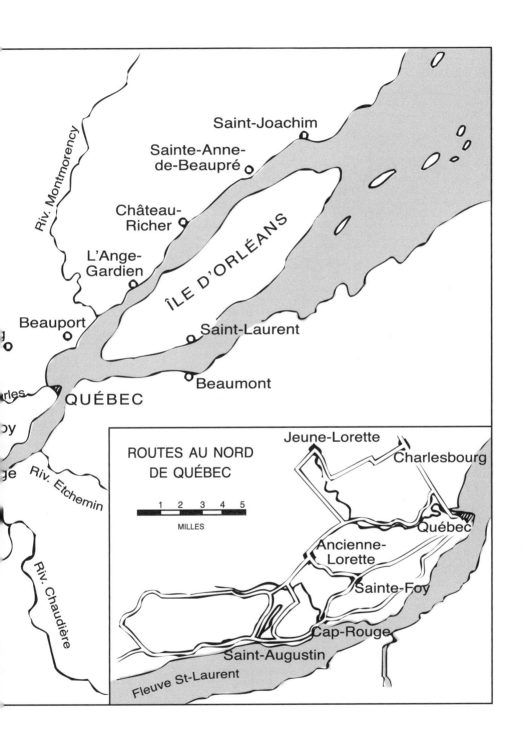

Riv. Montmorency

Saint-Joachim

Sainte-Anne-
de-Beaupré

Château-
Richer

L'Ange-
Gardien

ÎLE D'ORLÉANS

Beauport

Saint-Laurent

Beaumont

rles

oy

QUÉBEC

ge

Riv. Etchemin

Riv. Chaudière

ROUTES AU NORD
DE QUÉBEC

Jeune-Lorette

Charlesbourg

1 2 3 4 5
MILLES

Ancienne-
Lorette

Québec

Sainte-Foy

Cap-Rouge

Saint-Augustin

Fleuve St-Laurent

CHAPITRE PREMIER

En cette fin de septembre 1758, un vent violent souffle sur la grande maison de la rue Saint-Louis, faisant vibrer les murs de pierre, craquer le toit et gémir le gros arbre dans la cour arrière. Dans sa furie, il écrase la pluie contre les carreaux. L'air est rempli d'une humidité glaciale. C'est l'automne. C'est rassurant.

Pourtant...

Il est plus de trois heures du matin et Marie de Beauchêne ne dort toujours pas. De temps en temps, elle frissonne, recroquevillée sous les couvertures. Même si les courtines qui entourent le lit sont bien fermées, elle a le bout du nez froid et n'ose bouger les jambes, de peur de perdre le peu de chaleur qui reste dans les draps. Il faudrait qu'elle dorme.

Pourtant...

Allongée dans son lit, elle écoute le bruit de la nature qui se déchaîne au dehors. S'il y a trop de doutes, trop de regrets, il y a surtout trop d'angoisse. Celle qui lui laisse si peu de répit depuis deux mois. Celle qui devrait se voir atténuée par l'hiver qui s'en vient. Car l'hiver, il n'y a pas d'invasion, pas de guerre. Le froid garde les Anglais chez eux. Et avec eux, Frederick.

Forte de ce raisonnement, Marie essaie de se calmer, consciente qu'entre le froid et les tourments son corps est trop raide pour qu'elle puisse espérer un quelconque repos. Il lui faut plusieurs inspirations profondes pour que ses épaules se relâchent un peu, que son front devienne plus lisse, que ses jambes se déplient légèrement. Sa respiration se fait plus régulière et, enfin, elle sent que l'univers devient flou.

Un craquement du plancher la tire de sa torpeur. Est-ce Odélie qui vient de quitter sa chambre pour venir dormir avec elle? Depuis son retour, il arrive souvent que l'enfant cherche du réconfort la nuit. Le lit de sa mère lui apparaît comme un endroit sûr. Marie attend, mais il ne se passe plus rien. Pas d'autres bruits. Sa fille serait-elle retournée dans son lit? Peut-être. Quoique...

Marie écarte une des courtines. Dans un coin de la chambre, adossée à la porte, une silhouette se blottit dans l'ombre. Marie sourit. Elle ouvre la bouche pour appeler l'enfant, mais la silhouette s'étend, comme si une personne assise se levait, grandissait, jusqu'à devenir une ombre imposante. Celle d'un homme!

Marie recule, se tapit dans le fond de son lit, mais les courtines s'ouvrent brutalement. L'ombre se penche et tente de l'attraper de ses mains puissantes.

– *You betrayed me!*

Marie reconnaît immédiatement la voix. Elle bondit du lit et s'élance vers la fenêtre. Dans un élan de panique, elle arrache les rideaux qui s'affaissent sur le plancher. Un éclair traverse soudain le ciel et illumine le visage de l'intrus. Frederick. Marie l'avait deviné, mais distinguer les traits enragés de son époux décuple le sentiment de frayeur qui l'habite déjà.

— Traîtresse! hurle l'homme dont la voix se mêle au grondement du tonnerre.

Frederick fonce sur elle, lui bloquant le passage vers la porte. Désespérée, Marie se tourne vers l'unique sortie possible, la fenêtre. Elle pousse les battants pour ouvrir. Rien ne bouge. Elle les secoue, en vain. Un montant est bloqué. Elle se retourne et s'adosse aux carreaux, prisonnière dans sa propre chambre. Frederick est déjà au-dessus d'elle, ses mains s'enroulant autour de son cou. Marie s'effondre sur le sol, s'efforçant de glisser ses doigts sous ceux de l'homme pour en desserrer l'étreinte. Frederick les écrase, comme il lui écrase la nuque. Elle voudrait hurler, mais l'air se fait rare. Son sang bat fort à ses tempes, comme la pluie sur les carreaux. Elle sent la mort venir. Elle le savait. Elle l'a su dès le premier geste qu'elle a fait pour quitter ce mari violent et jaloux. Cependant, elle ne regrette rien. Maintenant, tout devient noir.

Marie se redresse, le souffle court. La sueur ruisselle sur son cou. Assise dans son lit, elle sonde l'obscurité. Les couvertures sont défaites, comme si elle s'était débattue. Il n'y a pas de bruit. Il n'y a personne d'autre dans la pièce, à part Odélie qui geint en se retournant sous les draps. Marie soupire. C'était encore ce cauchemar, celui qui hante son sommeil depuis qu'elle a quitté le fort Edward. Depuis qu'elle a quitté Frederick à la faveur de la nuit.

Elle écarte les courtines, se lève et se rend à la fenêtre. Elle ouvre les rideaux et pousse sur les battants. Ces derniers cèdent facilement et la pluie pénètre dans la chambre, mouillant le visage et la chemise de Marie. Le tonnerre gronde et les rues sont désertes. Marie inspire et l'air froid de la nuit lui calme l'esprit. Avant d'être complètement trempée, elle referme la fenêtre et s'essuie les joues et la gorge avec un pan sec de sa chemise. Elle va mieux, mais elle sait qu'elle n'arrivera pas à dormir maintenant.

Elle allume une des bougies posées sur la table. La flamme crée des ombres grotesques sur les murs. Marie refuse de laisser son imagination divaguer plus longtemps. Elle enfile rapidement une nouvelle chemise, puis se rapproche du lit et observe le profil tourmenté de sa fille.

« Ses cauchemars ne sont guère mieux que les miens », songe-t-elle, en caressant les cheveux qui dépassent du bonnet de nuit, des cheveux comme les siens, presque noirs, bouclés et, en ce moment, trempés de sueur.

Marie a un pincement au cœur chaque fois qu'elle imagine sa fille à Louisbourg. Cette enfant qu'elle a abandonnée dans une ville sur le point d'être assiégée. Elle se sent tellement coupable! Et comme toujours, elle se raisonne avec le même constat. Quel autre choix avait-elle? Odélie souffrait trop en mer pour poursuivre le voyage. De plus, la fragilité de ses poumons l'aurait rendue vulnérable aux maladies qui se propagent dans les Antilles. Et puis, son enfant n'était pas seule; Antoinette veillait sur elle. D'ailleurs, personne ne savait, alors, que l'Angleterre avait décidé de forcer l'entrée du Canada en prenant la forteresse qui lui servait de tour de garde. Oui, à ce moment-là, mettre sa fille au couvent n'avait peut-être pas été une bonne solution, mais ça avait été la moins risquée.

Marie se penche et dépose un baiser sur le front de sa fille. Sur le dossier d'une chaise elle saisit un grand mouchoir de cou et sort de la pièce, le bougeoir à la main. Elle glisse les pans du tissu sur ses épaules et se dirige vers l'escalier lorsqu'un violent coup de vent ouvre la fenêtre dans la pièce voisine. Marie se précipite dans la chambre d'Antoinette et referme les battants avant que la pluie n'inonde le plancher. Elle replace ensuite les rideaux, s'assurant qu'il n'y a pas d'interstice par lequel la lumière du jour pourrait éveiller sa belle-sœur le matin venu. Puis elle s'approche du lit. D'un geste presque maternel, elle remonte les couvertures jusqu'aux épaules d'Antoinette. Ses doigts effleurent la joue creuse et brûlante de la femme. Marie soupire. Elle ne sait pas ce qu'il faudrait faire. Elle a eu beau mander le médecin, ce dernier lui a simplement dit ce qu'elle savait déjà. Antoinette fait de la fièvre. Puis, en sortant de la chambre, l'homme lui a avoué qu'il ne pouvait identifier exactement le mal qui afflige la religieuse.

— Il faudrait en tout cas qu'elle mange davantage, a-t-il conclu avant de partir.

Manger davantage. Encore faudrait-il qu'elle mange un peu! Il n'y a qu'Odélie pour réussir à lui faire avaler quelque chose. Et la plupart du temps, il s'agit de café à l'eau-de-vie ou d'un minuscule morceau de pain. C'est bien insuffisant pour guérir qui que ce soit. Résignée, Marie s'éloigne vers la porte.

— Tu as encore fait des cauchemars? demande une voix faible qui la fait sursauter sur le seuil.

En se retournant, Marie aperçoit les yeux mi-clos d'Antoinette qui réfléchissent la lumière de la chandelle.

— Oui, dit-elle simplement.

— Moi aussi.

Sa belle-sœur a déjà refermé les yeux. Constatant qu'elle s'est rendormie, Marie quitte la pièce sans faire de bruit. Oui, Antoinette aussi fait des cauchemars. Sans doute le temps saura-t-il guérir les blessures causées par la guerre. Mais guérit-il celles de l'âme?

Marie descend au rez-de-chaussée sur la pointe des pieds pour ne pas faire grincer les marches. Dans la salle commune, il fait encore plus froid qu'à l'étage. Contrariée, Marie rallume le feu avec ce qui reste des braises et s'installe près du foyer. Les pieds sur une bûche déposée devant les flammes naissantes, calée confortablement dans un fauteuil, elle repense à ses propres blessures de l'âme.

Même si elle se sent encore triste en pensant à Charles, son premier époux, Marie est consciente que ses deux années de deuil ont atténué sa peine. Et même si les remords se font cuisants après avoir abandonné sa fille pendant près d'un an, même si le secret entourant son mariage avec un Anglais est lourd à porter, même si la menace de voir surgir ce mari jaloux ne cesse de hanter ses nuits, ce qui la trouble le plus c'est un regret. Un regret si simple qu'elle ne devrait jamais avoir à y penser. Et pourtant, il ne s'est pas passé un jour depuis que Jean Rousselle a quitté Québec sans qu'elle ait songé à lui avec amertume. Elle l'a cavalièrement laissé partir, refusant de lui montrer la reconnaissance et l'amitié qu'elle éprouve pour lui. Elle se trouve bien ingrate d'avoir agi de la sorte. Mais il y a pire. Dans son esprit, un doute demeure. Que se serait-il passé si elle était arrivée à temps dans le port, juste avant que la petite barque ne s'éloigne de la grève? Elle n'ose l'imaginer. Et pourquoi donc n'arrivet-elle pas à oublier les derniers mots qu'elle a pu lire sur ses lèvres : « Adieu, Marie » ?

Elle ferme les yeux et se laisse bercer par la chaleur bienfaisante qui monte dans l'âtre. Elle revoit Jean Rousselle dont la silhouette souple s'éloignait dans la petite embarcation. Sa chevelure noire soulevée par le vent, ses yeux sombres plissés sous le soleil. Elle l'imagine, debout à la proue du navire levant les voiles. L'*Allégeance* partait pour Brest, pour la France. Et pendant que Marie plonge dans un rêve, la bougie se consume sur la table à côté d'elle. Dans la cheminée, le feu s'éteint doucement.

*

Le soleil se lève à l'horizon, cerclé d'un halo éblouissant. Un vent venu de l'ouest souffle sur le golfe du Saint-Laurent, poussant vers le large la brume du matin. Non loin de la côte, juste passé le cap de Gaspé, l'*Allégeance* demeure immobile, ses mâts nus, malgré la brise propice.

Dans une cabine du château arrière, un homme paraît endormi. Les yeux clos, sa peau mate, son nez droit et sa chevelure de jais permettent à peine de douter de ses origines françaises. Jean Rousselle ouvre les yeux, éveillé par l'étrange immobilité de ce navire en pleine mer. Il écoute le va-et-vient de l'équipage, cherchant dans ce tumulte familier un son inhabituel. C'est le clapotis des vagues sur la coque qui donne enfin l'alerte. Il s'agit d'un bruit trop différent de celui des eaux qui se fendent devant la proue pour que Jean n'en tire pas la conclusion qui s'impose : on a jeté l'ancre !

Il se rend à la petite fenêtre qui éclaire faiblement sa cabine. Du brouillard matinal il ne reste que quelques pans diffusant la lumière sur une mer étincelante. Jean s'habille en vitesse et part à la recherche du capitaine.

Il le trouve sur le pont de la dunette, à discuter avec le maître d'équipage. Dans son empressement, il leur coupe la parole :

– Que se passe-t-il, capitaine ? Pourquoi avez-vous affalé les voiles ? Vous attendez un autre navire ?

Le capitaine lui adresse un regard sévère. Faisant signe à son second que la conversation est terminée, il se tourne vers son passager.

– Nous n'attendons personne, dit-il.

Puis, en pointant un bras vers l'est, il ajoute :

– Mais eux, c'est nous qu'ils attendent.

Jean a suivi le geste et devient blême en apercevant les trois navires au large. Le capitaine lui tend sa longue-vue.

– Anglais, au cas où vous vous poseriez la question. Ils bloquent le passage entre l'île Saint-Jean* et les îles de la Madeleine. Nous allons les contourner par le nord.

– Comptez-vous les affronter ?

La voix de Jean trahit son appréhension. Un souvenir refait surface. Celui, combien horrible, de cet hiver passé dans une prison de Boston. Les engelures, la faim, la vermine et l'humidité qui fait suinter et pourrir les murs. Il n'est guère rassuré lorsque le capitaine reprend :

– Il est hors de question de rebrousser chemin et de passer l'hiver à Québec. Je préfère essayer d'éviter le blocus. Dans le pire des cas…

* Aujourd'hui, île du Prince-Édouard.

Le capitaine ne sent pas le besoin d'en dire plus. Et Jean n'a pas envie d'en entendre davantage! Un dernier regard vers l'est le convainc de ce qui les attend. Il fait demi-tour et, une fois dans sa cabine, prépare ses bagages. Il enrage, refusant l'idée même d'être fait prisonnier. Pas une autre fois! Il est donc résolu à faire tout ce qu'il pourra pour éviter de tomber entre les mains des Anglais. Cela signifie qu'il lui faut jouer sa dernière carte: utiliser ses origines métisses. Encore une fois!

Cette conclusion le fait souffrir. Il a eu beau, toute sa vie, se parer d'atours français, il sera toujours un Indien, un Métis dans le meilleur des cas. Et depuis un an, c'est cette nature sauvage qui lui permet de se sortir des situations périlleuses. D'abord, c'était dans une prison anglaise. Et maintenant ici, à bord de l'*Allégeance*, alors que le navire fait face à l'ennemi. Il ne reste qu'à convaincre le capitaine, comme il a su convaincre son geôlier, l'année précédente.

Lorsqu'il atteint la salle du conseil, moins d'un quart d'heure plus tard, il y pénètre avec la fermeté de celui qui refuse qu'on décide de son sort à sa place. Le capitaine est penché au-dessus de la table et étudie les cartes des environs. Sa barbe rousse dissimule à peine ses lèvres pincées par l'anxiété. Il ne réagit pas à l'intrusion de Jean dans la pièce. Ce dernier s'avance et lui indique une île sur la carte, à peu de distance de leur position actuelle.

– C'est l'île Miscou. Si vous vous rapprochez suffisamment des côtes, vous pourriez me laisser descendre ici.

– Vous êtes fou! s'écrie le capitaine en se redressant. Il n'y a rien dans cette île, vous allez crever de faim. Et puis il pourrait se mettre à neiger d'ici quelques semaines.

— Ne vous inquiétez pas pour moi. Je connais bien la région. Je vous demande seulement de m'y conduire en barque et de me laisser un peu d'eau. Pour le reste, je m'arrangerai.

Le capitaine observe pour la première fois son unique passager. Il lui donne vingt-cinq ans, à peine. Sous de riches habits français, il découvre une silhouette trop souple, des yeux trop étirés, des cheveux trop noirs et trop droits, malgré le ruban qui les retient sur la nuque. Il conclut que celui qu'il a devant lui tient autant du Sauvage que de l'homme civilisé. «Après tout, peut-être est-ce dans sa nature, songe le capitaine, sur le point de céder. Qui d'autre voudrait passer l'hiver dans un endroit aussi désolé?» Ce qu'il vient de découvrir le rassure quelque peu. Il revient à la carte. L'île Miscou n'est pas très loin, en effet. Il faudrait simplement traverser la baie des Chaleurs. Il n'y a pas là de grandes difficultés. Cependant...

— Je ne veux pas risquer inutilement mon navire, décrète-t-il finalement. Une fois dans la baie, l'*Allégeance* ne pourrait pas s'échapper si l'ennemi décidait d'attaquer.

— Vous pourriez passer au sud de l'île Saint-Jean...

— Et être faits comme des rats quand les Anglais nous attendront de l'autre côté du chenal! Non, merci. J'ai bien peur qu'il vous faille demeurer à bord, monsieur Rousselle.

Jean ne quitte pas la carte des yeux, contrarié par la tournure des événements. Il cherche un argument pour convaincre le capitaine d'accéder à sa requête. Au bout de quelques minutes de silence, il prend son bagage, résigné.

— Alors rapprochez-vous un peu de la côte.

— Je vous ai dit qu'il n'était pas question de vous escorter sur la rive. Je ne risquerai pas…

— Je ne veux pas que vous m'escortiez. Je vais m'y rendre à la nage. Je vous demande seulement de vous rapprocher un peu. À ce temps-ci de l'année, l'eau est froide, mais je préfère risquer ma vie dans ces vagues glaciales, plutôt que de croupir en prison pendant des mois.

*

Une heure plus tard, sur la grève, les pieds nus dans le sable humide, Jean fait un dernier signe de la main aux marins qui s'éloignent dans la barque. Le capitaine a finalement décidé de prendre le chenal au sud de l'île Saint-Jean.

— Après tout, c'est aussi risqué que de passer par le nord! a-t-il lancé en maugréant. Pas question d'ailleurs de vous laisser vous jeter à la mer.

Il a levé les voiles et rapproché son navire de l'île Miscou pour y descendre Jean Rousselle. Il n'a toutefois pas manqué de le ridiculiser devant l'équipage en lui signalant qu'il l'abandonnait dans une région déserte, le premier village se trouvant à plusieurs lieues. Jean a conclu que le capitaine n'avait, de toute évidence, jamais parcouru ce pays à pied.

Jean s'assoit sur le sable et enfile ses bas et ses bottes. Au sud, l'*Allégeance* a pris de la vitesse. Il observe ses voiles toutes déployées en songeant qu'il a peut-être ainsi perdu la chance de revoir son père. Après la chute de Louisbourg, tous les habitants ont été renvoyés en France. S'il veut retrouver Daniel, Jean devra désormais attendre le printemps, remonter à Québec et prendre le premier navire à destination du continent. Son père se sera certainement rendu à Brest, où se trouve le reste de sa famille.

«Espérons qu'il y sera toujours lorsque j'y mettrai enfin les pieds!» songe-t-il en se levant.

Mais, trêve de rêveries! Pour le moment, il a plus urgent à faire. Il observe d'abord l'ouest, pour se situer par rapport à la baie des Chaleurs. Il laisse ensuite son regard errer sur la végétation basse, dense et d'un rouge si intense qu'elle en est déconcertante. Le fusil qui traîne à ses pieds ne servira à rien. Une provision de graisse d'ours aurait été plus utile contre les moustiques qui ne tarderont pas à le harceler dès qu'il quittera la plage. Il imagine les piqûres et sent la chair de poule naître sur ses bras et dans son cuir chevelu. Cette sensation fait jaillir en lui une autre image, celle d'une femme soulevant sa jupe pour enduire ses cuisses de graisse d'ours. Ses cheveux sont défaits, ses vêtements, en lambeaux, et ses pieds, chaussés de bottes trop grandes. Oui, Jean l'avait trouvée belle, Mme de Beauchêne. Trop belle, pour une femme mariée. Trop belle pour un simple fils de marchand. Trop belle pour un Métis!

Le souvenir de ce désir refoulé contrarie Jean qui préfère revenir à sa propre situation. Il se penche et ramasse le sac qui contient les seules choses qu'il possède au monde: une chemise de rechange ainsi que le lard, le pain et l'eau que le capitaine lui a fait remettre en lui souhaitant bonne chance. En ajoutant à ce menu les baies sauvages qui poussent dans les environs, Jean sait qu'il aura de quoi survivre les premiers jours. Jusqu'à ce qu'il atteigne la cabane du vieux Robichaud. À cette pensée, son visage s'égaie. Il n'aura peut-être même pas à chasser! Jean ramasse son fusil, met son sac sur l'épaule et s'enfonce jusqu'aux genoux dans la tourbière, assailli par une nuée d'insectes affamés.

*

— J'ai attendu que vous soyez installée pour vous rendre visite, dit Du Longpré, en déposant son manteau et son chapeau dans les bras de Marie.

Celle-ci l'accueille chaleureusement et, d'un geste, l'invite dans la grande salle où elle le suit après avoir disposé des vêtements. En mettant le pied dans la pièce, l'homme, petit et trapu, se dirige directement vers les flammes. Marie remarque son air transi, malgré son épais justaucorps de laine.

— C'est un automne bien hâtif, ne trouvez-vous pas? lance-t-elle en le rejoignant.

— Pas davantage que l'année dernière, il me semble. Pourquoi? Auriez-vous déjà quelques difficultés de chauffage?

Marie se mord la lèvre, regrettant de s'être aventurée sur un terrain aussi glissant. Les problèmes d'argent sont toujours très délicats, surtout dans les petites communautés où personne ne veut avoir l'air ridicule devant ses concitoyens. Et Marie détesterait être la risée de la ville. Elle secoue donc la tête et offre un fauteuil à son visiteur, ensuite se rend au buffet. Elle sent posés sur elle les yeux interrogateurs de Du Longpré. Elle se compose un air serein, avant de revenir vers lui, deux verres à la main.

— Votre femme va bien? demande-t-elle pour changer de sujet.

Lui ayant tendu son verre, elle s'assoit en face de Du Longpré. Celui-ci hume le bouquet du vin puis, perplexe, en prend une gorgée. Ses lèvres se tordent malgré lui et l'homme se tourne vers les flammes pour dissimuler une grimace de dégoût. Il repose distraitement son verre sur la table et répond à la question de Marie, heureux de ne pas avoir à se prononcer sur la qualité du liquide qu'il vient d'ingurgiter :

— Marianne va bien, je vous remercie. D'ailleurs, je ne sais pas si vous êtes au courant, mais nous marions notre fille dans moins d'un mois.

— On me l'a dit au marché ce matin. Vous lui transmettrez mes meilleurs vœux de bonheur.

Marie sait que son vin est mauvais. Elle ne l'aime pas, elle non plus. Cependant, c'est le seul qu'elle a pu s'offrir sans se ruiner. Pour ne pas perdre la face, elle en reprend une gorgée. Dans un geste réflexe, Du Longpré tend le bras vers son verre, se ravise et glisse ses mains sous ses cuisses, faisant mine de les réchauffer.

— Nous nous demandions si vous nous feriez l'honneur de votre présence. Charles était mon ami et s'il était encore parmi nous, je voudrais qu'il assiste à ces noces.

Marie est décontenancée par l'invitation, mais elle ne le montre pas. Elle hoche la tête, pensive. Ce n'est pas la noce qui l'ennuie. C'est plutôt le fait qu'elle n'a pas de toilette suffisamment élégante pour parader au milieu de la noblesse de Québec. Car, à n'en pas douter, bien que Du Longpré ne soit qu'un simple bourgeois tentant de faire des affaires lucratives à ses heures, il essaiera par ce mariage de se hisser un cran plus haut dans la bonne société de la ville. Et cette société, Marie n'a pas tellement les moyens de la fréquenter en ce moment. Elle n'est revenue à Québec que depuis un mois et sa priorité n'est pas aux toilettes élégantes, mais plutôt aux soins d'Antoinette et aux préparatifs de l'automne. Elle hésite donc à répondre, fixant son attention sur les flammes qui dansent devant elle. Le vent souffle dans la rue et fait trembler les murs de la maison. On entend la petite voix d'Odélie qui répète sa leçon dans la chambre d'Antoinette.

— Avec toutes vos relations, ne connaîtriez-vous pas quelqu'un qui soit à aménager sa maison? Je songe à vendre quelques-uns de mes meubles. Je… Certains sont si… encombrants.

Du Longpré n'est pas idiot. Il n'a pas besoin d'un dessin pour comprendre la gêne dans laquelle se trouve son hôtesse. Elle a été absente pendant toute une année. Depuis son retour, les commères de Québec s'en donnent à cœur joie, commentant et imaginant les raisons pour lesquelles la veuve de Charles de Beauchêne serait revenue sans bagage. La dernière rumeur voudrait qu'elle ait été enlevée par des Indiens amis des Anglais. On dit qu'elle aurait séjourné tout ce temps dans un village aux confins des territoires britanniques. Il paraît même que c'est l'armée du général Montcalm qui l'en aurait délivrée. Mais Du Longpré n'ajoute pas foi à toutes ces histoires de bonnes femmes. Au décès de Charles, il a promis à Marie qu'il ne l'abandonnerait pas. S'il s'est inquiété comme tout le monde lorsqu'il a appris que la

Fortune avait été interceptée en mer et Marie, faite prisonnière, il n'a cependant négligé aucune occasion pour s'occuper de la maison. N'ayant pas trouvé de locataire prêt à payer le loyer pour une aussi grande demeure, il n'en avait pas moins fait l'entretien nécessaire à l'automne et au printemps, s'assurant que la maison de Charles de Beauchêne serait en état lorsque sa veuve reviendrait à Québec. Si un jour elle revenait. Marie a suivi le fil de sa pensée.

– Je n'ai pas de quoi vous payer pour les réparations que vous avez fait faire sur la maison, dit-elle, lasse de jouer la comédie.

Si Charles estimait Du Longpré au point de lui confier sa femme à son décès, celle-ci doit pouvoir lui faire confiance elle aussi. Sinon, sur qui donc pourrait-elle compter ? Marie poursuit sur sa lancée :

– Je n'ai pas encore réglé toutes mes affaires et j'ai besoin de… de temps.

Du Longpré est pris au dépourvu par la franchise de Marie. Ce n'est pas quelque chose d'habituel dans le monde où il évolue. Il regarde le vin dans le verre et réprime un frisson, la langue sèche. Puis il hoche la tête.

– Si vous me faites la liste des meubles dont vous désirez vous départir, je vais tâcher de vous trouver des acheteurs. Après tout, l'hiver s'en vient…

« Et je n'ai pas de quoi amasser des provisions », complète Marie pour elle-même. Non, elle n'a pu faire ni potager ni poulailler. Elle n'a pas non plus de quoi constituer des réserves au marché. Sans parler du bois de chauffage. La pension versée par le roi à la veuve de Charles de Beauchêne ne suffit pas à subvenir aux besoins de trois femmes. Et tout est tellement cher. Encore plus que ça ne l'était avant son départ l'an dernier. Comme si la chose était possible!

— Je vous ferai porter la liste par Odélie demain matin, conclut Marie, gênée de devoir admettre sa piètre situation.

— Demain sera parfait, acquiesce l'homme. Ah! j'oubliais. J'ai fait venir un très bon vin de Bordeaux par la *Victoire* qui devrait atteindre Québec la semaine prochaine. J'étais venu vous offrir de vous réserver quelques bouteilles. Je crois que…

— Merci, l'interrompt Marie, refusant qu'on la prenne davantage en pitié. Je vais y penser.

Puis Du Longpré se lève et Marie le raccompagne à la porte.

— Merci également pour l'invitation à la noce.

L'homme lui sourit, s'incline poliment et sort en coup de vent. De retour dans la salle commune, Marie parcourt la pièce du regard, s'attardant sur chaque meuble. Il faudra qu'elle choisisse. Elle a un pincement au cœur en pensant à Charles. Il aurait été bien triste de la voir rendue là. Il était si fier de sa maison.

«Ce ne sont que des objets, se dit-elle enfin. Il sera toujours temps d'en racheter d'autres. Pour le moment, ce qui compte, c'est de s'assurer de ne manquer de rien pendant l'hiver. Surtout pas de bois de chauffage.»

Sur ce, elle se rend à son secrétaire, en sort une feuille et une plume, et se met à faire l'inventaire de la maison.

*

Le terrain s'assèche quelque peu et la végétation s'élève plus haut à mesure que Jean Rousselle s'approche du cœur de l'île. Le corps ravagé par les piqûres d'insectes, il progresse avec difficulté dans une forêt de mélèzes chétifs, balancés à leur cime par le souffle de la mer. Son objectif est un endroit à l'abri des autorités françaises qui seraient bien capables d'y prélever des taxes si elles en apprenaient l'existence. Un endroit encore moins exposé à la vue de l'armée britannique qui y verrait sans aucun doute une menace à sa souveraineté dans la région. Car l'île Miscou, en apparence inhabitée, se situe dans une zone grise, entre deux territoires : celui de la Nouvelle-France, de l'autre côté de la baie des Chaleurs, et celui de la Nouvelle-Écosse, plus à l'est.

« Il existe pire coin pour passer l'hiver », songe-t-il, en revoyant avec dégoût les murs humides de la prison de Boston.

Lorsque le sol redevient spongieux, Jean bifurque vers l'est et, bientôt, ses pieds baignent en plein marécage ; il se sait alors tout près du but.

Il est plongé dans ses réflexions lorsqu'un animal énorme s'abat sur son dos et l'écrase au sol. Il lâche son fusil et son sac et réussit à se retourner au moment où la lame d'un couteau lui glisse sous la gorge. Passé le choc de la surprise, il reconnaît les yeux de son agresseur à travers la crinière échevelée qui pend devant lui.

– Robichaud ! lance-t-il, soulagé. Ne me tue pas, idiot. Serais-tu rendu si vieux que tu ne reconnais plus tes amis ?

La bête se relève et prend graduellement l'apparence d'un homme ahuri.

– Jean Rousselle ! Ça parle au diable ! On te croyait mort chez les Anglais ! Et enterré depuis longtemps !

— Après des mois de prison, explique Jean en acceptant la main que lui tend Robichaud, je me suis débrouillé pour prendre congé de mes hôtes. Dis donc, qu'est-ce qui t'a pris de me sauter dessus? En êtes-vous rendus à vous nourrir des étrangers qui échouent dans la région?

Robichaud éclate de rire, son bras enserrant les épaules de Jean.

— Ces derniers temps, j'ai eu pas mal de visite. Pas toujours de la belle visite, mais je suis quand même content de voir qu'on s'intéresse à moi.

Jean se tourne vers son ami et se souvient. Oui, Robichaud aime qu'on s'intéresse à lui. Depuis 1755, année où il a dû se sauver de Grand-Pré pour éviter la déportation, Alexis Robichaud a pratiqué la pêche et le harcèlement des Anglais. Il a tout de suite affectionné cette deuxième activité qui lui permet d'exécuter, de façon lucrative, une vengeance collective. Car chez les Acadiens, l'intérêt du groupe passe avant celui de l'individu. Robichaud fait donc d'une pierre deux coups en chargeant les vaisseaux britanniques.

Cet acharnement dont il fait preuve contre les navires ennemis lui vaut depuis quelques années critiques et louanges, mais surtout une solide réputation de pirate acadien. Plusieurs de ses prises ont à leur bord non seulement de la nourriture que le vieil homme distribue à ses proches, mais également un butin de valeur qu'il troque chez les commerçants de la région contre des biens plus utiles. C'est d'ailleurs au cours d'un de ces échanges illicites, sur le bord de la rivière Miramichi, que Jean a fait sa connaissance.

C'était il y a trois ans. Jean et son père s'étaient rendus en territoire micmac, comme à leur habitude, pour acheter de la marchandise qu'ils allaient revendre ensuite dans leur boutique de Louisbourg. Ce premier échange avait été suivi de plusieurs autres, si bien que Daniel et Jean Rousselle s'étaient liés d'amitié avec Alexis Robichaud. Ils partageaient souvent un repas et une bonne bouteille de whisky. Pendant ces soirées bien arrosées, Robichaud leur parlait de son refuge à l'abri des regards indiscrets. Jean était fasciné par l'énergie qui habitait le vieil homme. Soixante ans passés depuis longtemps, le visage couvert en permanence d'une maigre barbe blanche, il avait les yeux rieurs de ceux qui relèvent tous les défis.

Le rire retentissant de Robichaud gronde de nouveau dans le marécage et ramène Jean à la réalité. Dans le regard du vieil homme, le Métis perçoit beaucoup de fierté et très peu de modestie. «C'est rassurant de voir que certaines choses ne changent pas», se dit-il en se laissant mener vers le lac.

Tout en marchant, Robichaud raconte à Jean ses derniers déboires avec l'armée britannique. Il lui parle de sa plus belle prise, un navire chargé d'armes et de munitions:

– Avant de renvoyer mon équipage pour l'hiver, j'ai généreusement distribué ces armes à tous les Sauvages et à tous les hommes qui manifestaient la moindre envie de taquiner l'Anglais! Mais je dois t'avouer que très peu des miens ont envie de se battre. Malgré la déportation, ils parlent de leur neutralité comme si elle leur avait été prescrite par Dieu lui-même. Ils ne songent qu'à leurs terres, à celles qu'ils ont perdues et à celles qu'ils sont en train d'essayer d'assécher.

Robichaud se tait un instant, car cette constatation le préoccupe. Puis il reprend, l'air plus enjoué :

— Ce qui n'est évidemment pas mon cas ! Je préfère, comme tu le sais, aiguillonner les gros poissons !

Le voilà parti d'un nouveau rire sonore en même temps qu'il entraîne Jean vers la cabane qui vient d'apparaître entre les arbres.

— Viens donc boire un coup ! Tu dois avoir soif, si j'en juge à ton piteux état.

— Oui, mais…

— Pas de mais. On commence par boire, ensuite tu me raconteras comment ça se fait que tu sois de retour au pays.

Et les deux hommes disparaissent dans l'antre du vieux Robichaud, une masure de bois rond, construite à même le sol hostile de la nouvelle Acadie.

*

Louise Lafleur se tient droite, les mains crispées derrière le dos. Marie l'observe sans dire un mot. Elle lui donne dix-huit ans à peine. Ses vêtements sont manifestement trop petits et d'une propreté douteuse. Bien que marqué par la petite vérole, son visage est agréable et rond, comme le reste de sa silhouette d'ailleurs. Cela trahit une bonhomie qui plaît bien à Marie.

« Ce sera une femme solide », songe-t-elle, assise dans son fauteuil et écoutant avec attention le discours de la visiteuse.

— Comme le dit si bien mon père, une fille, c'est juste inutile sur une terre. Cinq filles, c'est de l'embarras.

Marie voudrait s'insurger contre un commentaire aussi arrogant à l'endroit des femmes. En France, à La Rochelle où elle a grandi, on ne voyait pas la naissance d'une fille d'un si mauvais œil. Bon nombre de femmes tenaient d'ailleurs commerce avec leur époux, comme le faisait sa propre mère. Marie concède toutefois que, pour un habitant, il est beaucoup plus utile d'avoir des fils que des filles. De là à dire qu'elles sont un embarras...

— On m'a dit que vous veniez d'arriver en ville après un long voyage, poursuit la jeune fille. Il paraît qu'avant votre départ vous aviez quelqu'un à votre service. Je me demandais si vous n'aviez pas besoin d'une domestique. Je suis solide, comme vous pouvez le voir. Je cuisine bien. Je sais coudre, m'occuper des enfants, quoique je ne sache qu'écrire mon nom. Je peux aussi faire la lessive et les courses. Et fendre le bois. Et le corder. Je suis débrouillarde et je...

Mais Marie l'interrompt:

— Même si je dois admettre que vos services me seraient grandement utiles en ce moment, je n'ai pas de quoi vous payer, mademoiselle Lafleur. Comme vous l'avez dit, je viens tout juste de revenir en ville et...

— Vous n'avez pas besoin de me payer tout de suite.

Elle s'enhardit à l'idée que Marie pourrait avoir besoin d'elle.

— Vous pourriez me loger et me nourrir cet hiver et quand... Quand cela sera possible, vous pourriez me donner un salaire. Mais juste quand ça vous adonnerait.

Marie observe cette jeune fille volontaire et déterminée. C'est vrai qu'elle aurait bien besoin d'un coup de main avec Antoinette qui est toujours alitée. C'est vrai aussi que sa situation va peut-être s'améliorer, si M. Du Longpré réussit à vendre quelques meubles. C'est vrai également que la maison est grande. Elle réfléchit encore pendant quelques minutes qui semblent interminables à son interlocutrice. Celle-ci énonce enfin son dernier argument, s'agenouillant aux pieds de Marie :

– Je suis désespérée, Madame. Je suis en ville depuis des semaines. Je n'ai plus d'argent. Si je retourne chez mon père, il va me marier vite fait avec le fils du voisin, un garçon laid et brutal qui pue l'alcool à longueur de journée. Je ne veux pas y retourner. Si je trouve du travail, mon père ne pourra pas me reprocher de vivre à ses dépens. Il ne verra donc pas la nécessité de me marier. S'il vous plaît, Madame. Je mange très peu, je vous l'assure. Je ne suis pas frileuse non plus. Je peux prendre la chambre la plus éloignée de la cheminée, même l'hiver. Si vous voulez, je peux même dormir par terre, près du foyer. Donnez-moi seulement une couverture. Je…

Et elle poursuit son plaidoyer. Marie la laisse terminer. Elle a pris sa décision. Elle prendra la demoiselle Lafleur à son service, mais il faut que cette dernière soit pleinement consciente qu'elle n'aura aucun salaire avant longtemps. Avec tout ce qu'il y a à préparer pour l'hiver, elle n'aura pas trop de deux mains supplémentaires. Cependant, ce n'est pas non plus le moment d'engager des dépenses. Lorsque Louise se tait enfin, Marie se lève.

– C'est d'accord, dit-elle en la regardant dans les yeux. Dès que j'aurai l'argent nécessaire, je vais t'acheter quelques vêtements neufs. Mais ne t'attends pas à avoir de salaire avant le printemps prochain. Et même dans ce cas…

– Oh! Merci, Madame. Merci! s'écrie Louise en se relevant. Que Dieu vous garde, Madame.

Marie n'est pas habituée à tant d'effusion. Elle rougit, se lève et prend la main tendue.

– Bienvenue chez moi, Louise. Viens. Je vais te faire visiter la maison et te présenter le reste de la famille. Ensuite, je vais te montrer ta chambre, à côté de la cuisine. Quand tu seras installée, tu pourras nous préparer ton premier repas. J'ai acheté ce matin de quoi faire le souper.

Sur ces mots, elle se rend à l'escalier. Louise la suit à l'étage, pour faire la connaissance d'Odélie et d'Antoinette.

*

Antoinette ouvre les yeux. On frappe à la porte avant. Elle espère que Marie est à la maison et qu'elle ira ouvrir. Sinon, le visiteur devra repasser plus tard ; la servante est sortie et elle-même se sent trop faible pour descendre au rez-de-chaussée. Elle entend des pas. Oui, ce sont ceux de Marie. Il n'y a qu'elle pour marcher avec une telle détermination, comme si sa vie dépendait de chaque geste, de chaque parole, de chaque pensée.

Une voix d'homme. Quelques mots, puis la porte se referme et la maison redevient silencieuse. Toujours pas de bruit. Marie doit être restée sur le pas de la porte. Cette attitude ne lui ressemble pas. Légèrement inquiète, Antoinette essaie de se lever pour aller voir, mais sa tête lui semble soudain de plomb et elle retombe lourdement sur l'oreiller.

«Tant pis, songe-t-elle. Je la verrai quand elle montera tout à l'heure.»

Elle se sent trop lasse. Et puis oui, elle a encore du mal à s'intégrer à la routine de la maison. En vérité, elle n'en a même pas envie. De toute façon, ce qui se passe autour d'elle n'a pas d'importance. Car bien qu'elle n'ait que quarante ans, Antoinette attend la mort comme le ferait un vieillard. Elle la souhaite même, prie pour que le bon Dieu veuille bien venir la prendre, elle qui n'a plus de raison de vivre. Mais il ne vient toujours pas, malgré cette maladie qu'elle a sans doute attrapée dans les casemates humides de Louisbourg. Un mal bien étrange qui ne semble pas vraiment vouloir la tuer complètement. Comme c'est décevant!

Antoinette a bien essayé au début de s'accrocher à la vie à travers la petite Odélie. Elle avait même repris ses leçons, comme elle faisait à Louisbourg. Mais chaque mot, chaque geste familier lui rappelait que c'était ainsi qu'elle avait fait la connaissance de Robert. Que c'était à travers ces rencontres, dans la minuscule pièce qui servait de chambre de convalescence à Odélie, qu'elle avait fini par s'attacher au soldat, par découvrir ce côté d'elle-même qu'elle n'avait jamais connu. Elle s'était mise à rêver. Lui aussi, elle l'avait bien deviné.

Depuis deux mois, il ne s'est pas passé une nuit sans qu'elle ait la vision atroce de la plage maculée du sang de Robert. Du sang luisant à la lumière des incendies allumés dans Louisbourg. Quel intérêt pourrait bien avoir la vie lorsqu'on a perdu à jamais le goût du bonheur?

D'ailleurs, Antoinette sait bien qu'elle est un fardeau. Aucune communauté de religieuses ne l'acceptera maintenant qu'elle est malade. Et Marie, en tant que veuve, n'a certainement pas de quoi nourrir une autre bouche. Alors Antoinette ne mange pas et attend, patiemment, que Dieu daigne lui faire l'honneur de la mener auprès de lui, auprès de Robert aussi.

Mais que se passe-t-il donc en bas? Marie ne bouge toujours pas. Antoinette l'imagine soudain inconsciente sur le seuil de la porte. Cette pensée suffit à lui donner l'énergie pour se prendre en main, le temps d'aller voir ce qui est arrivé à sa belle-sœur.

Elle repousse les couvertures, glisse les pieds vers le sol et se redresse. Tout devient noir. Assise sur le bord du lit, dans sa chemise usée, elle attend que le sang revienne à son cerveau. Lorsqu'elle se sent mieux, elle se lève, fait quelques pas en s'appuyant sur les meubles. Elle se souvient. Cette pièce était sa chambre, il y a longtemps, avant qu'elle ne la quitte pour se joindre à la communauté religieuse de Louisbourg.

Antoinette ne peut repenser à la forteresse sans songer que c'est là qu'elle a commencé à vivre. Et à mourir aussi. Tout cela à cause de la guerre. Elle ferme les yeux et revoit la ville assiégée et bombardée de toute part. Elle, une femme dont personne n'avait jamais voulu, y avait étrangement trouvé l'âme sœur, le grand amour, le seul de sa vie. Et ce n'avait été que pour le perdre au dernier instant.

«Comme la vie est injuste», songe-t-elle, en s'appuyant au dossier de la chaise où sont posés ses vêtements, ceux qu'elle portait au couvent.

C'est avec ces vêtements qu'on l'enterrera, sans doute, puisqu'elle n'en possède pas d'autres. Il faudra que Marie s'assure qu'ils sont propres lorsqu'on la mettra en terre. Antoinette se penche au-dessus du manteau noir. Il n'est plus couvert de poussière et de suie, comme il l'avait été à son arrivée à Québec. Marie l'a sans doute nettoyé. Il ne sent plus le feu et le soufre dont l'odeur avait imprégné le tissu, après qu'elle eut vécu sous les bombes et au travers des incendies pendant un mois.

Elle s'approche de la porte et s'appuie maintenant contre le cadre. Elle ferme de nouveau les yeux, étourdie. Sa tête semble vouloir se fendre en deux. Une marche grince et Marie apparaît devant elle.

— Doux Jésus! s'exclame cette dernière en apercevant le visage livide d'Antoinette. Veux-tu bien me dire ce que tu fais là? Je t'ordonne de retourner au lit immédiatement! Des plans pour tomber dans l'escalier et te briser le cou.

Antoinette se laisse guider vers le lit, trop épuisée pour s'expliquer. Une fois recouchée, elle demande enfin:

— Que t'a dit cet homme qui est venu te voir? Je pensais qu'il t'était arrivé quelque chose de grave. Je ne t'entendais plus.

Marie demeure un instant interdite. Elle ne pensait pas que sa belle-sœur écoutait les va-et-vient de la maison.

«C'est bon signe», se dit-elle, en espérant que cet intérêt trahit un goût de vivre qu'elle n'a pas manifesté depuis son retour.

Elle approche le petit banc qui traîne près de la fenêtre. C'est là que s'assoit Odélie lorsque Antoinette lui fait réciter ses leçons. C'est un petit banc de bois teint qui craque lorsque Marie y pose une fesse.

— C'était un courrier, répond-elle, mal à l'aise.
— Une lettre de qui?

Marie hésite. Que dire à sa belle-sœur? Si elle lui parle de l'homme qui lui a écrit, Antoinette s'imaginera certainement des choses qui ne sont pas acceptables pour elle. Elle n'a pas encore trouvé le courage de lui avouer son mariage à un Anglais. Ni à elle ni à Odélie. Comment leur faire comprendre qu'au moment d'épouser Frederick Winters tout semblait parfait? Marie observe sa belle-sœur. Comme elle a changé! Elle ne saurait dire ce qui a pu transformer une femme froide au cœur de pierre en une belle-sœur compatissante. Son âme se réchauffe à l'idée qu'elle ne soit plus une ennemie. Cette fraternité se présente à son esprit comme la relation la plus naturelle du monde. Elle fouille dans sa poche et glisse la lettre qu'elle vient de recevoir dans la main d'Antoinette.

«Lorsqu'elle l'aura lue, décide-t-elle, je lui parlerai.»
Elle se lève et se dirige vers la porte.

– Je vais faire du café, dit-elle avant de passer le seuil. Je reviens dans quelques minutes et on pourra en discuter.

Puis elle disparaît dans l'escalier, heureuse à l'idée de pouvoir enfin se confier à quelqu'un.

Dans la chambre, Antoinette a déplié le papier et parcourt le texte lentement, son visage exprimant une curiosité toute nouvelle. Lorsqu'elle arrive au bas du feuillet, son regard demeure longtemps fixé sur la signature. Perplexe, elle relit la lettre, puis la pose sur le banc près du lit. Lorsque Marie rentre dans la chambre, un plateau à la main, elle n'a qu'une seule question à lui poser:

– Qui est Louis Antoine de Bougainville? demande-t-elle, avant de tremper ses lèvres dans la tasse de café à l'eau-de-vie.

*

Il fait nuit depuis une heure environ. Marie a écarté le rideau et observe les deux ombres qui s'éloignent dans la fraîcheur de cette fin d'octobre. Louise tient un fanal dans une main et, de l'autre, elle guide Odélie, longeant les maisons, évitant les flaques d'eau dans la rue. Marie sourit. Que d'excitation elle a vu briller dans les yeux de sa fille lorsqu'elle lui a accordé la permission d'aller voir la noce!

— Par la fenêtre seulement, a-t-elle répété à Louise avant que celle-ci ne referme la porte derrière elles.

Oui, voir un bal par la fenêtre a quelque chose d'excitant à l'âge d'Odélie. Elle cachait bien mal qu'elle avait envie de voir les dames en grandes toilettes et les hommes aux perruques poudrées menant de la main leur partenaire sur la piste de danse.

— C'est juste pour voir les mariés, a-t-elle dit pour convaincre sa mère de la laisser y aller.

Marie n'a pas été dupe. Maintenant, en apercevant ce petit corps agité qui sautille sur les pavés, elle l'envie de se satisfaire d'un si simple bonheur.

«Qu'elle en profite! songe-t-elle sans quitter des yeux les silhouettes qui disparaissent au bout de la rue. Il se passera longtemps avant qu'elle puisse participer à une noce.»

Marie se souvient de son premier bal et sourit. Elle sent une grande chaleur l'envahir. C'est comme si c'était la veille. Et pourtant, il y a plus de dix ans de cela.

Depuis quelques minutes, la buée envahit le carreau, mais Marie ne la voit pas. Elle est plongée dans ses pensées. Elle sait qu'on jase dans la ville. Elle a remarqué les regards en coin, les silences dérangeants. En refusant d'aller à la noce, elle a coupé court à certaines rumeurs. Elle est demeurée Marie de Beauchêne, celle que ces gens ont connue du temps où son époux était encore de ce monde. Qui pourrait trouver à redire à cela ?

Cependant, il y a plusieurs raisons qui justifient son absence de la fête. Bien sûr, il y a l'argent, la toilette et tout ce que nécessite le bal. Mais il y en a une autre, une qu'elle ne peut avouer désormais qu'à sa belle-sœur. Si Marie était allée au bal, il y aurait peut-être eu des hommes qui se seraient intéressés à elle. Tout le monde croit qu'elle est une pauvre veuve sans le sou. Comment justifier un refus de danser ? Personne n'est au courant pour son remariage avec un Anglais et Marie entend bien que les choses restent ainsi. C'est un secret qui lui pose de nombreux problèmes, mais elle n'a certainement pas l'intention de le divulguer et de risquer d'être accusée publiquement de trahison. Tout le monde sait que les Anglais ont l'intention d'attaquer Québec dès le printemps, à l'été au plus tard. Pour Marie, il est plus sécurisant de demeurer en retrait que de répondre à des questions indiscrètes qui l'amèneraient à se dévoiler trop à son goût.

— Tu ne pourras pas les éviter éternellement.

Ces mots font sursauter Marie. Elle se retourne et en silence vient prendre place dans le fauteuil à côté de celui où sa belle-sœur s'est installée, enroulée dans une couverture. Depuis quand est-elle là, à l'observer ? Elle est descendue sans faire de bruit et est entrée dans la pièce sans que Marie s'en rende compte. «Elle aurait pu tomber dans l'escalier», songe-t-elle en soutenant le regard d'Antoinette. Malgré ses inquiétudes, elle doit cependant admettre que sa belle-sœur semble aller mieux. Suffisamment en tout cas pour lui prodiguer des conseils. Et la voilà qui poursuit avec franchise :

— Si tu continues de refuser les invitations, c'est ça qui va finir par faire jaser.

Marie hoche la tête et son regard se porte sur les pieds bleus d'Antoinette.

— Mais tu es frigorifiée ! lance-t-elle en s'agenouillant à ses côtés. Il n'y a plus que des braises. Donne-moi une minute et je te refais un feu digne de ce nom.

Et Marie s'active pour rallumer les flammes. Lorsqu'elle se relève, elle est arrêtée dans son mouvement par une main maigre posée sur son poignet.

— Tu ne pourras pas les éviter éternellement, répète Antoinette en la fixant droit dans les yeux.

L'insistance de sa belle-sœur l'agace. Elle sait qu'elle devra prendre une décision. Elle sait qu'elle ne pourra pas toujours la reporter à plus tard. Mais, en ce moment, elle a trop à faire, trop à penser, trop à préparer. Elle n'a pas envie de faire face à cette bonne société. Elle n'est pas pressée de recevoir le jugement de chacun sur son mariage avec un ennemi. Elle pose une main sur celle d'Antoinette et retire son bras. Malgré tout, elle apprécie qu'on se préoccupe d'elle.

— Je vais te servir du vin, dit-elle en s'éloignant vers la cuisine. Ça te réchauffera.

*

Quelque part dans les colonies britanniques, dans un hôpital de campagne, des hommes se soumettent aux soins des chirurgiens. Quelques-uns souffrent en silence, priant pour que leurs blessures ne soient pas trop graves, pour qu'ils puissent reprendre leur vie là où ils l'avaient laissée avant la guerre. Mais la plupart ont déjà compris. Ils n'y survivront probablement pas.

Le lieutenant Frederick Winters ne se pose pas encore ces questions. Allongé sur un lit de fortune, sous une couverture poisseuse, l'homme se force à garder les yeux fermés, refusant que son regard erre sur les miséreux qui l'entourent. Il n'est pas certain de ce qu'il ressent. Un trouble, de l'angoisse, de la peur, peut-être. De la colère, certainement!

Une odeur de pourriture lui agresse les narines et il n'ose en imaginer la source. Il a conscience d'une présence, de mains qui le palpent, d'abord le crâne, puis le torse et enfin la jambe. Une douleur vive l'assaille, telle une lame s'enfonçant dans sa chair. Il ne peut retenir le cri qui sort de sa gorge. Sa voix se mêle aux plaintes des autres blessés qui se lamentent autour de lui. Frederick ouvre les yeux, mais le visiteur a disparu. La douleur s'atténue et, bien malgré lui, Frederick se calme. Il ne dort pas, mais il se détend suffisamment pour s'entendre penser.

Depuis combien de temps se trouve-t-il ici? Il n'en a aucune idée. Il ne garde que le souvenir de la bataille, de ses hommes qui remontaient à la charge du fort Carillon. Ils revenaient et revenaient, sans pour autant parvenir à franchir les défenses françaises. Autour de lui, les soldats gisaient dans une mare de sang. Les balles fusaient de toute part. Il y avait le roulement des tambours et la complainte des cornemuses. Mais il y avait surtout le bruit assourdissant des détonations. Et l'odeur.

Presque aussi insupportable que celle qui lui donne la nausée en ce moment.

Oui, l'armée de Lord Howe était montée à l'attaque du fort français. Mais lui, c'était sa femme qu'il venait chercher. Il a imaginé des centaines de fois la manière dont leurs retrouvailles se dérouleraient. Il fallait la punir, certes, car elle l'avait non seulement trompé, lui, mais elle avait également trahi l'armée anglaise tout entière en avertissant l'ennemi de l'imminence de l'attaque. C'était peut-être même à cause d'elle que l'Angleterre avait subi une si cuisante défaite.

Malgré ce ressentiment, un doute sournois revient le hanter. Y était-il allé trop fort avec elle? Il est vrai qu'elle avait mérité la correction. Les deux fois! Car deux fois, elle avait été vue en compagnie de Jean Rousselle. Tout le régiment était au courant. Toute l'armée peut-être! Quelle autorité pouvait-il avoir sur ses hommes s'il ne contrôlait pas sa femme? Il l'imaginait avec ce Sauvage. Il en avait tellement honte que la rage l'envahissait, puissante et violente.

Et elle le submerge de nouveau. Il sent son cœur qui bat plus vite. Il sent la fièvre aussi. Les joues en feu, il serre les dents. Si, un jour, il la retrouve, il s'assurera qu'elle comprend clairement dans quelle situation elle l'a placé! Et il fera fusiller le Sauvage!

Des voix attirent son attention. Il ouvre les yeux. Autour de lui, des hommes viennent de l'attacher à son lit. En plus des liens, on lui retient les bras et les jambes. Quelqu'un s'est penché au-dessus de lui pour lui faire boire de l'eau-de-vie. Le liquide brûlant descend dans ses entrailles et c'est au moment où il reprend son souffle qu'il aperçoit les instruments qu'on vient d'approcher. Il ne lui faut pas longtemps pour comprendre ce qu'on s'apprête à faire. Un cri retentit dans l'hôpital. C'est le sien, mais c'est aussi le cri d'un homme terrorisé, les yeux exorbités, les joues mouillées de larmes. Il supplie. Qu'on le laisse entier! Qu'on le laisse mourir en homme! Quelqu'un lui redonne de l'eau-de-vie. Ses sanglots s'accentuent, puis se transforment en hurlement lorsque la lame touche la peau de sa jambe. La douleur est foudroyante. C'est plus que son esprit ne peut en supporter. Frederick Winters s'évanouit.

*

Un jeune garçon s'approche de la maison par-derrière. On lui donnerait neuf ou dix ans. Ses habits usés sont déchirés par endroits. Et si sales... Un chapeau de feutre tombe très bas et dissimule son visage de... jeune fille. Odélie est tendue, car elle rentre plus tard que d'habitude. Cela pourrait lui valoir bien des ennuis. Les bruits de la ville qui s'éveille se rendent déjà jusqu'à la rue Saint-Louis: le tambour des soldats qui passent, les cloches des églises, les cris des villageois. Pourvu que sa mère soit encore occupée dans sa chambre. Cela lui donnera le temps de se changer. Elle ne voudrait pas qu'elle la voie dans cet état.

Elle avance vers le gros orme dans la cour arrière. Ses feuilles rougies gisent presque toutes sur le sol, formant un tapis moelleux et odorant, mais bruyant. Par prudence, Odélie jette un œil aux alentours pour s'assurer que personne ne l'observe. Elle prend grand soin de ne sortir que très tôt le matin, quand le soleil est sur le point de se lever et que la ville est encore endormie. Or ce matin, elle a pris trop de temps à rentrer. Elle s'en veut. Elle aurait dû faire preuve de plus de jugement.

Lorsqu'elle est convaincue que personne ne peut la voir, elle glisse discrètement son sac à provisions sous sa chemise. Puis elle s'élance et bondit tel un chat vers la première branche de l'arbre. Elle sent la brûlure de l'écorce rugueuse sous ses doigts. Elle s'agrippe solidement et se hisse sur la branche avec agilité. Assise à califourchon, elle essuie ses mains moites et douloureuses sur sa chemise. Elle se redresse ensuite et grimpe ainsi d'une branche à l'autre jusqu'à la fenêtre de sa chambre où elle disparaît sans même avoir besoin de reprendre son souffle.

Une fois à l'intérieur, elle tire les rideaux et dépose son sac sur le lit. Elle s'empresse de se déshabiller et d'enfiler des vêtements féminins. S'il fallait que sa mère l'aperçoive habillée en garçon, Dieu sait quelle punition elle serait capable de lui donner!

C'est seulement lorsqu'elle ne craint plus de se faire surprendre qu'Odélie peut enfin admirer son butin du matin. Avec précaution, elle vide le sac sur le lit et son sourire s'agrandit. La pièce se remplit de l'odeur du pain encore chaud qui roule sur la couverture. Quelques biscuits de farine, un morceau de fromage et un bas de laine contenant un œuf frais. Ça valait la peine de se lever avant le soleil, malgré le froid piquant de novembre. Louise saura certainement faire un excellent repas de ces provisions.

«Demain, il faudra que je trouve le deuxième bas de laine», songe-t-elle en remettant la nourriture dans le sac.

Elle se dirige ensuite vers sa commode, se coiffe adéquatement et vérifie qu'aucune mèche de ses cheveux ne fuit de son bonnet. Il ne faudrait surtout pas que sa mère se remette à la coiffer chaque matin. Odélie a fait exprès d'apprendre à le faire elle-même pour pouvoir disposer de son temps, mais aussi de ses cheveux qu'elle a coupés de façon à leur donner un air masculin lorsqu'elle se les noue sur la nuque. Elle tient à garder ce privilège qui lui garantit une certaine liberté, mais également une plus grande sécurité.

Odélie n'a pas oublié Louisbourg, ni la grande leçon qu'elle y a apprise le premier été. Après avoir failli se faire violer, elle a conclu qu'il n'était pas prudent pour une jeune fille d'errer seule en ville. Qui sait ce qu'il serait advenu d'elle si le caporal Robert Ouellet n'était pas intervenu, s'il n'avait pas chassé à coups de pied et d'injures les deux hommes en mal de femme qui avaient jeté leur dévolu sur elle? Odélie n'ose l'imaginer.

C'est en la sauvant, de cette manière chevaleresque, que le caporal Ouellet était entré dans sa vie et était devenu son ami. Même s'il s'est passé des mois depuis sa fuite de Louisbourg avec sa tante, la mort de Robert l'afflige encore, surtout la nuit, lorsque la peur du noir la gagne. À ce moment-là, elle va se blottir dans le lit de sa mère pendant quelques heures, jusqu'à ce que les premiers rayons du soleil filtrent à travers les rideaux.

Oui, Odélie a appris sa leçon à Louisbourg. Jamais elle ne sort seule en ville sans avoir d'abord enfilé des vêtements appropriés, c'est-à-dire ceux qu'elle a volés au fils de la voisine pendant que celle-ci faisait la lessive. Ces hardes lui permettent de passer inaperçue et de disparaître dans la ville, pendant que tout le monde la croit endormie dans son lit.

C'est aussi sous ce déguisement qu'elle a d'abord appris à voler, par nécessité. Puis il y a eu sa mère qui n'a cessé de se plaindre que le prix des denrées avait presque doublé depuis son départ, l'année précédente. Ensuite, la rumeur s'est répandue dans la rue, selon laquelle il faudrait bientôt manger du cheval et, cela, Odélie ne pouvait pas l'imaginer. Manger un si noble animal! Elle a donc préféré pallier ces privations à sa manière. Avec le temps, elle a pris goût à subtiliser un pain ou un œuf dans un étalage, même une poule dans une basse-cour. Elle le fait maintenant avec tellement d'adresse que c'est devenu une véritable source de valorisation. Chaque coup lui donne de l'énergie pour le suivant. Et ce n'est qu'à regret qu'elle revient à la maison avant qu'on ne s'aperçoive de sa disparition, à regret aussi qu'elle se rhabille en jeune fille de la bonne société.

Car Odélie garde encore ses rêves d'antan. Elle souhaiterait une vie plus libre, comme celle du chevalier de Beauchêne, son idole. Elle a lu et relu son livre, et connaît par cœur ses aventures extraordinaires. Il ne se passe pas une journée sans qu'elle envie cette liberté. Certes, elle est consciente qu'elle a passé l'âge de croire que ce héros ait pu être son père, même si les deux hommes portaient le même nom. Cependant, elle ne peut résister à l'envie de les confondre en un seul. Son père était officier dans la marine du roi de France. Son père avait visité des contrées éloignées. Son père partait des mois durant et, alors, il racontait la forêt, le fleuve, la mer et les grandes villes étranges. Des endroits où il ne neige jamais, d'autres où le jour ne se lève pas l'hiver. S'il était encore vivant, l'emmènerait-il avec lui dans ses voyages? Comme il lui est facile de se convaincre que oui!

Verra-t-elle un jour les pays d'en haut, les Grands Lacs, les Antilles ou la France? Pas tant qu'elle dépendra des autres, c'est certain. En attendant de pouvoir agir à sa guise, elle sait ce qu'elle a à faire: se hâter de descendre à la cuisine pour déposer clandestinement sur la table sa «cueillette» du matin.

Elle replace sa blouse, tire sur ses jupons pour leur donner leur allure régulière et ouvre la porte, évitant de la faire grincer sur ses gonds. Une conversation au rez-de-chaussée parvient à ses oreilles. C'est Louise qui argumente avec un visiteur. Bien que l'homme se tienne toujours dans la rue, sa voix est forte et prouve qu'il désire être entendu de l'intérieur, jusqu'à l'étage, même! Mais la servante ne cède pas:

— Non, non, Monsieur. Je vous assure que Madame est sortie.

— Ne vous moquez pas de moi. Où irait-elle si tôt le matin? Allez la chercher, je dois absolument lui parler.

— Puisque je vous dis qu'elle n'est pas là.

— Quand sera-t-elle de retour alors?

— Je ne sais pas. Repassez plus tard.

— Mais il se peut que je doive repartir demain! Savez-vous au moins si elle a reçu mes lettres?

— Vous me posez trop de questions. Je ne suis que la servante, Monsieur.

Le bruit d'une porte qui se referme. Des pas qui s'éloignent vers la cuisine. Le fracas de la vaisselle qui s'entrechoque. Louise est retournée à ses chaudrons. L'homme a capitulé. Odélie fait un pas dans le couloir et aperçoit sa mère dans la pièce voisine, les mains croisées sur la poitrine. Elle est adossée au mur, la tête inclinée, les yeux fermés, comme si elle avait épié le visiteur de sa fenêtre et avait voulu se cacher au moment où il reculait dans la rue. Marie soupire et cela trouble Odélie. Quelle est donc cette attitude ? Pourquoi sa mère se cacherait-elle de quelqu'un ?

Odélie ne prend toutefois pas le temps de s'interroger davantage. Elle profite du fait que sa mère est absorbée dans ses pensées pour passer devant la chambre de sa tante dont la porte est encore fermée et se faufiler dans l'escalier. Lorsqu'elle atteint la cuisine, quelques secondes plus tard, Louise n'y est plus, mais la pièce exhale une odeur d'oignons fraîchement coupés. Odélie ne s'y attarde pas. Elle abandonne ses provisions sur la table et se réfugie dans la salle commune où l'attend sa lecture quotidienne.

*

Dans la rue, l'homme s'éloigne, l'air furibond. Il a aperçu la dame qui le surveillait de sa fenêtre. Et Louis Antoine de Bougainville n'est pas homme à accepter d'être ignoré et surtout pas repoussé, par une veuve de surcroît !

— Elle a passé vingt-cinq ans et elle fait la difficile, grogne-t-il.

Il pourrait trouver mieux n'importe quand. Elle n'est pas irrésistible après tout ; pas laide, mais pas non plus d'une grande beauté. Pourquoi alors fait-elle la capricieuse ? Et lui, l'idiot, qui n'arrive pas à lui en vouloir ! Dire que les choses sont ainsi depuis qu'il l'a rencontrée, la première fois, lors d'un souper dans un fort perdu au milieu de la forêt, à deux pas de la frontière anglaise.

Le commandant du fort lui avait raconté que Mme de Beauchêne avait été retrouvée par les éclaireurs sur le bord du lac Saint-Sacrement. Elle était accompagnée d'un Métis qui se prétendait fils d'un marchand de Louisbourg. Au dire des fugitifs, ils avaient été capturés en pleine mer par un navire corsaire et mis au service de riches officiers britanniques dès leur arrivée à Boston. Ils avaient suivi leurs nouveaux maîtres en campagne et réussi à leur fausser compagnie à travers la forêt. Ils avaient mis plusieurs jours à atteindre le fort français et donner l'alerte.

Or, ce soir-là, ce n'était pas une servante, mais plutôt une grande dame qui était assise en face de lui, Bougainville, à la table du marquis de Montcalm. La lumière des chandelles baignait son visage de reflets ocre et doux, faisant luire de temps en temps le gris nacré de la petite cicatrice qu'elle avait au-dessus de la joue, preuve indéniable du mauvais traitement qu'elle avait subi. C'était une femme enjouée, aimable et qui avait beaucoup d'esprit. Ces qualités, combinées à la détermination qui lui avait permis de survivre en pleine forêt, faisaient de Mme de Beauchêne une femme hors du commun. Le genre de femme qui fascinait un jeune capitaine comme lui.

Elle lui a donc plu à ce moment-là, mais elle lui plaît encore davantage maintenant, car elle se défile sans cesse et cela attise sa curiosité autant que sa convoitise. Il lui a écrit trois lettres depuis qu'elle a quitté Carillon. Trois lettres qui sont restées sans réponse. Et le voilà qui fait l'effort de se rendre jusque chez elle et pourquoi donc? Pour qu'elle lui refuse encore et toujours le plaisir de sa présence!

Cependant, Bougainville ne se laisse pas abattre. Il ne trouve pas de raison qui justifierait qu'une femme comme Mme de Beauchêne refuse les avances d'un homme de sa condition. Il est donc essentiel de tout mettre en œuvre pour percer à jour ce mystère. Surtout qu'il doit partir d'ici quelques jours pour la France. Il ne remettra les pieds à Québec qu'au printemps avec, espère-t-il, des renforts suffisants pour affronter les Anglais. Qui sait ce qui pourrait arriver pendant son absence? Et si la dame se remariait? «Avec ce Sauvage, ce Rousselle?» Cette pensée lui est insupportable. Peut-être devrait-il engager des hommes pour l'espionner, pour la surveiller de près de façon à éviter le pire? C'est une possibilité à ne pas négliger. Mais, pour le moment, il a autre chose à faire. Il faut acheter suffisamment de papier pour rédiger, pendant le voyage, les mémoires qu'il fera remettre au roi dès que le navire atteindra la France. Ce sont les ordres du marquis de Montcalm. Et Bougainville est pleinement conscient de l'importance de sa mission. C'est le sort de toute la colonie qui en dépend.

*

Trois soldats sont embusqués et attendent. Depuis une heure déjà, ils épient l'homme qui monte vers le nord. Il se croit sans doute seul dans cette immense forêt. D'où vient-il? D'où pourrait-il venir sinon d'une colonie britannique? Aucun Français n'irait vagabonder seul si près de la frontière. Non, il ne peut s'agir que d'un Anglais qui essaie de pénétrer en Nouvelle-France. Si on ne leur avait donné des instructions spécifiques en ce qui a trait aux rôdeurs, il y a longtemps qu'ils auraient abattu cet Anglais d'une balle bien placée. Mais voilà, les ordres sont de ramener tout prisonnier au fort pour interrogatoire.

Alors ils attendent le meilleur moment pour le capturer. Ils sont deux d'un côté, un de l'autre. Leurs fusils sont chargés ; prêts à tirer au cas où… Ils lui ont tendu une embuscade. Dès que l'inconnu se retrouvera à découvert ou dès qu'il sera possible de s'emparer de lui sans risquer de prendre une balle, ils lui sauteront dessus. Ils n'attendent qu'une seule chose : que l'Anglais soit distrait.

Le voilà justement qui s'arrête, pose son bagage et allume sa pipe pour fumer. C'est le moment ! D'un signe, les trois hommes convergent vers leur objectif.

– Halte ! Qui êtes-vous ? demande le caporal en pointant son arme vers l'inconnu.

– Depuis quand se fait-on arrêter parce qu'on se promène dans le bois ?

– Depuis qu'on est en guerre ! répond un des soldats dont le fusil s'abaisse quelque peu en entendant parler français.

– D'où venez-vous ? interroge le caporal, plus méfiant que ses hommes.

– J'arrive du fort Saint-Frédéric. Je suis allé vendre mon tabac à ces pauvres diables qu'on compte garder là tout l'hiver. Si vous en voulez, il m'en reste peut-être un peu. Attendez que je vérifie dans mon sac.

L'homme s'agenouille près de son bagage sur le sol et y plonge les deux mains en marmonnant quelques mots. Il en sort de temps en temps quelques objets personnels apportés pour le voyage et continue de chercher. Pendant ce temps, les soldats se détendent. Ils n'ont pas affaire à un Anglais mais à un Canadien et c'est certain qu'ils ne diraient pas non à un peu de tabac. Il y a plus d'une semaine qu'ils en manquent. Seul l'un d'eux demeure aux aguets. Le caporal. Il lui semble que le marchand de tabac a l'air bien nerveux. Il fait un froid terrible et, pourtant, il transpire de partout. Quelques gouttes de sueur dégoulinent même de sous son chapeau.

En remarquant un soudain silence autour de lui, le voyageur relève la tête. Il est blanc comme un drap. Devant son nez est pointé le canon d'un fusil et il ne peut quitter des yeux le regard cruel de celui qui le met en joue.

— Recule, ordonne le caporal en poussant de son canon le torse du marchand. Vous deux, fouillez le sac!

Les soldats obéissent immédiatement, trop heureux de pouvoir s'emparer du tabac sans avoir à le payer. Ils vident le sac de son contenu. Couteaux, biscuits de farine, pois secs, lard salé, balles, poudre, quelques lanières de cuir, trois petits paquets de tabac, qui disparaissent aussitôt, et un paquet plus gros et emballé. Un des soldats prononce à haute voix les mots inscrits sur le dessus :

— Mme de Beauchêne, Québec.

Intrigué par cet objet, le caporal fait signe à ses hommes de le lui remettre.

— Qui est-ce? demande-t-il au marchand en lorgnant le nom sur le papier.

— C'est ma… ma fiancée, répond l'homme, plus tendu qu'auparavant.

— T'as une fiancée, toi? demande l'un des soldats qui trouve manifestement la chose ridicule. Quelle femme voudrait d'un homme aussi laid que toi?

Le marchand veut s'offusquer de l'insulte, mais les rires des soldats étouffent ses paroles. Le caporal les fait taire d'un regard sévère.

– Qu'est-ce que c'est? s'enquiert-il encore en soupesant l'objet.

– Ben, c'est un livre.

Gardant toujours son arme pointée vers le suspect, le caporal remet le paquet à un des soldats pour qu'il l'ouvre. Ce dernier déchire le papier d'emballage et découvre un bouquin à la couverture élimée et aux pages gonflées. Le caporal s'en empare et le feuillette rapidement. Il remarque, glissées entre les feuillets, une vingtaine de lettres adressées à Mlle Odélie de Beauchêne.

– Qu'est-ce que ça signifie? demande-t-il en menaçant de nouveau le marchand du bout du canon.

– Je lui ai écrit quelques lettres parce que je m'ennuyais.

– Tu sais lire, tu sais écrire. Dis donc, il a tous les talents, notre amoureux!

De nouveaux éclats de rire. Le marchand est cramoisi, visiblement embarrassé par les moqueries des soldats. De son côté, le caporal continue de l'observer, sérieux et silencieux. Plus il le fait parler, plus il trouve que son histoire est étrange. Elle n'a rien d'extraordinaire, mais en même temps elle n'est pas tout à fait habituelle. Elle sonne faux et, parce qu'il ne saurait dire pourquoi, il fait un signe familier à ses hommes. Ceux-ci lui obéissent dans la seconde et se mettent à fouiller l'inconnu, le déshabillant même pour vérifier les vêtements de dessous. L'homme ne porte plus que sa chemise et ses mocassins lorsqu'il s'insurge enfin, replié sur lui-même pour se réchauffer:

– Allez-vous me dire ce que vous me voulez? Puisque je vous dis que je suis marchand de tabac! Si vous le désirez, prenez ce qui reste dans mon sac. Je vous le donne.

— Puisqu'on s'est déjà servi, qu'est-ce que tu pourrais nous donner de plus? ricane un des soldats qui s'est mis à fouiller dans les objets étalés sur le sol.

C'est à ce moment que le caporal remarque une bosse sur le mollet de l'individu. Il tend son fusil à l'un de ses hommes et se penche pour l'examiner, étonné que quiconque puisse marcher affligé d'un abcès de cette taille. Le bruit que produit le contact de ses doigts avec le tissu du bas le fait sourire. Il s'agit d'un tintement de pièces d'or. Il roule le bas jusqu'à la cheville et en sort un petit gousset bien garni, attaché solidement au mollet par une jarretière de cuir.

— Tiens, tiens. Qu'avons-nous là? demande-t-il en passant le petit sac sous le nez du prétendu marchand.

— C'est le produit de mes ventes, répond ce dernier, encore intimidé par le fusil toujours pointé vers son visage.

— Dis donc! Tu en as vendu du tabac! C'est qu'ils sont riches, nos copains de Saint-Frédéric. Voilà une chose bien étonnante, puisqu'on n'a pas été payés depuis des mois!

L'homme devient blême, plus encore qu'il ne l'était.

— C'est que… j'ai poussé mon chemin jusqu'au sud du lac Champlain, à Carillon.

— J'ai le regret de t'informer qu'ils n'ont pas été payés, eux non plus.

Jetant un œil vers le sac, il ajoute:

— Il faudra que tu racontes ton histoire à notre commandant. Si lui te croit, tu pourras passer ton chemin. Sinon…

Et il lui lance ses vêtements, lui ordonnant de se rhabiller. Puis il glisse la petite bourse dans sa poche. À ce moment, le livre glisse de ses doigts et tombe sur le sol, projetant du même coup quelques lettres à ses pieds. Le caporal les ramasse et remarque une écriture différente sur certaines d'entre elles.

– Bien, mon cher, on dirait que t'es cocu avant même d'être marié!

Des éclats de rire s'élèvent de la forêt. Lorsque le silence revient, le suspect a les poings liés et il marche devant les soldats. Et plus il monte vers le nord, plus son sang se glace. Il n'aurait jamais dû accepter cette mission.

CHAPITRE II

Une rafale glacée, venant de l'Atlantique, remonte la Miramichi et siffle dans les branches des arbres nus. Les berges ont pris la teinte grisâtre de l'hiver qui s'annonce et les craquements sinistres qui s'en élèvent se mêlent à la plainte du vent. Le cœur de Jean Rousselle est aussi froid que ce paysage affligé. Amertume et regrets, voilà ce qui l'habite, à genoux dans les feuilles mortes, devant une tombe sur laquelle la végétation n'a pas encore repoussé. Il y a tant de choses qu'il aurait voulu lui dire. Comment lui faire savoir, désormais, qu'il n'a plus honte du sang qui coule dans ses veines? A-t-elle compris qu'il l'a aimée, même s'il a préféré vivre à la française?

Jean revoit le visage de sa mère, sa chevelure qu'elle prenait grand soin d'huiler. Il se souvient de son odeur, de cette façon qu'elle avait de le regarder avec indulgence quand il se rebellait. Il gardera toute sa vie le souvenir de leur dernière rencontre, juste avant ce terrible voyage aux Antilles, intercepté par les corsaires anglais. Qui peut prédire quand le destin frappera? Qui sait s'il reverra jamais cet être cher qu'il vient de quitter?

Jean tourne la tête en entendant des pas dans les feuilles mortes. Deux hommes qui se dirigent vers lui.

Il lui faut un moment pour reconnaître le visiteur qui accompagne Robichaud. Mais sitôt fait, il se lève et se jette dans les bras du nouveau venu.

— Papa! Quelle joie de te revoir! Je te croyais perdu à jamais.

Daniel Rousselle est heureux de revoir son fils, mais il est si surpris par l'intensité de l'émotion que celui-ci lui témoigne qu'il vacille sous l'étreinte. Il reprend son équilibre et le repousse doucement.

— Comment ça, perdu? Tu oublies que je vis ici depuis plus de trente ans. Comment est-ce que je pourrais...

— Pas perdu ici, l'interrompt Jean en secouant la tête, perdu en France! On m'avait dit que tous les prisonniers faits à Louisbourg...

— Moi! Prisonnier des Anglais! Jamais de la vie! Plutôt mourir!

Jean sourit en reconnaissant ses propres paroles dans la bouche de son père. Il lui est agréable de constater que les choses n'ont pas tellement changé depuis son départ. Daniel Rousselle n'a pas une ride de plus, mais ses cheveux grisonnants, qu'il coiffait avec soin il y a un an, sont désormais sales et épars sur ses épaules. Il a revêtu l'habit de drap des Acadiens, comme il le faisait parfois lorsqu'il séjournait dans le village micmac où habitait sa femme. Cette pensée transforme soudain le visage de Jean et Daniel y devine le chagrin du deuil.

— Elle a eu la petite vérole au printemps. Le père Germain s'est occupé des sacrements et l'a fait enterrer ici, avec le reste de sa famille.

Ces paroles émeuvent Daniel plus qu'il ne le voudrait. Si c'est vrai qu'il a pris une épouse micmac dans le but de tisser des liens étroits avec les Indiens, il a appris à apprécier cette femme avec le temps. Chaque fois qu'il venait s'approvisionner en marchandises, il passait quelques semaines en sa compagnie. Elle l'a toujours accueilli avec chaleur et il n'a rien eu à lui reprocher. Et puis elle lui a donné un fils! Daniel ouvre les bras et saisit les épaules de Jean.

— Il me semble que ton séjour chez les Anglais t'a fait vieillir, mon gars! J'ai bien cru que je ne te reverrais jamais. La rançon que ces pirates d'Anglais exigeaient était si élevée que j'ai été obligé de vendre mon échoppe. Quand il a été le temps d'arranger le transfert, tu avais déjà disparu et personne ne savait où te trouver. Mon fils, tu as été débrouillard de te sortir de prison comme tu l'as fait. Robichaud m'a raconté ton histoire. Tu as bien choisi le moment pour décamper. On dit que Montcalm n'a fait qu'une bouchée des trente mille soldats qui ont essayé de prendre Carillon. Quel général!

— Je suis content de savoir que tu ne m'aurais pas laissé croupir en prison, conclut Jean avec un sourire. Pour ce qui est des Anglais, ils étaient quinze mille, pas trente.

Cette dernière remarque trahit un certain agacement, une impatience qui habite Jean depuis qu'il a quitté le lac Champlain. Partout où il est passé, il n'a cessé de constater combien les rumeurs exagéraient la victoire française. Il fallait être sur place pour comprendre que la France devait cette victoire à la chance. Mais les Anglais qui ont perdu la bataille n'ont pas perdu la guerre. Le blocus à l'entrée du Saint-Laurent en est la preuve. Jean fait part de cette observation à Robichaud, demeuré jusque-là silencieux.

— J'ai ouï dire qu'ils ont l'intention de passer l'hiver à Gaspé, commente le vieil Acadien. Ils ont même brûlé l'église ! Il paraît aussi qu'ils veulent transporter les habitants en France, occuper leurs maisons et construire un fort sur la côte pour surveiller le fleuve. Si on veut éviter que ces Anglais prennent racine, il faudrait peut-être s'assurer qu'ils sont au courant qu'on est là, nous aussi ! Il se trouve que j'ai justement une réserve de munitions qu'il me faudrait écouler avant l'hiver.

Robichaud termine sa phrase avec un clin d'œil et Daniel Rousselle éclate de rire. Évidemment qu'ils vont se faire connaître ! Et avec quel plaisir ils vont harceler les Anglais jusque dans ces maisons qu'ils ont volées aux habitants.

*

La rivière paraît diffuse et grise dans la brume du matin. Sur la rive, dans la forêt encore sombre, trois soldats vêtus de rouge se fraient un passage entre les branches les plus basses. Ils sont à la recherche de bois sec pour alimenter le feu qui cuira leur repas, un feu qui réchauffera également la maison désertée dans laquelle ils comptent passer l'hiver. La ferme, qu'ils ont trouvée meublée et pleine de réserves, se trouve à peine à une centaine de mètres derrière eux. Le reste de leur détachement s'y affaire. Cela suffit à rassurer deux des soldats. Le troisième, le plus jeune, demeure aux aguets, l'air apeuré comme s'il descendait dans l'antre d'un loup. Il tient son fusil bien haut, prêt à tirer sur un ennemi pour l'instant invisible. Les deux autres avancent nonchalamment. Tant pis pour eux !

Lorsque retentit le cri de guerre impitoyable, il est déjà trop tard. Les deux premiers Anglais s'écroulent, sans même avoir eu le temps de tirer un coup de feu. Les tricornes échouent dans la boue, laissant les têtes découvertes. Il ne faut que quelques secondes aux éclaireurs pour lever les chevelures de ces victimes et les brandir haut dans les airs en guise de trophées. Un bruit de fusillade s'élevant de la ferme les force à se mettre à couvert.

Le troisième soldat anglais n'a pas pris le temps de recharger. Après avoir donné l'alerte de son unique coup de feu, il a déguerpi, maudissant l'écarlate de son uniforme qui l'empêche de disparaître derrière les troncs. Il atteint une trouée, à quelques dizaines d'enjambées de la grange. Il entend les autres soldats qui accourent. Un espoir naît en lui. Un espoir qui ne dure qu'une fraction de seconde, car un homme vient d'apparaître, le fusil à la main, qui lui bloque le passage. Un coup de feu résonne en écho plus fort que les autres. Le jeune Anglais s'écroule aux pieds de Jean Rousselle.

Ce dernier abaisse son arme et laisse enfin sortir l'air qu'il retenait dans ses poumons. Ses yeux ne quittent pas le corps inerte devant lui. Les coups de feu s'éloignent, car les Acadiens s'occupent maintenant des derniers Habits rouges réfugiés dans la grange.

Jean sent la tension qui diminue, mais un bruit de pas qui s'élève des broussailles le force à se ressaisir. Il dégaine son couteau, alerte. C'est alors qu'un Indien sort du bois à quelques pas de lui et avance nonchalamment dans la clairière. Perplexe, Jean ne le quitte pas des yeux. L'homme s'approche et passe juste à côté de lui. C'est à ce moment que Jean découvre, presque sur ses talons, le corps d'un deuxième Anglais, affalé dans les feuilles humides et froides. Dans la main du mort se trouve un fusil dont la baïonnette pointe dangereusement vers lui. Si l'Indien ne l'avait pas abattu juste à temps, cet Anglais, arrivé par-derrière, n'aurait pas hésité à le pourfendre.

Jean observe cet Indien qui lui a sauvé la vie. Ce dernier est penché au-dessus de sa victime, la fouillant sans ménagement. Puis, aidé de la pointe de son couteau, il lui arrache le dessus du crâne. Toujours sans un mot, il disparaît dans la forêt, laissant dans son sillage quelques gouttes de sang sur l'herbe jaunie. Encore figé de stupeur, Jean n'a même pas pensé à le remercier.

Les coups de feu sont maintenant moins fréquents. Ils sont plus éloignés aussi. Jean regarde les deux cadavres à ses pieds et soupire en s'effondrant sur le sol. Il a chaud et transpire, malgré le froid. Il enlève son chapeau et s'essuie le front de son mouchoir. Il est passé si près de la mort que ses mains en tremblent.

– Il faut croire que ton heure n'est pas encore venue, mon gars.

En entendant cette voix, Jean se retourne, sur le qui-vive, l'arme au poing. Puis il se calme. Son père franchit les derniers buissons et vient s'asseoir près de lui, non sans avoir, auparavant, inspecté les uniformes des deux Anglais morts. Il sort sa pipe, l'allume et fume en silence. Jean garde les yeux braqués sur le visage du jeune soldat qu'il a abattu. Il lui donne dix-sept ou dix-huit ans.

– Je préfère le commerce, murmure-t-il en cherchant dans ses poches sa propre pipe.

– Ouais, moi aussi, marmonne Daniel Rousselle entre ses dents. C'est pas mal plus payant.

Il est trois heures du matin. Odélie ouvre les yeux et guette, dans le silence de la nuit, un bruit qui trahirait un autre veilleur. Rassurée par la quiétude qui règne dans la maison, elle se lève et allume une chandelle qu'elle place sur sa commode. Elle se rend à la fenêtre, s'assure que ses rideaux ne laissent pas filtrer de lumière et vient ensuite s'agenouiller à côté de son lit. Elle glisse ses mains sous le matelas et en ressort un long paquet enveloppé d'une couverture de laine. Elle dépose son précieux objet sur le lit et défait les ficelles qui tiennent la couverture bien fermée. Après avoir déroulé la pièce d'étoffe, Odélie s'émerveille, encore une fois, devant son fusil.

Car Odélie a dû épier longtemps les soldats et les civils pour comprendre ce qu'il lui fallait : un fusil de chasse, quelque chose de qualité et de léger à la fois. En observant les Indiens et les Canadiens, elle a appris à reconnaître les différentes armes à feu qui sont utilisées, et parfois même échangées. Le but ultime de sa quête, elle l'a sous les yeux. Toute fière, elle se met debout. Avec un soin méticuleux, elle charge l'arme, comme le font les miliciens et les soldats cantonnés en ville. Elle prend une corne à poudre imaginaire, fait tomber la poudre dans le bassinet, fait glisser un plomb dans le canon et le pousse bien au fond à l'aide de sa baguette. Elle épaule ensuite son fusil en le tenant solidement et presse la détente. Puis elle repose l'arme à côté d'elle. Elle se rend compte que sa respiration s'est accélérée pendant l'exercice. Elle inspire donc profondément et recommence le rituel jusqu'à ce que son souffle redevienne régulier et que les gestes soient fluides.

Au bout de trois quarts d'heure, Odélie dépose son fusil sur la couverture, l'enroule et noue les ficelles autour du tissu. Elle le glisse ensuite sous son matelas, le plus loin possible du bord et se recouche, le corps en sueur.

Elle sent le calme qui grandit en elle, ce qui la fait somnoler un moment. Cette routine lui apporte une telle paix, une telle assurance! Bientôt, elle apprendra à charger et à tirer pour vrai. Mais avant, il lui faut trouver un maître, quelqu'un qui la prendra pour un garçon et qui lui enseignera le maniement du fusil. En attendant, elle imite les gestes qu'elle observe à la redoute du cap, où elle passe une partie de ses journées. Elle connaît son arme par cœur. Les mouvements lui sont si naturels qu'elle pourra bientôt les faire les yeux fermés.

« Je serai prête », songe-t-elle en laissant le sommeil la gagner complètement.

Oui, Odélie sera prête si un vilain s'avise de la prendre d'assaut. Elle sera prête lorsque les Anglais viendront attaquer Québec. Elle sera prête aussi lorsqu'il lui faudra chasser dans la forêt, le jour où elle quittera sa mère pour une nouvelle vie.

*

Une silhouette furtive remonte la rue Saint-Louis. Les parements d'un long manteau sombre battent sous les rafales. L'homme sent que la pluie ne va pas tarder. Pour se fondre dans la nuit, il a relevé son col et abaissé son chapeau, si bien qu'un passant ne pourrait distinguer son visage. Il n'est pas certain de l'endroit où il va. C'est pourquoi il hésite, revient vers une maison, poursuit son chemin vers une autre. À voir cette attitude indécise, personne ne devinerait qu'il s'agit du général marquis de Montcalm. Et lui se trouve ridicule.

«On dirait que je me rends chez ma maîtresse, songe-t-il avec une pointe d'amertume. Si au moins c'était le cas, je pourrais espérer un peu de chaleur. Alors que là…»

Le vent s'infiltre dans son manteau par toutes les ouvertures. Montcalm réprime un frisson. Il est transi. Et il déteste se cacher de la sorte. S'il le fait, c'est bien parce qu'il a une mission à accomplir, en plus de porter un message qui ne doit pas s'ébruiter. Pas encore, du moins. Il a d'ailleurs fait le voyage à bord du dernier navire à quitter Montréal. Il espère ainsi ne pas avoir trop attiré l'attention sur ses déplacements.

Dire que c'est à cette femme que Bougainville trouvait trop de charme pour sa tranquillité d'esprit! C'est aussi pour elle qu'il a perdu l'appétit pendant des semaines. S'il savait, le pauvre!

«Comme j'ai bien fait de l'envoyer en France pour l'hiver! se dit-il. Il en reviendra peut-être guéri?»

Pendant les jours qui ont précédé son départ, Bougainville n'a cessé de dire qu'il en avait assez de ces jeux de jeune fille effarouchée, de ces excès de bienséance. Ah, ces Canadiennes! Toujours envie de plaire, mais combien d'entre elles céderaient aux avances des hommes qui se meurent d'envie pour elles? Bougainville se rendra vite compte que les femmes de la cour sont beaucoup plus «généreuses». Oui, Versailles lui fera le plus grand bien. Et lorsqu'il reviendra, tout sera rentré dans l'ordre. Surtout s'il s'avère que cette femme est ce que Montcalm pense qu'elle est.

Voici enfin la porte qu'il cherchait. Il frappe trois petits coups et une servante lui ouvre. Il s'engouffre à l'intérieur. Juste à temps! L'orage vient d'éclater.

*

Marie fixe avec intensité la cheminée où crépite un feu intense. Dans sa main, une lettre lui brûle les doigts plus sûrement que ne le feraient les flammes qui dansent devant ses yeux. Elle est assise dans un fauteuil et, sur ses genoux, est ouvert son exemplaire du chevalier de Beauchêne. Celui qui contenait les lettres qu'elle avait écrites à sa fille pendant son séjour à New York, mais qu'elle ne lui avait pas envoyées. Celui qu'elle a abandonné à fort Edward pour s'enfuir à travers les bois avec Jean Rousselle. Celui que Frederick a décidé de lui retourner avant de mourir.

La lettre qu'elle tient entre ses doigts renferme ses dernières paroles, transcrites par un officier britannique après son décès. Quelques phrases, griffonnées en anglais, affirmant qu'il a pensé à elle jusqu'à la fin. Pas de reproche, pas de jugement, pas de condamnation. Comme si, avant de mourir, Frederick avait enfin compris ce qui l'avait poussée à le quitter. Elle sent une irritation sur sa joue, à l'endroit même où se trouve la petite cicatrice laissée par le dernier coup de son mari. Ce souvenir l'étouffe et la délivre en même temps. Étourdie, elle en a presque la nausée. Elle est enfin libérée de son cauchemar. Frederick ne reviendra pas. Plus jamais.

Elle entend le marquis qui s'éclaircit la voix et cela la tire de ses pensées. L'homme a pris un siège à côté d'elle et observe attentivement chacun de ses gestes, chacune des émotions qu'exprime son visage. Marie se rappelle alors que le sceau de la lettre était brisé. Il est évident que Montcalm en connaît le contenu.

— Vous nous aviez caché ce détail à votre arrivée à Carillon, madame, dit-il lorsqu'il s'aperçoit qu'il a l'attention de Marie. Ma foi, je ne peux vous en blâmer. Ce qui m'intrigue, cependant, c'est la raison pour laquelle vous avez quitté Mr. Winters. À en croire cette lettre, il me semble vous avoir été très attaché.

C'est un regard méfiant que Marie pose sur son visiteur. Un regard où on pourrait lire de l'incrédulité, mais Montcalm n'y porte pas attention et poursuit, satisfait de voir naître chez son interlocutrice le malaise qu'il cherchait à créer :

— Au début, je me suis dit qu'une très forte inclination pour le jeune Rousselle aurait pu justifier un tel geste, encore que la plupart des femmes se seraient contentées de le prendre comme amant. Mais dans ce cas...

— Je vous prierais, général, de vous mêler de vos affaires ! l'interrompt Marie qui n'a pas l'intention de se laisser insulter dans sa propre maison.

Le marquis se contente de sourire. Sans excuse, sans explication, il continue son investigation :

— Mais dans ce cas, répète-t-il, il est évident qu'on retrouverait quelques traces de sa présence chez vous. Or, je constate, à l'état des lieux, qu'il n'y a que des femmes dans cette maison.

Son regard erre dans la pièce, s'attardant sur les bûches mal cordées près de la cheminée, sur le peu de meubles dans la pièce, sur son fauteuil qui craque sous son poids et sur son verre de vin, ce qui le fait grimacer de nouveau. Marie de Beauchêne est une veuve peu fortunée et il n'y a pas d'homme dans sa vie. Impossible d'en douter.

– Si vous aviez quitté Winters pour Rousselle, vous ne l'auriez certainement pas laissé partir à bord du premier navire venu. On m'a dit que vous aviez même assisté à son départ de la grève. Voilà une bien étrange attitude, madame.

Marie ne répond pas, mais elle se redresse dans son fauteuil. Elle n'est pas du tout à l'aise avec l'idée qu'on ait enquêté sur elle. De plus, Montcalm a touché une corde sensible sans le savoir. Marie considère que ce qui s'est passé ou, plus exactement, ce qui ne s'est pas passé entre elle et Jean Rousselle ne concerne qu'eux deux. Et elle refuse de s'aventurer sur ce terrain glissant avec un homme qu'elle ne connaît pas. Elle attend donc que Montcalm lui exprime le fond de sa pensée, ce qui ne tarde pas.

– Voyez-vous, votre livre contenait d'autres lettres. Des lettres codées, destinées à transmettre des informations à des espions anglais disséminés dans la colonie. Nous avons pu les déchiffrer, mais pour ce qui est des vôtres, nous avons dû conclure que le message était non équivoque.

Marie fixe son visiteur, les yeux écarquillés, abasourdie par ce qu'elle vient d'apprendre. Des lettres codées? Des espions? Quel rapport cela a-t-il avec elle? Mais Montcalm lui réserve d'autres surprises.

– Le messager, qui, vous le comprendrez, est maintenant notre prisonnier, a affirmé être le fiancé d'Odélie de Beauchêne.

– Certainement pas! s'exclame Marie. Ma fille n'a que neuf ans!

– C'est bien ce que je me suis dit. Vous aviez parlé de votre fille au capitaine de Bougainville. Lors d'un dîner avant son départ, il m'a raconté comment elle avait réussi à quitter Louisbourg avant la fin du siège, évitant ainsi d'être déportée en France.

– Je ne vois pas…, hésite Marie. Pourquoi aurait-on utilisé le nom de ma fille?

– C'est bien ce que je me demande aussi. Attendez! J'oubliais. Il y avait également ceci pour vous. Lorsque j'ai interrogé le prisonnier, il m'a affirmé que cet argent constituait un montant forfaitaire destiné à remplacer la pension que la couronne d'Angleterre ne versera pas à la veuve de Frederick Winters, puisque celle-ci est… « passée à l'ennemi ». Ce sont ses propres mots, madame.

Montcalm sort de sa poche une petite bourse de cuir qu'il tend à Marie. Celle-ci hésite un moment et prend enfin le gousset dans sa main. Il est fort lourd. Lorsqu'elle l'ouvre, elle n'en revient pas.

– Vous serez certainement d'accord avec moi, poursuit Montcalm, qu'il s'agit là d'une bien grosse somme pour une veuve qui serait « passée à l'ennemi ».

Marie a tiqué en entendant l'homme répéter cette expression. Elle ne répond pas, mais hoche la tête, sans pouvoir détacher ses yeux des pièces d'or dont une poignée est maintenant étalée sur sa jupe.

– C'est pourquoi mes hommes et moi croyons que cette somme rondelette était destinée à payer un traître, ou du moins à s'assurer de sa loyauté. C'est d'ailleurs pour ce traître que les autres lettres étaient réservées. Cependant, nous avons eu beau poursuivre notre interrogatoire, le prisonnier n'a rien voulu dire d'autre, même lorsque nous lui mettions sous le nez les messages décodés.

Montcalm se tait et observe la réaction de Marie de Beauchêne devant les révélations qu'il vient de lui faire. Mais la dame demeure de marbre, ne comprenant manifestement pas les allusions du général. Elle attend la suite des explications. Agacé, Montcalm décide d'émettre une hypothèse :

– Est-il possible, madame, que vous soyez... l'éclaireur à qui on destinait cet argent et ces informations ?

Montcalm a choisi ses mots pour ne pas se montrer trop insultant dans le cas où il ferait fausse route. Il ne voudrait surtout pas accuser trop vite d'espionnage une femme du rang de Marie de Beauchêne, la veuve du capitaine Charles de Beauchêne, un homme dont tout le monde a vanté la bravoure au combat. Cela entraînerait des conséquences graves, surtout pour son ami Bougainville qui s'est un peu trop intéressé à elle. Cependant, malgré cette précaution, ses insinuations ont piqué Marie au vif. Elle ne tarde d'ailleurs pas à réagir. Elle remet les pièces d'or dans le petit sac et le tend à son visiteur.

– Vous êtes complètement fou, lance-t-elle froidement. Gardez donc votre bourse. Je n'ai que faire de ce qui appartenait à mon mari ou de quoi que ce soit qui a été en relation avec lui. Maintenant, si vous voulez bien m'excuser, je suis fatiguée.

Elle se lève, mais Montcalm demeure assis. C'est au tour de Marie d'être agacée en constatant que l'homme n'en a pas encore terminé avec son enquête. Si, au début, ses fausses accusations lui paraissaient ridicules, elles commencent maintenant à l'inquiéter. C'est en poussant un soupir bruyant qu'elle se rassoit et regarde Montcalm droit dans les yeux.

— Écoutez-moi, madame, commence celui-ci. Si les Anglais foncent sur Québec au printemps, comme nous pensons qu'ils vont le faire, vous pourriez être en position de leur transmettre certaines informations concernant nos... «faiblesses». Peut-être l'avez-vous même déjà fait?

— Croyez-vous vraiment que je sois une espionne, monsieur le marquis?

Marie n'en revient pas d'être accusée de la sorte. C'est pire que tout ce qu'elle a pu imaginer sur la précarité de sa situation.

— Je ne sais pas encore ce que je dois croire, madame. Cependant, je dois vous informer que les apparences sont contre vous.

— Mais ce sont des coïncidences!

— Peut-être dans ce cas pourriez-vous m'aider en me disant clairement la raison pour laquelle vous avez quitté votre mari?

Marie écrase sa jupe entre ses doigts, exaspérée. Que lui dire? Qu'elle a été battue? Puisqu'elle a elle-même choisi son époux, le fait d'admettre son erreur serait une telle humiliation! Elle serre les dents et soupire de nouveau en posant les yeux sur les flammes.

Pendant qu'elle réfléchit en silence, cherchant les mots adéquats pour se justifier, Montcalm observe ses traits crispés. Cette femme pourrait-elle vraiment trahir sa patrie? Qui sait dans quelle situation elle s'est retrouvée lorsque le navire à bord duquel elle prenait place a été abordé par les corsaires? Elle n'avait peut-être pas le choix en ce qui concerne ce mariage. Et si elle avait voulu vendre des informations, elle avait tout le loisir de le faire pendant qu'elle se trouvait à New York. Peut-être même l'a-t-elle fait? Il s'est informé à son sujet. Elle a vécu dix années à Québec; c'est plus qu'il n'en faut pour connaître la ville et ses faiblesses. Mais pour quelle raison alors serait-elle revenue en Nouvelle-France? Pour y chercher sa fille? Dans ce cas, comment se fait-il qu'elle soit encore ici, alors que les derniers navires ont quitté le port avant les glaces?

Toutes ces questions, Montcalm se les pose depuis une semaine. Et les voilà qui reviennent tourbillonner dans sa tête pendant qu'il regarde Marie de Beauchêne. Son visage baigne dans la lumière du feu et cela fait reluire la petite cicatrice qu'elle a sur le haut de la joue. Il se souvient d'avoir remarqué la blessure lorsqu'il a rencontré Marie pour la première fois au fort Carillon. Peut-être était-elle due à une branche. Après tout, la dame avait fait un long voyage à travers la forêt. Et si…

Montcalm a soudain un doute. Il se lève, s'avance jusqu'à Marie. Il retient l'envie qu'il a de faire glisser son index sur la petite tache nacrée. Marie sent le poids de son regard sur son visage. Elle sait ce qu'il fixe si attentivement. Elle est écrasée par la présence du général. Son corset l'étouffe. Cependant, elle ne le montre pas. Soupçonneux comme il est, Montcalm pourrait prendre cette attitude pour un aveu.

– Auriez-vous subi quelques traitements… brutaux? demande-t-il sans quitter la cicatrice des yeux.

Marie détourne la tête.

– Je vous en prie, murmure-t-elle. Allez-vous-en.

Elle se sent soudain si lasse… Le livre tombe sur le plancher, de même que la lettre dépliée, dont les mots rappellent à Montcalm qu'elle a été écrite par un Anglais. Finalement, il n'est pas plus avancé qu'il ne l'était en arrivant chez la dame. Il se retourne et fait quelques pas vers la porte. Il se ravise et revient vers Marie.

– Pardonnez mon indiscrétion, madame. Vous comprendrez que je ne peux laisser planer un doute sur la présence d'un espion dans une ville à la veille d'être attaquée. Je vous rassure, cependant. Seuls mes deux principaux conseillers sont au courant. Ils garderont le silence, le temps que je tire cette affaire au clair.

Il se tait et attend une réaction qui ne vient pas. Il ajoute alors, comme pour atténuer le poids qu'il fait peser sur Marie :

– Jusque-là, vous pouvez dormir tranquille.

Il quitte alors la pièce, abandonnant la bourse entre les verres de vin, sur la petite table près des fauteuils. Dans l'entrée, il récupère son manteau et son chapeau que lui a tendu la jeune servante. Puis il sort dans la nuit en se disant qu'il devra découvrir ce que cache cette femme avant d'en parler au gouverneur. Car il faudra bien qu'il lui en parle un jour ! Cela ne fait vraiment pas son affaire. Irrité, Montcalm regarde le ciel. La pluie s'est changée en neige. L'hiver semble bel et bien entamé.

*

Affaissée dans son fauteuil, Marie a fermé les yeux. Quelques larmes coulent sur ses joues. Des larmes de colère. Elle est au bord de la crise de nerfs. Cet homme a réussi à la faire passer d'un état de soulagement total à une impression de tension extrême. Il y a tant de soupçons qui pèsent sur elle qu'elle n'a aucune idée de la manière dont elle pourra se disculper.

– Si vous me permettez, Madame, je...

La petite voix de Louise se veut compatissante. Marie ouvre les yeux et aperçoit la jeune fille debout à deux pas d'elle, qui lui tend son mouchoir.

— Merci. Tu peux aller dormir maintenant. Je vais éteindre.

— Je voudrais vous parler, Madame.

Marie s'essuie le visage, puis fait signe à la servante de poursuivre. Louise prend alors un ton exaspéré :

— Si M. le marquis cherche des espions, Madame, il n'a pas à accuser une femme. Il n'a qu'à surveiller les officiers anglais de la prison. Ils sont plus libres que bien des gens, vont en ville comme bon leur semble, troussent les jupes des filles sans que personne leur fasse de reproche. Je vous parie qu'ils trouveront même un moyen de filer avant l'arrivée de l'armée et, eux, ils ne se gêneront pas pour donner des détails sur nos faiblesses.

Marie sourit. Elle sait que Louise veut la réconforter par ces paroles. Malgré le fait que l'exemple choisi ne soit guère rassurant, elle la remercie et lui répète d'aller au lit.

Louise s'incline et disparaît dans la cuisine, emportant avec elle une des bougies. Marie demeure un moment en silence, dans la seule lumière des chandelles allumées sur la table à côté d'elle. À ses pieds, le feu est presque éteint. Un petit bruit dans l'escalier attire son attention. Marie attend et écoute. Le bruit se fait entendre de nouveau.

— Tu peux descendre, maintenant.

Elle a deviné depuis longtemps que sa fille écoutait depuis l'étage. Pendant sa conversation avec Montcalm, les planches du couloir de l'étage ont craqué à quelques reprises. Voilà donc Odélie, penaude d'avoir été prise sur le fait à écouter les conversations des autres. Elle demeure au pied de l'escalier, entortillant sa chemise autour de ses jambes. Elle ne porte rien d'autre, preuve qu'elle n'avait pas l'intention de se faire remarquer. Elle n'ose regarder sa mère dans les yeux pendant que celle-ci la gronde :

— C'est impoli d'espionner les gens.

Le mot «espionner» est sorti tout seul et Marie voudrait se mordre la langue de l'avoir utilisé. Elle commence à en trouver les sonorités bien désagréables. Elle se reprend donc, en faisant signe à Odélie de s'approcher :

— Une jeune fille bien élevée n'écoute pas aux portes ni du haut d'un escalier.

Malgré le reproche, la voix de Marie est douce et Odélie fait quelques pas dans sa direction. Elle se penche et replace quelques lettres qui ont glissé du livre. Puis elle tend le tout à sa mère.

— Je m'excuse. Quand Louise m'a dit que le marquis de Montcalm nous rendait visite, j'ai voulu voir de quoi il a l'air. Mon père était avec lui à Chouagen, n'est-ce pas ?

Marie hoche la tête et attire sa fille près d'elle. Elle a le goût de lui dire qu'en ce moment Charles de Beauchêne lui manque, à elle aussi. Mais elle ne dit rien. Elle ouvre le livre, en retire les lettres adressées à sa fille et les lui tend.

— Tiens, dit-elle en refermant les doigts d'Odélie sur le papier. Même si je ne pouvais pas te les faire parvenir, ça ne m'empêchait pas de penser à toi. Maintenant, au lit ! Il se fait tard. Tu peux en lire quelques-unes dans ta chambre, mais ensuite tu éteins.

Le visage d'Odélie s'éclaircit. C'est plus que ce qu'elle avait espéré. Dès qu'elle a entendu le général parler de lettres qui lui étaient adressées, elle n'a pu s'empêcher de descendre quelques marches pour les voir de ses yeux. Jamais elle n'a pensé que sa mère les lui remettrait ce soir. Elle la remercie, fait demi-tour et se dirige vers l'escalier. Elle s'arrête avant la première marche et se risque à poser une deuxième question :

– Qui est Frederick Winters ?

Marie hésite. Que dire à sa fille à propos de cet homme qu'elle regrette même d'avoir connu ? Le simple fait d'entendre prononcer son nom la fait tressaillir. Elle en a plus qu'assez de le laisser briser sa vie. Même mort, il a trouvé le moyen de la hanter. Elle est prête à parier qu'il l'a fait exprès et que c'est pour cette raison que sa lettre ne contenait ni reproche ni accusation. Cela permet de faire peser sur elle des soupçons qui, autrement, seraient grotesques. C'est décidé. Elle ne le laissera pas continuer de la punir pour un crime qu'elle n'a pas commis. Marie se mord la lèvre inférieure avant de parler. Il faut que sa réponse soit crédible aux yeux d'Odélie :

– C'était un ami. Quand la *Fortune* a été attaquée, je me suis retrouvée en prison. C'est ce monsieur qui m'a aidée. Il est mort maintenant.

Odélie observe les yeux rougis de sa mère. Elle devine que celle-ci ne lui dit pas tout, mais elle n'a pas envie de connaître le reste. Elle n'a pas compris ce dont parlait le marquis de Montcalm tout à l'heure, ni ce qu'a voulu dire Louise en parlant des prisonniers anglais. Mais ce qu'elle sait, c'est que cette histoire a fini par faire pleurer sa mère. Elle n'a donc pas envie de la faire parler d'un sujet qui lui cause autant de peine. Elle s'approche d'elle doucement, dépose un baiser sur sa joue et file ensuite dans l'escalier.

Marie l'entend qui atteint la dernière marche et ralentit pour ne pas faire craquer le plancher, ce qui pourrait réveiller sa tante qu'elle croit probablement endormie. Dans la grande salle, le feu est éteint. Marie se lève et ramasse la petite bourse abandonnée par Montcalm. Elle la glisse dans une de ses poches et souffle les bougies, n'en gardant qu'une qu'elle apporte avec elle dans la cuisine. Les pièces d'or tintent à chacun de ses pas, lui rappelant sans cesse sa conversation avec le général. Marie n'en peut plus. La tension est trop grande. Jamais elle ne trouvera le sommeil dans ces conditions. Il n'y a qu'une chose à faire. Marie verse deux verres de vin qu'elle dépose sur un plateau avant de monter à l'étage à la lueur de la chandelle. Elle frappe deux petits coups à la porte de la chambre de sa belle-sœur. Elle sait qu'Antoinette aura tout entendu; elle écoute toujours tout ce qui se passe dans la maison. Une petite voix permet à Marie d'entrer. Ce qu'elle fait avant de refermer la porte derrière elle. Elle dépose le plateau et la bougie sur la commode, approche le petit banc près du lit et soupire en s'y assoyant. Pendant un moment, on entend seulement le bruit du vent.

— Qu'est-ce que je fais maintenant? demande-t-elle enfin, réclamant l'aide de sa belle-sœur comme elle le faisait de sa mère lorsqu'elle était enfant.

La réponse d'Antoinette, elle ne s'y attendait tout simplement pas :

— Tu ne fais rien.

Marie est soulagée par la confiance d'Antoinette. Elle sait que sa belle-sœur a raison : le marquis se rendra bien compte de son erreur par lui-même.

*

Les pieds dans un mélange d'eau et de neige, Marie se dirige vers la maison, chargée de paquets. Elle a l'air resplendissante. Grâce à l'argent apporté par le général, elle a pu non seulement vêtir et payer Louise, mais également faire des emplettes de victuailles qui leur assureront un hiver moins rude qu'elle ne l'avait prévu. Elle entend Odélie qui sautille à ses côtés, portant dans ses bras le sac de choux qu'elles viennent d'acheter. Marie sait pourquoi sa fille est aussi joyeuse. Elle aussi anticipe la réaction d'Antoinette lorsqu'elle découvrira le cadeau qu'elles lui rapportent.

Marie revoit le visage grassouillet et satisfait de M. Bouffard. L'homme avait quelques boîtes de pastels dont il était très fier depuis le dernier arrivage de marchandises à son magasin général. Comme ces objets de luxe n'avaient pas encore trouvé preneur, Marie espérait en avoir une pour un prix raisonnable. C'était bien mal connaître le commerçant. Elle a dû débourser une somme trop élevée pour ses moyens. Mais cette dépense imprévue n'a toutefois pas suffi à entacher sa récente joie de vivre.

– Si ce cadeau la rend heureuse, il méritera la somme que j'ai payée, a-t-elle murmuré en quittant la boutique.

En entendant ces mots, Odélie s'est arrêtée, étonnée de constater avec quel détachement sa mère avait dépensé cet argent, elle qui se plaignait depuis des semaines du prix des denrées. Elle a regardé Marie s'éloigner dans la rue, roulant des hanches, radieuse sous ce soleil de décembre. Il ne faisait pas froid, il ne ventait pas. C'était une journée splendide. Ravie de voir sa mère dans d'aussi bonnes dispositions, Odélie s'est précipitée à sa suite en riant. Elles ont ensuite conversé un moment, puis, en tournant la rue Saint-Louis, elles se sont tues, savourant le bonheur de cette dernière journée de beau temps avant l'hiver.

Elles sont maintenant presque rendues à la maison. La voix d'Odélie se fait brusquement suppliante :

— À l'aide, maman! Je sens les choux qui glissent. Je vais en perdre quelques-uns!

Marie s'arrête, dépose ses paquets sur le côté et revient sur ses pas pour prêter main-forte à sa fille. Comme elle s'en approche, une porte s'ouvre tout près d'Odélie. Un homme sort dans la rue sans apercevoir l'enfant qui lui bloque le passage.

— Atten…, lance Marie à l'inconnu qui n'entend malheureusement pas l'avertissement à temps.

Il bouscule Odélie, la retient de justesse pour éviter qu'elle ne tombe. Mais trop tard pour les choux qui fuyaient du sac! Ils roulent sur les pavés jusque dans les flaques d'eau glacée. L'homme se confond en excuses :

— Pardonnez-moi! dit-il en ramassant les légumes dégoulinants.

Puis il se relève et, reconnaissant Marie, il s'incline.

— Madame de Beauchêne! s'exclame le marquis de Montcalm. Quelle gaucherie de ma part! Vous m'en voyez désolé. Mais laissez-moi donc vous aider.

Il jette un regard aux alentours, comme s'il se méfiait des passants dans la rue. Rassuré par ce qu'il voit, il prend les choux des bras d'Odélie et s'empare des deux paquets de Marie. Ainsi chargé, il chemine avec elles.

– Je suis étonnée que vous soyez toujours en ville, général.

Marie a dit ces mots de façon anodine, mais elle remarque la tension qui habite Montcalm.

– J'avais des affaires à régler, dit-il, avant de se mettre à parler du temps qu'il fait.

Quelque chose le tracasse, c'est évident. Cependant, Marie n'a pas suffisamment de sympathie pour cet homme pour s'inquiéter de ce qui le préoccupe. À ses côtés, Odélie demeure silencieuse, son regard revenant sans cesse sur celui qui marche avec elles. Marie se souvient de l'intérêt que porte Odélie au général et cela la fait sourire. Rendue devant la grande maison de pierre, elle remercie chaleureusement l'homme pour son aide. Puis, après avoir récupéré ses paquets, elle recule d'un pas.

– Général, permettez-moi de vous présenter ma fille, Odélie.

Odélie est surprise par cette attention de la part de sa mère. Elle rougit jusqu'aux oreilles et s'incline devant Montcalm.

– Demoiselle. C'est un honneur de faire la connaissance de la fille du capitaine de Beauchêne. J'avais votre père en grande estime.

Il leur ouvre la porte et, se tournant vers Marie, il ajoute:

– Je suis heureux de voir que vous avez utilisé cet argent à bon escient.

Marie n'a pas le temps de répondre. Le général s'éloigne déjà dans la rue, au milieu des passants.

Ce soir-là, installées confortablement dans la chaleur de la grande salle, les dames de Beauchêne soupirent d'aise. Assise à la table, Odélie se sent étrangement proche de son père. Des souvenirs lui sont revenus en entendant le marquis de Montcalm parler du capitaine de Beauchêne en des termes élogieux. C'est le sourire aux lèvres qu'elle termine la lecture des dernières lettres que sa mère lui a remises. Même si elle l'a entendue à plusieurs reprises lui raconter combien son enfant lui avait manqué pendant son hiver chez les Anglais, Odélie éprouve un étrange bonheur de pouvoir le constater par elle-même.

À l'autre bout de la table, Antoinette a esquissé un visage sur une feuille de papier. Elle ajoute des yeux timides et doux, une balafre, un menton volontaire. Les bâtonnets de couleur s'activent et les traits se précisent. Antoinette rayonne. Pour la première fois, elle se laisse aller à se souvenir. La douleur est toujours là, sourde et intense à la fois, mais elle lui permet ce soir de vivre sa peine. Robert. Quel soulagement de pouvoir enfin laisser sortir cette image de sa tête!

Si elle ne craignait pas tant de se trahir, elle offrirait ce portrait à Odélie pour adoucir ses cauchemars. Mais Antoinette sait qu'elle ne le fera pas. Comment pourrait-elle s'ouvrir ainsi? Exposer son âme, alors qu'elle se sait d'avance jugée et condamnée? Qui comprendrait qu'elle soit demeurée une femme sous le voile? N'exige-t-on pas des religieuses qu'elles soient les dignes épouses de Dieu? Non, elle cachera ce dessin, comme elle cache cette autre partie d'elle-même qu'elle ne peut avouer, pas même à Marie.

Antoinette ferme les yeux et, pendant un long moment, elle plonge au cœur de ses souvenirs pour retrouver le visage tant aimé.

Assise devant les flammes, dans le fauteuil préféré de Charles, Marie a fermé les yeux, elle aussi, et se détend. La nuit dernière, elle n'a pas fait de cauchemar. Elle a même dormi comme une enfant. Et cet après-midi, en revenant de faire des courses, après sa rencontre fortuite avec le général, elle a trouvé Antoinette installée devant la cheminée, tenant compagnie à Du Longpré. L'homme venait lui apporter les quelques bouteilles de vin dont il lui avait parlé, ainsi qu'une lettre arrivée par le même bateau. Une lettre d'Adelard de Foy. Marie n'en croyait pas ses yeux. Elle ressentait une telle joie d'avoir des nouvelles de son père qu'elle aurait voulu que Du Longpré abrège sa visite. Cependant, le visiteur a pris son temps. Il est bien resté une heure avec les dames de Beauchêne, vidant la bouteille qu'il avait déjà entamée avec Antoinette. Immédiatement après son départ, Marie s'est ruée sur sa lettre.

Elle avait écrit à son père dès le début d'août pour lui dire qu'elle et Odélie étaient saines et sauves, de retour à Québec. Elle n'espérait pas de réponse avant le printemps. Or, son père avait eu le temps de recevoir son message et de lui répondre avant l'hiver. Dans sa lettre, il lui annonçait que lui et sa femme étaient de retour à La Rochelle et il en profitait pour inviter Marie à revenir à la maison paternelle avec son enfant.

Cette idée a d'abord laissé Marie de glace. Mais ce soir, devant les flammes, elle crée un léger remous dans son esprit. C'est vrai qu'à la mort de Charles, Marie a secrètement souhaité retourner en France. C'est vrai aussi que, pendant tout son voyage de retour vers Québec, elle a fait des plans pour l'avenir et cet avenir ne se trouvait pas en Nouvelle-France. Cependant, en ce moment, Marie ne voit pas pourquoi elle devrait partir. Elle a sa maison et suffisamment d'argent pour passer l'hiver. Et puis, Antoinette est encore faible ; elle a besoin qu'on s'occupe d'elle. Non, la seule raison qui la fait hésiter est d'un tout autre ordre.

Marie prend une gorgée de vin et la garde un moment sur la langue avant de l'avaler. Elle jette un œil à sa belle-sœur qui vient elle aussi de goûter le précieux liquide. Le sourire approbateur d'Antoinette la réjouit. C'est un réel plaisir d'avoir quelques bouteilles de bon vin, du bois pour la cheminée et de quoi manger à sa faim.

Un souvenir refait surface, furtif et sournois. Un regret, malgré le bien-être dans lequel elle se trouve. Retournerait-elle en France ? La Rochelle se trouve sur la côte, à peine plus au sud que Brest. Un voyage d'une journée. Peut-être deux. Et à Brest, il y a quelqu'un à qui elle pense encore, de temps en temps. L'idée de revoir Jean Rousselle ne lui est pas désagréable, mais Marie est consciente qu'il ne s'agit que d'une image dans sa tête.

Un bruit à la cuisine attire brutalement l'attention de tout le monde. Marie s'inquiète, car Louise est à l'étage, à refaire le lit d'Antoinette avec les draps qu'elle a lavés ce matin. En maîtresse de maison, elle se lève donc et traverse la grande salle. Lorsqu'elle pénètre dans la cuisine, la pièce est déserte. Sur le plancher devant la porte, elle découvre des mottes de boue et des flaques d'eau. Il ne lui faut pas longtemps pour tirer la conclusion

qui s'impose, car ce sont des traces de pas encore fraîches. Quelqu'un s'est introduit dans la maison et vient
tout juste d'en ressortir!

*

Timide, l'aube se lève sur l'île Miscou, affrontant
les derniers soubresauts d'une tempête nocturne. La
petite maison de Robichaud est recouverte de neige.
Ses occupants semblent dormir profondément, enfouis
sous une multitude de couvertures, fruits de la dernière
saisie du pirate. La veille, avant de se coucher, Robichaud a fait installer les lits près de la cheminée et distribué tout ce qui pouvait tenir un homme au chaud.

Une odeur de pin et de bois sec émane des tapis
de conifères placés sous les lits. Ces derniers, s'ils empê-
chent l'humidité de se glisser dans les paillasses, ne protègent personne du froid qui règne sur le sol de terre
battue. Le feu s'est éteint depuis plusieurs heures et la
pièce est à la même température que l'extérieur. Le vent
parvient à s'infiltrer par de minces interstices entre les
planches, créant un courant d'air qui ne réveillerait jamais un Acadien. Mais Jean n'est pas un Acadien.

Il n'a pas fermé l'œil de la nuit, les muscles tendus
et transis par le souffle glacial qui s'engouffrait dans
la cabane. Ce sifflement le rendait nerveux et il a descendu son bonnet de nuit jusque sur ses oreilles sans
pour autant se réchauffer. Il sentait sur ses joues la
neige qui avait réussi à s'infiltrer, elle aussi, dans leur
abri. Ce matin, il fait si froid que Jean est convaincu
qu'elle n'a pas pu fondre en tombant sur le sol. En effet,
lorsqu'il ouvre les yeux, il aperçoit de petits amoncelle-

ments blancs, plus importants le long des murs. Il lui faut une bonne dose de courage pour s'asseoir et quitter les couvertures douillettes. Il s'approche de l'âtre, se penche pour saisir quelques bûches et s'arrête au milieu de son geste. Des voix d'hommes lui parviennent par la cheminée.

Le regard de Jean se pose immédiatement sur la paillasse de Robichaud. Le vieil homme est encore dans son lit et il ne bouge pas. Ses yeux sont grands ouverts, car il écoutait depuis plusieurs minutes déjà. Soudain, il se lève, saisit le fusil qui gisait sur le sol à ses côtés et charge l'arme sans faire de bruit. Il se dirige ensuite vers l'entrée en faisant signe à Jean de demeurer silencieux et de se dissimuler derrière la porte. Le Métis obéit, ramassant au passage le couteau déposé sous son lit. Bien que tous ces gestes aient été posés dans le plus grand silence, Daniel Rousselle a été tiré de son sommeil. Il a quitté sa paillasse et, attrapant une hache suspendue au mur, se rend à la fenêtre pour observer les rôdeurs.

Les voix se font plus sourdes. Robichaud fait signe à ses amis de le suivre. Il ouvre la porte, jette un œil à l'extérieur avant de sortir complètement. Jean et Daniel le rejoignent et les trois hommes suivent les pistes dans la neige. Elles mènent vers une dépendance, de l'autre côté de la maison. Daniel se hisse sur une souche et épie l'intérieur du bâtiment.

Deux Indiens aux crânes à demi rasés discutent en micmac à voix basse. Ils se penchent et fouillent dans les coffres, ramassant tout ce qu'ils peuvent porter: maïs, farine, lard, mais aussi des étoffes de grand prix que Robichaud n'a pas encore eu l'occasion de vendre. Ils se dirigent ensuite vers la réserve de poudre et de munitions, tout au fond. C'est le moment que choisissent les trois hommes pour les prendre sur le fait.

— Où vous croyez-vous donc, voleurs? hurle Robichaud en pointant son fusil sur les visiteurs. Posez vos armes par terre. Et ces sacs aussi! lance-t-il, en désignant le butin qu'il a failli se faire voler.

Les Indiens s'adressent un regard oblique avant d'obtempérer. Daniel se jette alors sur eux et les fouille sans ménagement. Dehors, Jean surveille les environs au cas où ces voleurs seraient venus en bande. Au bout d'un moment, Robichaud conduit les Indiens à l'extérieur, suivi de Daniel qui exhibe les couteaux et les bijoux saisis, probablement volés eux aussi. Le vieil Acadien est furieux et il ne cesse de brutaliser et de houspiller les pillards qui, eux, demeurent silencieux.

— Vous êtes ici chez moi! Tout ce qui se trouve dans ces deux bâtisses ainsi que sur ma terre est à moi. Je vais vous apprendre à voler Alexis Robichaud. Vous vous souviendrez toute votre vie de la punition qu'il va vous infliger, le vieux Robichaud.

Demeuré en retrait, Jean observe les intrus. L'un d'eux lui est inconnu, mais il ne lui faut pas longtemps pour reconnaître en l'autre l'Indien qui lui a sauvé la vie lors de l'attaque de Gaspé. Il fait un signe discret à son père et les deux Rousselle s'éloignent du groupe, laissant l'Acadien décharger sa colère sur ses prisonniers.

Lorsque le père et le fils reviennent, moins de cinq minutes plus tard, les deux Indiens sont attachés de chaque côté d'un arbre. Leur dos nu est offert au courroux du vieil homme qui s'apprête à leur administrer une correction avec le fouet de son cheval. Daniel saisit dans son élan le bras de son ami.

– Attends, Robichaud! Ne punis pas celui qui a sauvé la vie de mon fils.

Robichaud baisse le bras, l'air ahuri, et se tourne vers Jean.

– Es-tu en train de dire qu'un de ces deux vauriens t'a sauvé la vie?

Jean répond en hochant la tête. Robichaud est méfiant. Puisqu'il a réussi à mettre la main au collet de deux hommes qui voulaient lui voler son bien, il n'entend pas les laisser filer sans les punir.

– Veux-tu bien me dire quand est-ce que c'est arrivé!

Et Jean de lui raconter comment il s'était cru habile tireur en abattant un Anglais pendant que, dans son dos, un autre s'apprêtait à le transpercer de sa baïonnette. À la fin de l'explication, Robichaud soupire, secoue la tête et va à l'arbre détacher celui qui est désigné comme le sauveur de son ami. Il s'agit d'un jeune homme de dix-huit ou dix-neuf ans, le torse étroit et tatoué.

– Parles-tu français? l'interroge Robichaud en le malmenant.

L'Indien fait non de la tête, en ajoutant en micmac:

– Mais je le comprends.

– Comment t'appelles-tu? demande Jean en s'adressant à lui dans sa langue.

– Un missionnaire m'a baptisé Mathieu, répond ce dernier, se frottant les poignets. Mais tout le monde m'appelle La Mire.

– Pourquoi «La Mire»?

– Parce que j'atteins ma cible à tous les coups, explique-t-il en montrant son fusil.

Puis, se souvenant de l'événement qui vient de lui éviter une raclée, il ajoute :

– Surtout si l'habit est rouge !

La conversation se poursuit en micmac, alors que l'Indien s'éloigne avec Jean et Daniel, sans même jeter un dernier regard à son compagnon détenu. Robichaud, resté seul avec l'autre voleur, sent une certaine aigreur l'envahir. Il lève son fouet et l'abat sur le dos de l'homme, le punissant comme il punirait n'importe lequel des membres de son équipage.

– Quand des voleurs deviennent des héros, c'est qu'il n'y a plus rien qui vaille ! ronchonne-t-il en redoublant d'ardeur.

*

Le début du mois de janvier 1759 ressemble à tous les débuts de janvier qu'a vécus la colonie. Entre le jour de l'An, les Rois et les autres bals, les habitants n'ont souvent qu'un jour ou deux de répit. Dans la maison de Marie de Beauchêne règne une fébrilité inhabituelle.

C'est la fin de l'après-midi. Le soleil décline rapidement au-delà des montagnes. Ses derniers rayons d'un orange flamboyant scintillent sur la neige durcie, faisant miroiter les fenêtres des maisons voisines. Marie s'attarde un moment sur ce ciel d'hiver, savourant la beauté de cette lumière qui fait chatoyer le givre des vitres. Ses yeux se posent ensuite sur le miroir de la commode devant elle. Son reflet lui plaît assez. La petite cicatrice au-dessus de sa joue a disparu sous la poudre. Marie lisse un boudin de sa perruque avant de se repoudrer le visage et le cou pour être impeccable. Au milieu des bijoux entremêlés et des rubans déroulés sur le meuble, elle saisit un collier qu'elle admire un moment avant de l'attacher à son cou. Elle sourit, satisfaite de son image. Soudain, la porte de sa chambre s'ouvre et trois femmes pénètrent dans la pièce en jacassant. Elles s'arrêtent, émues. Elles n'ont jamais vu Marie dans de si beaux habits.

— Ça fait longtemps que j'ai assisté à un bal, murmure celle-ci, embarrassée par ces regards admiratifs.

Elle s'est levée et sa robe bleue ondule sur le plancher, dans un froufrou de soie et de dentelle.

— Vous êtes magnifique, maman! lance Odélie en lui tendant un chapeau. Ma tante a fabriqué ceci pour vous. Rasseyez-vous, Louise va vous l'installer.

Marie remercie sa belle-sœur demeurée sur le pas de la porte. Puis elle contemple son œuvre, une minuscule coiffure de feutre, garnie de plumes et de bijoux.

— Vous êtes très élégante, Madame.

La voix de Louise est teintée d'envie et Marie pose sur elle un regard indulgent. C'est évident que la jeune fille n'a jamais porté d'aussi beaux vêtements de sa vie. Même si la robe que Marie lui a achetée lui sied mieux que celle qu'elle portait à son arrivée à Québec, il s'agit d'une robe de tous les jours, pas d'un vêtement de parade. Elle se rassoit et laisse sa servante terminer sa toilette. Lorsqu'elle a fini, Marie l'envoie avec Odélie préparer du café. Restée seule avec Antoinette, elle lui fait part de ses inquiétudes:

— Je devrais peut-être porter un mouchoir de cou. Il me semble que ce serait plus décent, dans les circonstances...

— Ce n'est pas comme si tout le monde était au courant, Marie. Si tu te montres trop prude et trop distante, ça éveillera les soupçons. Tu es censée être veuve depuis deux ans. Il est donc temps que tu aies une vie sociale susceptible d'amener de bons partis. Personne n'a à savoir pour le reste. Si le général est un homme d'honneur, ce dont je ne doute pas, il se fera discret.

– Oui, mais…

– Tu t'en fais trop, l'interrompt Antoinette en redressant une plume écarlate qui glisse du chapeau. Et puis, ce n'est pas comme si tu y allais seule ; les Du Longpré envoient une voiture te chercher. Ils s'occuperont de toi.

– Je ne veux pas me remarier.

Cette déclaration de Marie émeut sa belle-sœur. Antoinette peut comprendre que Marie hésite à s'engager de nouveau. Après tout, son dernier mariage lui apporte encore des ennuis, plusieurs mois après la mort de son époux. Mais il est malsain pour une femme de demeurer seule. En plus d'être dangereux, comme elles l'ont toutes deux constaté depuis quelques semaines. Le rôdeur n'est peut-être pas revenu, mais la tension a monté d'un cran dans la maison. Si un homme habitait ici, elles dormiraient mieux la nuit.

– Pour le moment, il n'est pas question de mariage, dit Antoinette en reculant pour admirer Marie. Mais regarde-toi donc! Tu vas faire l'envie des dames ce soir. Ça donnera de quoi jaser aux commères de la ville.

Puis elles descendent dans la grande salle pour prendre le café préparé par Louise. Dans les escaliers, Marie secoue la tête pour vérifier la solidité de sa coiffure, plus élaborée qu'à l'habitude. Mais en même temps, ce mouvement de gauche à droite lui fait penser à un geste de refus, qui lui permet en effet d'exprimer une condition qui la rebute. Elle n'aime pas du tout l'idée de faire semblant, de se promener devant les gens et d'agir comme les autres femmes de son statut.

— Cette maison est assez grande, dit-elle, une fois installée à table, ses jupes déployées autour d'elle. On pourrait en faire une auberge, comme celle de la veuve Martel, à Louisbourg. Ça paierait le bois de chauffage.

Antoinette avale une gorgée du liquide brûlant. La bouche pincée, les yeux fermés, son maigre visage semble soudain apaisé. Et elle sourit de contentement. Avec un doigt d'eau-de-vie, ce café la réchauffe mieux que ne le fait le timide feu de la cheminée. Elle est heureuse de ne pas avoir à sortir dans le froid de la rue. Elle jette un œil à la fenêtre : la carriole n'est pas encore arrivée. Elle secoue la tête en répondant enfin :

— Tu es trop jeune, Marie. Les gens jaseraient tellement qu'on ne te donnerait pas de permis. Et puis tout le monde sait que les Anglais n'attendent que le beau temps pour remonter le fleuve. La ville sera déserte avant l'été. Ce ne sera guère le bon moment pour ouvrir une auberge, crois-moi. Pour ce qui est du bois, tant que le sol ne sera pas gelé, tant que les traîneaux ne pourront pas approvisionner la ville, le bois sera la chose la plus dispendieuse qui soit. Et on ne pourra pas en acheter beaucoup, qu'on ait de l'argent ou pas.

Il arrive que les conseils d'Antoinette agacent Marie. Comme en ce moment. Elle sait que sa belle-sœur ne veut que son bien, mais elle n'aime pas qu'on lui dise quoi faire, encore moins qu'on lui fasse remarquer qu'elle a tort. Alors elle ne riposte pas, mais serre les poings. De toute façon, il serait bien inutile de lui répondre, puisqu'une voiture vient de s'arrêter devant la maison. C'est celle que ses amis Du Longpré lui ont envoyée.

*

Il est plus de neuf heures du soir. Ayant à peine quitté la pénombre des rues, Marie est éblouie par la lumière de l'entrée qui s'attarde sur les vêtements somptueux, les perruques poudrées et les épées rutilantes. Plus loin, dans la salle de bal, il y a six fois plus d'hommes que de femmes et plusieurs d'entre elles sont déjà en agréable compagnie sur la piste de danse. La musique accentue l'air de fête qui règne tout autour.

Marie cherche un visage connu lorsque des éclats de rire attirent son attention. Elle reconnaît de loin Marianne Du Longpré en conversation avec un groupe de dames installées sur des sofas. Marie se fraie un chemin entre les gens qui vont et viennent et ceux qui échangent à voix forte. Un serveur lui offre un verre de champagne qu'elle ne refuse pas. Elle est déjà gagnée par l'euphorie lorsqu'elle rejoint Marianne et ses amies avec qui elle jase avec entrain et vivacité pendant quelque temps. Les regards admiratifs que lui glissent certains hommes ne la laissent d'ailleurs pas complètement indifférente.

Son visage s'obscurcit toutefois en reconnaissant l'homme qui discute avec Du Longpré, alors que celui-ci traverse la pièce pour retrouver sa femme. Dès qu'il aperçoit Marie, le marquis de Montcalm, aussi élégant et autoritaire qu'à son habitude, lui impose d'emblée sa compagnie.

– Me feriez-vous l'honneur de m'accorder cette danse, madame?

Marie le fustige du regard un court instant, puis incline légèrement la tête en signe de déférence, avant de se lever. Elle n'a pas du tout envie de danser avec lui. Cependant, devant tant d'invités de haut rang, lui refuser serait d'une impolitesse impardonnable. Il s'agit après tout du général en chef des armées. D'ailleurs, ce cher Du Longpré lui a déjà pris son verre des mains et la pousse doucement vers son cavalier. Marie a surpris le clin d'œil que les deux hommes viennent d'échanger et les sourires d'envie et de jalousie de certaines de ses compagnes. Montcalm la saisit au coude et l'entraîne fermement vers les danseurs. Les musiciens, qui s'étaient tus depuis un moment, reprennent à l'instant leur mélodie et Marie n'a d'autre choix que de se laisser porter par la musique et par les gestes assurés de son partenaire. D'un mouvement du poignet, il la guide, se rapproche, s'éloigne en suivant la chorégraphie habituelle. Au bout d'un moment, Marie et Montcalm sont suffisamment près l'un de l'autre pour soutenir une conversation.

– C'est un grand plaisir de vous revoir, madame de Beauchêne.

Marie sourit poliment et fait semblant d'ignorer l'emphase avec laquelle le marquis a prononcé son nom. Elle ne peut retenir cependant le petit commentaire cynique qui lui brûle les lèvres:

– Il me semble qu'un général pourrait trouver mieux à faire que d'inviter une veuve à danser pour s'amuser à ses dépens.

Montcalm éclate de rire en entendant le sarcasme, mais Marie continue ses pas comme si de rien n'était.

Plusieurs convives se sont tournés vers eux, à la recherche de ce qui amuse à ce point leur général. Montcalm les salue de la tête et, lorsqu'ils sont retournés à leurs conversations respectives, il revient à Marie. Son regard pétillant se pose sur elle dans un mélange de curiosité et de malice.

— Mais, ma chère dame, si je danse avec vous, c'est pour voir à la sécurité de la colonie, ne vous y trompez pas.

Marie se raidit, mais la poigne solide de Montcalm empêche tout mouvement de recul. N'ayant contre lui d'autre arme que la parole, elle poursuit sur la voie de l'ironie :

— Et que pense le général de cette sécurité ? Est-elle vraiment mise en péril par la veuve d'un officier anglais ?

Le sourire de Montcalm s'estompe aussitôt et il fait pivoter Marie de manière à ce qu'elle puisse apercevoir un groupe d'hommes qui discutent devant une table remplie de victuailles. Marie reconnaît parmi eux Vaudreuil et Bigot. À ce moment, Montcalm chuchote à son oreille :

— Vous devriez surveiller vos propos, madame. Si le gouverneur et son intendant apprenaient votre secret, je vous assure que mes plaisanteries vous manqueraient.

Marie ne réagit pas à la menace, car son regard s'attarde sur cette abondance de nourriture. Elle a elle-même de la difficulté à trouver suffisamment de pain chaque jour pour nourrir sa famille. Comment diable est-ce possible d'obtenir autant de viande, alors que la ville est en famine ? Montcalm ne semble pas s'offusquer d'une telle opulence, pas plus que les autres convives qui se servent sans arrêt. Le général a d'ailleurs repris son ton moqueur :

– Pour ma part, je ne nie pas prendre un certain plaisir à vous étudier. Et plus j'y travaille, plus je comprends l'intérêt que vous porte mon ami Bougainville. Vous n'êtes pas sans savoir que votre tempérament indépendant et fougueux a attiré son attention. Il n'a cessé de me parler de vous depuis Carillon. Dommage qu'il n'ait pas été au courant de votre situation avant son départ. Cela aurait sans doute refroidi sa fièvre. Encore que, désormais, vous soyez aussi accessible que vous puissiez l'être.

Cette dernière allusion a piqué Marie au vif, si bien qu'elle jette sur son cavalier un regard méprisant. Bien sûr qu'elle était au courant que Bougainville s'intéressait à elle, mais elle n'a jamais pensé qu'il pouvait en avoir parlé à une autre personne. Que diable veut-il insinuer par ces remarques indiscrètes ? Marie se sent soudain coincée, indisposée par cette seconde intrusion du général dans sa vie privée, plus violente à ses yeux que la première qui touchait à la mort de Frederick. Elle jure entre ses dents. Jamais elle n'aurait dû mettre les pieds au bal. Elle n'a désormais qu'une envie : quitter cette assemblée et rentrer chez elle. Elle n'ose cependant faire un geste qui attirerait l'attention sur elle. « Dans cette foule, avec ce bruit, il est plus facile de parler que d'agir », se dit-elle en laissant son cavalier la faire tourner sur elle-même.

– Je ne crois pas que votre ami serait homme à abuser d'une telle « situation », monsieur de Montcalm.

– Je vois, madame, que vous n'êtes pas au courant de ses derniers préparatifs de voyage.

Montcalm se déplace toujours avec aisance, mais il sent désormais une certaine tension dans les bras de Marie. Un coup d'œil lui suffit pour savoir qu'il se

95

rapproche de son but. Il prend un air nonchalant et Marie rage intérieurement en s'apercevant que l'homme s'amuse à ses dépens.

– Bougainville est si épris de vous qu'il a engagé des hommes pour vous surveiller pendant son absence.

La surprise est totale et Marie sent ses jambes se dérober sous elle. Sans la main de Montcalm qui la tient fermement par la taille, elle se serait effondrée sur le plancher.

– Trop de champagne, n'est-ce pas? dit l'homme sur un ton ironique.

Marie décide qu'elle a suffisamment fait les frais de la raillerie du général. Elle cherche des yeux la sortie la plus proche, mais Montcalm a suivi son regard.

– Si nous allions faire quelques pas à l'extérieur. Cela vous ferait le plus grand bien, madame.

Sur ces mots, il la pousse doucement vers la sortie, attrapant au passage sa cape qu'il dépose sur les épaules de Marie.

Une fois à l'extérieur, ils font quelques pas en silence. L'air froid a quelque chose d'apaisant et Marie se détend un peu. Une question lui brûle les lèvres, mais elle n'ose la poser. C'est Montcalm qui prend la parole le premier. Son ton presque aimable la surprend.

– J'ai fait la connaissance de vos «gardiens» en quittant votre demeure, le mois dernier. Ils m'ont sans doute pris pour un amant, car ils me sont tombés dessus avec l'intention évidente de me faire passer l'envie de vous revoir. Heureusement pour moi, l'un d'eux m'a reconnu avant d'abattre son poing dans ma figure, ce qu'il aurait fait sans doute si mon visage n'avait été éclairé par les lumières d'une gentille chaumière plus bas dans votre rue. Les gredins m'avaient suivi depuis chez vous. Vous imaginez leur surprise en constatant qu'ils allaient donner une raclée au général de l'armée du roi.

Montcalm a voulu sa dernière phrase humoristique, mais Marie ne sourit pas. Elle n'arrive pas à croire qu'elle est surveillée. Mais, en même temps, tout s'explique. Le rôdeur, qui est entré chez elle en laissant ses traces sur le plancher, n'était probablement qu'un de ces hommes qui se demandait si Du Longpré était encore chez elle. Marie en a froid dans le dos. Elle tourne la tête dans toutes les directions à la recherche d'une ombre suspecte. Dire que depuis le début de novembre, on épie ses moindres gestes! Quand Bougainville reviendra, elle aura des comptes à régler avec lui. Tout à coup, une lumière s'allume dans son esprit. C'est avec un ton très dur qu'elle s'adresse alors au général:

— Si vous avez rencontré ces «gardiens», ils vous ont certainement dit qu'il n'y avait personne à soupçonner chez moi.

— En effet. Ils m'ont dit se compter chanceux d'avoir reçu la moitié de leur salaire avant le départ de Bougainville. Ils craignaient qu'il ne leur paie pas le reste puisqu'ils n'ont trouvé rien d'intéressant sur votre compte.

Marie se sent si soulagée que ses épaules, tendues auparavant, s'affaissent légèrement et la cape de Montcalm qui lui couvre les épaules laisse voir la peau blanche de son cou.

— Néanmoins, poursuit Montcalm, je leur ai dit de ne pas désespérer. On est encore loin du printemps. D'ici là, tout peut encore arriver.

Marie se tourne vers lui, les joues en feu. Décidément, le général joue avec elle. Mais là, c'en est trop. Elle lui jette brutalement sa cape au visage et fait demitour en s'éloignant à grandes enjambées, son corps grelottant dans le froid de la nuit. Montcalm la rejoint en quelques secondes. Il lui prend le bras pour la forcer à s'arrêter.

– Pardonnez-moi, dit-il doucement en lui remettant son vêtement sur les épaules. C'était mesquin de ma part. J'avais seulement une dernière chose à vérifier.

– Ça suffit! lance enfin Marie en le repoussant. Qu'est-ce que vous voulez savoir? Si mon mari me battait? Eh bien, oui! Vous êtes content maintenant? Vous voulez savoir aussi si Jean Rousselle était mon amant, c'est ça? Non, il ne l'était pas. Il m'a emmenée avec lui parce que c'est à cause de lui que Frederick m'avait frappée. Bon. Y a-t-il autre chose que vous vouliez savoir? Mon âge, peut-être? Vingt-huit ans. Si j'ai de l'argent? Non, en dehors de ce que vous m'avez remis. Pourquoi ma belle-sœur ne retourne-t-elle pas au couvent? Parce qu'aucune communauté ne veut d'elle tant qu'elle sera malade comme elle l'est en ce moment. Mais que diable voudriez-vous savoir d'autre?

Les mots se précipitent dans sa bouche. Ses yeux sont étincelants sous l'effet de la colère. Heureusement, Marie et Montcalm sont seuls dans la rue et suffisamment loin du bal pour ne pas être entendus. Le général reste de marbre. Il a enfin eu ce qu'il voulait: une réponse à sa question. Il fallait bien s'assurer qu'elle ne lui cachait pas autre chose. Mais, devant l'air furieux de Marie de Beauchêne, il se dit qu'il a peut-être poussé ses insinuations un peu loin.

— Pardonnez-moi, répète-t-il en lui tendant son mouchoir pour qu'elle essuie l'unique larme qui roule sur sa joue. Vous n'avez pas à rougir pour un traitement qu'on vous a fait subir contre votre gré.

Marie se tamponne doucement le visage, mais constate néanmoins que le mouchoir est taché de poudre. Que faire maintenant? Elle ne peut retourner ainsi au bal. Comme elle s'en veut d'avoir accepté l'invitation! Comme Charles lui manque à présent! Comme Antoinette a raison quand elle lui dit qu'elle serait plus en sécurité avec un homme dans sa vie! Mais certainement pas avec un homme comme celui qui se trouve devant elle en ce moment. Elle soupire bruyamment en tentant de se calmer.

— Attendez-moi ici, dit enfin Montcalm. Je vais chercher vos affaires et annoncer à vos amis Du Longpré que je vous raccompagne chez vous. À moins que vous ne vouliez paraître au bal dans cet état.

Marie secoue la tête sans dire un mot.

— Alors restez ici.

Il s'éloigne, abandonnant Marie à cette colère qui se dissipe lentement. Lorsqu'il revient, il troque la cape de Marie contre la sienne et escorte la dame jusque chez elle dans un silence pesant. Avant de la laisser, sur le pas de la porte, il s'excuse de nouveau et ajoute:

— Je vous crois.

Puis il se recule, se retourne et bifurque vers la gauche pour prendre la première rue. Marie entend longtemps ses pas qui crissent sur la neige durcie.

*

Marie se réveille tard le lendemain matin. Une conversation animée la mène jusqu'à la cuisine où Odélie, Antoinette et Louise argumentent à voix haute. Marie ne s'occupe pas de leurs propos. Ce sont plutôt les mottes de boue devant la porte, ainsi que les flaques d'eau partout sur le plancher qui attirent son attention. Furieuse, elle sort dans la cour pour voir de ses yeux les pistes laissées dans la neige. Combien de fois ce gardien viendra-t-il l'espionner jusque dans sa maison? Vêtue uniquement de sa chemise et d'un châle de laine, elle demeure figée sur le seuil en apercevant la vingtaine de traces de pas dont les empreintes sont à l'évidence trop grandes pour être celles de pieds de femme.

— Maman? demande la petite voix de sa fille derrière elle. Qu'est-ce que vous avez? Vous êtes toute blême. Rentrez vite. Venez vous réchauffer.

Marie se laisse guider par Louise venue prêter main-forte à Odélie. Antoinette referme la porte derrière elles avant d'essuyer d'un coup de linge la boue qui maculait le plancher. La servante verse un café pour sa maîtresse. Elle lui tend la tasse, mais la tient fermement lorsque Marie boit, évitant ainsi que le liquide ne se renverse et la brûle.

— Vous avez vu toutes ces traces? demande enfin Marie lorsqu'elle est remise du choc.

Odélie, Antoinette et Louise se regardent, perplexes. La servante se rend alors à la porte, jette un œil à l'extérieur et revient rapidement près du feu.

— Ce sont les traces de mon père, Madame. Je suis désolée qu'il vous ait éveillée.

— Ton père? s'écrie Marie, incrédule. Quand? Comment?

— Il a profité de ce que les routes étaient enfin praticables en traîneau pour nous apporter un peu de bois de chauffage, en remerciement parce que vous m'avez prise à votre service. Il aurait aimé faire davantage, mais, vous savez, notre ferme ne produit pas encore suffisa…

— Il a parcouru tout ce chemin depuis la Pointe-aux-Trembles juste pour nous apporter du bois! s'exclame Marie.

— Ben… oui, murmure Louise, la voix affaiblie par un sentiment de culpabilité. Il n'aurait pas dû, vous pensez?

Marie regarde sa servante, les yeux écarquillés. Ce n'était que M. Lafleur. Ce n'était pas encore ce rôdeur. Quel soulagement!

— Où est ce bois? demande-t-elle, soudain consciente que sa réaction risque d'être prise pour de l'ingratitude.

Louise sourit enfin en entendant sa maîtresse reprendre ses esprits. Elle se dirige vers la porte, mais c'est Odélie qui prend la parole la première:

— On a calculé qu'il y en avait suffisamment pour tout le reste de l'hiver, maman.

— Au pire, ajoute Antoinette, on n'aura qu'à descendre les matelas dans la grande salle. Je crois bien, Marie, que notre problème de chauffage est enfin résolu.

CHAPITRE III

À la mi-mai, Jean, Daniel, La Mire et Robichaud se joignent à un groupe de Canadiens, d'Acadiens et de Micmacs, équipés pour la petite guerre, qui remontent le fleuve Saint-Jean en canots d'écorce. Ils progressent vers le nord, portageant souvent à cause des rapides et des chutes qui forment des obstacles sur le cours d'eau. Lorsque ces hommes arrivent à l'embouchure de la rivière Madawaska, ils s'y engagent et la remontent jusqu'au lac Témiscouata qu'ils traversent sans encombre. Commence ensuite un portage difficile sur plus de vingt lieues à travers les montagnes et la forêt dense, jusqu'à la rivière du Loup. Épuisés, mais satisfaits de s'être rendus jusque-là sains et saufs, ils descendent la rivière et mettent pied à terre juste avant que les eaux ne plongent dans la chute pour rejoindre le Saint-Laurent tout en bas.

C'est sur ce promontoire qu'ils aperçoivent, un peu en aval du confluent, dix voiliers anglais qui ont jeté l'ancre non loin de la rive. Des ordres sont criés. On pénètre dans les bois pour rejoindre au plus vite Kamouraska, en amont et se joindre à la milice. Les hommes sont inquiets, mais contents, car ils arrivent juste à temps. Ils sont partis de loin pour se joindre à la garnison de Québec et défendre la ville. Car où que l'on soit, en Amérique du Nord, chacun sait que si Québec tombe aux mains des Anglais, c'est toute la Nouvelle-France qui périra.

*

La neige a complètement fondu et le sol est asséché depuis quelques semaines déjà. Lorsqu'il fait beau, comme aujourd'hui, Marie installe deux fauteuils sous le grand orme dans la cour arrière. Elle s'y prélasse habituellement en compagnie d'Antoinette ou d'Odélie. Or, en cet après-midi de la fin de mai, Odélie est partie au marché et Antoinette se repose dans son lit, puisant ses forces dans la quiétude de sa chambre. Souvent, elle y dessine aussi et cache sa feuille de papier dès qu'on entre dans sa chambre. Marie l'a remarqué, mais fait comme si de rien n'était.

Assise dans un fauteuil, Marie admire le potager qu'elle a aménagé au fond de la cour. Les plants ont beaucoup poussé depuis quelques jours. Toute la famille devrait pouvoir en savourer les premiers légumes dans deux ou trois semaines.

La voix d'Antoinette lui parvient de l'étage par une fenêtre ouverte. Marie ne bouge pas. Elle sait que Louise s'occupe bien de sa belle-sœur. Elle est peut-être déjà rendue dans sa chambre avec un bol de bouillon. Malgré l'efficacité de la servante, Marie s'inquiète de cette étrange langueur d'Antoinette qui semble ne pas pouvoir se rétablir complètement. Elle n'ose toutefois pas faire revenir le médecin. La dernière fois que l'homme a rendu visite à Antoinette, il est ressorti de sa chambre plus perplexe que lorsqu'il y avait pénétré. Ne trouvant pas de problème d'ordre physique, il a émis l'hypothèse que les maux d'Antoinette relevaient davantage de la mélancolie et reflétaient sans doute une douleur de l'âme. Marie s'est insurgée et lui a montré la sortie.

« Il ne savait manifestement pas de quoi il parlait », songe Marie, rassurée par les instructions de Louise qu'elle peut entendre jusque dans la cour.

De toute façon, la présence d'Antoinette n'est pas un embarras pour Marie, mais une source de réconfort. Sa belle-sœur partage avec elle la responsabilité des décisions et offre toujours une oreille attentive, peu importe ce que Marie a à dire. Même si ses conseils l'embêtent parfois, Marie doit admettre qu'Antoinette se montre habituellement avisée. La chose surprend toujours, venant d'une personne qui a passé une partie de sa vie à l'abri de la réalité dans un couvent. Marie profite donc de sa sagesse, parfois bien malgré elle.

Il est deux heures de l'après-midi, peut-être trois. Marie ne voit plus le temps passer, elle est complètement détendue. Elle pourrait presque s'assoupir, si ce n'était de cette odeur de viande rôtie qui flotte dans la cour, lui faisant anticiper le repas du soir. Lorsque Louise est revenue du marché en fin d'avant-midi, elle avait acheté une pièce de mouton. Elle l'a payée deux fois plus cher que le mois dernier, mais Marie était si impressionnée que sa servante ait réussi à en trouver qu'elle n'a pas critiqué. En ce moment, elle n'a qu'à inspirer profondément pour s'en féliciter.

Le livre vient de lui glisser des mains et repose à l'envers sur ses genoux. Marie a fermé les yeux et savoure cet avant-goût de l'été. Sa quiétude n'est troublée que par le craquement des carrioles et des charrettes qui passent la porte Saint-Louis. Ces bruits incessants et parfois stridents l'agacent un peu. Ils lui rappellent les raisons du va-et-vient inhabituel qui s'est emparé de la capitale depuis qu'on sait que les Anglais sont sur le fleuve. Le gouverneur a recommandé à tous ceux qui le peuvent de se rendre dans leur famille ou chez des amis en dehors de la ville ou aux Trois-Rivières. Mais où Marie irait-elle, avec une fille de dix ans, une belle-sœur malade et une servante qui parle tout le temps? Marie n'a ni famille ni ami à l'exception des Du Longpré et ceux-ci résident à Québec. Elle a donc pris le parti de rester chez elle.

Maintenant, elle se sent si légère, si calme, si sereine que tout devient flou et qu'elle s'endort en quelques minutes. Elle n'entend pas le claquement de chaussures sur le pavé à l'entrée de la cour. Ni le grincement de la porte de la clôture qu'on ouvre et qu'on referme à quelques pas d'elle. Même lorsque quelqu'un s'assoit dans l'autre fauteuil, Marie ne réagit pas, absorbée dans ses rêves. Il faut plusieurs minutes avant qu'elle ne perçoive une présence près d'elle.

Et c'est par son parfum que le visiteur est découvert. Un parfum comme on en porte à la cour de Paris. Un parfum d'homme, qu'elle n'a pas senti depuis le bal, l'hiver dernier. Un parfum qui émanait de quelques nobles convives. Marie ouvre les yeux, mais ne sursaute pas en apercevant l'intrus; elle savait qu'il viendrait.

— Je n'ai pas voulu troubler votre sommeil, madame.

La voix de Bougainville est douce et Marie ne peut s'empêcher de lui sourire. Malgré une traversée sans doute exténuante, l'homme a l'air reposé. Ses yeux clairs ne sont pas cernés, sa bouche fine n'affiche pas la moue habituelle des voyageurs épuisés. Sa perruque blanche est soigneusement coiffée et poudrée. Il a aussi revêtu ses plus riches habits et Marie remarque qu'il a un peu maigri pendant l'hiver. Ses pieds sont chaussés de souliers neufs et de très beaux bas de soie. Sur sa poitrine est accrochée la croix de Saint-Louis dont on l'a décoré pendant son séjour à Paris. En fait, Marie ne l'a jamais trouvé aussi séduisant. Lorsqu'elle prend conscience de l'effet qu'il a sur elle, elle se reprend immédiatement.

«Je ne me laisserai pas éblouir par de beaux habits et de belles manières», pense-t-elle en atténuant volontairement son sourire.

Si Bougainville a autant soigné sa présentation, c'est dans un but précis. Elle l'a deviné et n'a pas l'intention de lui rendre la vie facile. Elle a un compte à régler avec lui, car elle ne lui a pas encore pardonné l'anxiété que lui a causée la visite du rôdeur dans sa cuisine. Sans parler du fait que ses gardiens ont été actifs tout l'hiver. Oui, elle entend bien lui faire comprendre ce qu'elle pense de ses manigances. Son sourire s'estompe complètement et elle prend un ton sévère, comme si elle grondait Odélie:

– Vous auriez dû passer par la porte avant et prévenir Louise de votre arrivée. Elle sera furieuse quand elle s'apercevra qu'un homme s'est introduit dans la cour.

Bougainville est surpris par la remarque et il lui faut quelques secondes pour évaluer ce qu'il convient de faire. Il se lève, s'excuse et se dirige vers la maison pour prévenir la servante. Marie le retient de la main lorsqu'il passe près d'elle.

— Louise vous pardonnera, dit-elle en lui désignant le fauteuil pour qu'il s'y rasseye. Elle vous pardonnera pour cette fois. Mais peut-être pas pour nos gardiens. Moi non plus, d'ailleurs. Je n'avais pas besoin de « protection » et je vous assure que vos hommes ont fait plus de mal que de bien.

Marie savoure un moment le malaise qu'elle a fait naître chez Bougainville. Celui-ci a blêmi. De toute évidence, il ne s'attendait pas à ce que la dame soit au courant de sa manœuvre. Il tâche de se composer un air serein et son regard se fixe sur Marie, cherchant à deviner ce qu'elle sait au juste de ses préparatifs de voyage de l'automne dernier.

— Je vous assure que mes intentions étaient nobles. Je vous savais seule et je…

Mais il ne continue pas. Comment pourrait-il lui avouer qu'il était jaloux ? Jaloux de quoi ? De qui ? De Jean Rousselle ? En y pensant bien, il se trouve lui-même ridicule. Un Métis ne ferait pas le poids devant sa propre situation, surtout maintenant qu'il est colonel…

Marie attend la suite des excuses, mais celle-ci ne vient pas. Elle aurait aimé découvrir un remords, au moins un regret d'avoir embauché ces hommes. Elle a fait exprès de laisser un doute sur ce qu'elle sait de leur mission. Bien que Montcalm lui ait expliqué, elle préfère ne pas trop indisposer son visiteur. Elle veut simplement qu'il soit moins sûr de lui. C'est une situation délicate, surtout s'il s'avère qu'elle a vu juste quant à la raison pour laquelle il est venu lui rendre visite. Elle poursuit donc sur un ton plus amical :

— Ces hommes ont bien failli réduire en bouillie notre cher général.

Bougainville regagne un peu d'assurance en entendant nommer son ami. Il reprend la balle au bond :

— Vous admettrez qu'il m'aurait été difficile d'imaginer la raison pour laquelle M. le marquis viendrait vous rendre visite, lance-t-il avec un sourire ironique.

Marie lui sourit, mais au fond elle se mordrait les doigts de son impuissance. Non seulement il ne s'excuse pas, mais il semble en plus vouloir jouer au chat et à la souris avec elle, comme le faisait Montcalm. Qu'il soit au courant pour son mariage avec Frederick, soit. Mais Marie refuse de se laisser adosser au mur une deuxième fois. Pour savoir exactement à quoi s'en tenir, elle décide de tendre une perche :

— Je vois que vous n'avez pas perdu de temps pour vous renseigner sur mon compte. J'espère au moins que le général en a profité pour vous raconter ses soirées aux différents bals de Québec.

Marie sait, comme tout le monde d'ailleurs, que Bougainville est arrivé de France à la mi-mai et qu'il s'est immédiatement rendu à Montréal pour faire rapport de sa mission à son général. En fait, toute la ville est au courant qu'il n'a pas réussi à obtenir des renforts pour la colonie.

— Nous avions d'autres sujets à discuter. De plus pressants, mais certainement de moins intéressants. Me raconterez-vous ?

— Plus tard, peut-être, répond négligemment Marie, heureuse de constater que la situation critique de la Nouvelle-France a dominé la conversation entre les deux hommes.

Bougainville a maintenant complètement repris son assurance habituelle. Marie se doute bien que celle-ci est en partie fortifiée par le fait que son voyage en France a été profitable, sinon pour la colonie, du moins pour lui-même.

– Vous avez fait bon voyage, colonel? demande-t-elle, mentionnant volontairement le nouveau grade de son visiteur.

Le sourire de Bougainville s'élargit. Il apprécie que Marie reconnaisse sa promotion. Il ne lui a pas fallu long-temps pour comprendre qu'être colonel à trente ans, cela fait de lui un parti très intéressant.

– Très bon, dit-il. Ce fut agréable, sauf à l'aller, où nous avons failli faire naufrage, et au retour, où nous avons été pris dix-huit jours dans les glaces. En dehors de ça, je n'ai pas eu à me plaindre.

Cette remarque cynique rappelle à Marie ses propres traversées de l'océan. De quoi lui donner le goût de rester en Nouvelle-France le reste de sa vie! Bougainville interrompt ses pensées:

– Dites-moi, pourquoi n'êtes-vous pas en train de faire vos bagages?

– Mais parce que je ne vais nulle part, colonel. Et vous, pourquoi n'êtes-vous pas en train de charger les canons pour couler ces navires anglais qui approchent?

– Je suis en permission spéciale, madame. Pour ce qui est des navires, vous voulez sans doute parler des voiliers qui mouillaient dans le golfe, il y a quelques se-maines. Ce n'était qu'une avant-garde, à ce qu'on dit. La flotte, quant à elle, n'a pas encore été aperçue. Vous devriez tout de même quitter la ville.

Marie est flattée de constater que Bougainville se soucie de sa sécurité. Toutefois, si elle prend les conseils venant de sa belle-sœur, il n'en va pas de même avec tout le monde. Elle veut bien laisser cet homme parler puisque ça ne changera en rien sa décision. Cependant, pour éviter que les choses ne dégénèrent, elle décide de lui montrer qu'elle a déjà étudié la question sous tous ses angles :

— J'ai ouï dire qu'on fait murer les maisons de la basse-ville, en plus d'en avoir fait sauter les toits. Le gouverneur compte-t-il en faire autant avec les maisons de la haute-ville ?

Bougainville hésite à répondre, incertain de l'effet qu'aura sa réponse sur la suite de la conversation. Au bout d'un moment, ne voyant pas de moyen de se défiler, il cède :

— Non. On ne touchera pas aux maisons de la haute-ville, car on les considère à l'abri en cas d'attaque. Elles sont trop loin, mais…

— Dans ce cas, je ne vois pas pourquoi je devrais partir. D'ailleurs, je n'ai nulle part où aller et ma belle-sœur est toujours souffrante. Et puis il y aura les soldats à loger et à…

— Ils logeront chez vous, que vous y soyez ou non.

— Je ne pars pas, colonel.

La voix de Marie est ferme, mais neutre. Elle ne laisse pas paraître la contrariété qu'elle éprouve à discuter de ce sujet. Pour qui se prend donc cet homme qui lui dit ce qu'elle devrait faire et ne pas faire ? La croit-il si étourdie qu'elle ne puisse prendre soin d'elle-même et de sa famille ?

« Le colonel peut bien donner des ordres à ses soldats, se dit-elle. Mais je ne suis pas l'un d'eux. »

Bougainville a détourné la tête et allongé ses jambes devant lui. Il devine qu'il a contrarié Marie en insistant, mais il est troublé par son attitude butée. Est-elle consciente du danger qu'elle court en demeurant dans la ville lorsque les Anglais l'assiégeront? Car c'est ce qu'ils feront, à n'en pas douter.

Pendant ces longs mois en France, il s'était plu à imaginer leurs retrouvailles, leur première conversation. Si, dans ses rêves, il avait évoqué le caractère hardi de Marie, il était loin d'avoir envisagé qu'elle fût aussi têtue. Pourtant, il doit avouer que c'est spécifiquement ce trait de caractère qui l'attire chez elle, qui le séduit.

C'est à ce moment qu'il se rend compte que la conversation s'éloigne de l'objet de sa visite. Il se tourne vers Marie, se demandant comment la ramener à des dispositions plus favorables.

— Je m'excuse pour les gardiens, dit-il après un moment de silence, incapable toutefois de regarder la dame dans les yeux.

Déstabilisée, Marie ne répond pas. Elle a enfin ce qu'elle voulait, mais elle ne sait trop comment réagir devant ce changement d'attitude. Elle pourrait soupçonner un autre stratagème pour la manipuler, mais elle s'y refuse. En ce moment, Bougainville a l'air sincère et Marie préfère le croire de bonne foi. Elle lui ouvre enfin la porte qu'il cherchait :

— Vous ne m'avez pas encore donné la raison de votre visite, colonel.

Bougainville émet un petit rire nerveux.

— Non, c'est vrai. C'est la raison pour laquelle je suis en permission spéciale.

Il hésite et cela le rend furieux contre lui-même. Il n'a tout de même pas fait tout ce chemin depuis Montréal pour lui conseiller de quitter la ville. S'il ne se jette pas à l'eau, il aura l'air idiot. Et Bougainville déteste avoir l'air idiot.

– J'ai reçu une bonne instruction, à Paris. J'ai aussi mérité certaines grâces de la cour, ce qui fait que je ne devrais pas devoir passer ma vie en Nouvelle-France, même si l'endroit me plaît davantage maintenant qu'à mon arrivée…

Marie laisse l'homme discourir et réfléchit, l'écoutant d'une oreille distraite. Elle n'est pas surprise des propos qu'il lui tient, puisqu'elle avait deviné la raison de sa visite. D'ailleurs, elle l'attendait, de même qu'elle s'attendait à ce qu'il lui fasse sa demande. Durant tout l'hiver, elle n'a cessé d'être troublée à la pensée qu'elle serait dans une bien meilleure position si elle était mariée.

Ce n'est pas qu'elle en ait envie, mais juste à l'idée de passer un autre hiver à voir à tout, comme elle l'a fait durant les neuf derniers mois, elle se sent déjà épuisée. Un homme se serait occupé de la maison. Il aurait défendu l'honneur de sa femme contre les soupçons qui pesaient sur elle. Il l'aurait protégée des menaces voilées de Montcalm. Un homme se serait assuré qu'elle ne manque pas de nourriture ni de bois, comme ç'a été le cas au début de janvier. Il aurait apporté de l'argent de façon régulière. Ce n'est pas un petit détail dans son cas, car Marie sait bien que, l'an prochain, elle n'aura pas la bourse venue d'Angleterre, comme ce fut le cas en décembre dernier. Comme si elle n'avait pu faire ce constat seule, Antoinette a renchéri en faisant référence aux rôdeurs et à la sécurité dans la maison. Oui, Marie est bien obligée d'admettre qu'un époux lui faciliterait grandement la vie. Sans parler des pires nuits de l'hiver où elle a trouvé son lit si vide, si froid.

Elle observe l'homme assis devant elle. Il est séduisant et riche, ce qui n'est pas pour lui nuire. Avec un père comme lui, Odélie recevrait une très bonne éducation. De plus, Bougainville semble sincère dans ses paroles, comme dans ses sentiments. Des sentiments que Marie ne partage pas, mais qu'elle est prête à accepter. Avec le temps, elle apprendra certainement à l'aimer, elle aussi. Et il les ramènera probablement en France, d'ici un an ou deux.

En France. Ces mots lui ramènent à l'esprit un visage qu'elle voudrait effacer, des sensations qu'elle voudrait oublier, une impression qui trouble son raisonnement. Marie secoue la tête. Il n'est pas question de laisser le passé nuire au présent. Jean Rousselle est parti. Il lui a dit adieu dans la petite barque et a pris la mer pour ne plus revenir. Et même s'il revenait, poserait-elle les mêmes gestes que ceux qu'elle s'apprête à faire? Marie décide que ce serait le cas. Affirmer le contraire ne saurait que la faire douter, et peut-être aussi admettre qu'elle se prépare à commettre une nouvelle erreur. Cette idée lui serait insupportable.

Bougainville achève son plaidoyer en sa faveur. Marie se raidit en entendant la dernière phrase. Des mots hésitants, qui lui rappellent brutalement son dernier mariage :

– Et je ne suis pas... violent, murmure l'homme en regardant Marie d'un air entendu.

Ainsi, Montcalm lui a tout dit. Marie soupire ; elle ne peut rien contre l'opinion qu'il se fait désormais sur elle. Non, Bougainville n'est peut-être pas violent, cependant, si on avait posé la question à Frederick, se serait-il déclaré tel? Marie en doute et cela lui fait mal. Comme elle aimerait savoir qu'elle ne se trompe pas, avoir l'assurance que Bougainville sera un bon père pour ses enfants, savoir qu'elle ne regrettera jamais de lui avoir confié leurs destinées.

Bougainville s'est tu. Il regarde le gros arbre, avec ses branches qui s'étalent à l'horizontale avant de s'étirer, avec une frondaison naissante, plus haut que la maison. Il en émane une telle solidité. Une telle sécurité aussi. Bougainville sait qu'il a tout ça à offrir à une femme. Et pourtant, il cherche les mots pour continuer. Il craint un refus. C'est pour ça qu'il a fait valoir son mérite avant d'aborder la vraie question, celle pour laquelle il a fait le trajet entre Québec et Montréal, à cheval, ne s'arrêtant que pour prendre un minimum de repos. Malgré ses appréhensions, il ne voulait pas perdre de temps. Et c'est justement la pensée qui lui vient à l'esprit dans l'instant même. Il a assez perdu de temps. Il se lève de son fauteuil, met un genou à terre aux pieds de Marie et prend ses mains délicates dans les siennes.

— Je suis venu vous faire ma demande, dit-il enfin au bout d'un long moment de silence. Accepteriez-vous de devenir ma femme ?

*

En cette nuit naissante, une brise légère venue du fleuve souffle sur le haut des remparts, traînant dans les rues surchauffées, s'infiltrant à travers les rideaux par les fenêtres des maisons humides. C'est une mi-juin habituelle pour la Nouvelle-France. Un début d'été avec sa moiteur et sa chaleur suffocante.

Dans une maison qui domine la falaise, deux hommes mangent, chacun absorbé dans ses pensées, appréciant de temps en temps le courant d'air dans la pièce. Devant eux, sur la table, les carafes d'eau sont déjà vides, la bouteille de vin, à moitié pleine et les assiettes, encore bien garnies, même si le repas a été servi, il y a près d'une demi-heure. Pour des raisons différentes, ces deux hommes n'ont pas très faim.

Un silence aussi lourd que l'air règne autour de la table. Depuis qu'on a appris qu'une flotte anglaise de deux cents voiliers remontait le fleuve en direction de Québec, c'est le branle-bas de combat. Tout le monde ne pense qu'à une chose, assurer la défense de la ville. Mais, ce soir, il en est autrement.

Montcalm lève vers son invité un regard interrogateur. Depuis deux semaines, l'humeur de Bougainville oscille entre la joie de vivre et la mélancolie. Va-t-il enfin lui dire ce qui le trouble au point de lui faire perdre l'appétit?

«Au moins est-il capable d'être efficace en ce qui concerne son travail, sinon il faudrait sérieusement le sermonner», se dit Montcalm en se servant un peu de vin.

Toujours sans un mot, il tend la bouteille à son ami, mais il faut quelques secondes à ce dernier pour s'en rendre compte. Bougainville accepte à contrecœur de se resservir. Il trempe les lèvres dans son verre, le repose devant lui et pousse un soupir bruyant en reprenant sa fourchette qu'il laisse traîner longuement sur le bord de son assiette. Cette attitude est inhabituelle chez un individu aussi bon vivant que Bougainville. Il n'y a qu'une femme pour mettre un homme dans cet état. Fort de cette réflexion, Montcalm décide de lui offrir l'opportunité de se confier.

– Comment s'est passée votre dernière visite chez Mme de Beauchêne, mon ami?

Bougainville est intrigué par l'attitude du marquis. Il se redresse, pose ses ustensiles sur la table et s'essuie élégamment le coin de la bouche.

– Très bien, monsieur, dit-il simplement, s'emparant de son verre de vin pour éviter de regarder son supérieur dans les yeux.

Le silence revient pendant un moment, brisé uniquement par les murmures des serviteurs à la cuisine et les voix des passants dans la rue. Montcalm aimerait que son ami parle davantage, qu'il lui dise enfin ce qu'il a sur le cœur. Devant son mutisme, il se risque à poser une deuxième question :

– Vos «affaires» avec cette dame se sont-elles déroulées comme prévu?

Bougainville frémit. Il ne croyait pas que le marquis pouvait pousser l'indiscrétion aussi loin. Il repose son verre, s'essuie de nouveau avec sa serviette et se décide enfin à regarder son hôte dans les yeux. Ce qu'il y trouve le laisse coi.

Un sourire timide, des yeux compréhensifs, la tête inclinée sur le côté en signe de bienveillance. Le visage mince et délicat de Montcalm trahit une sympathie sincère et Bougainville souhaiterait pouvoir se confier à son ami. Mais il demeure muet.

Comment avouer ce qu'il a découvert au sujet de cette femme qui a accepté de l'épouser? Comment admettre qu'il est blessé, malgré les jours de bonheur que lui promettait son mariage futur avec Marie de Beauchêne. Elle ne lui a pas dit non, mais…

Bougainville repense à cet après-midi-là, dans la cour de la maison de Mme de Beauchêne. Il revoit le corps solide de cette femme se prélassant à l'ombre de l'orme, élégante malgré sa robe de tous les jours. Que de courage il lui a fallu pour faire sa demande ! Le visage de Marie de Beauchêne s'était alors éclairé, affichant toute l'estime et le respect qu'elle a pour lui. Oui, de l'estime et du respect. Mais rien de plus, il l'a bien vu.

Sur le coup, il s'est dit que la chose n'était pas bien grave, que des sentiments plus intimes naissent souvent à force de fréquenter l'autre. Il s'est redressé sur son fauteuil, prêt à se lever pour l'enlacer, pour la serrer dans ses bras, pour l'embrasser fougueusement jusqu'à produire chez elle un bouleversement semblable au sien, à cette émotion qui l'étreint lorsqu'il se retrouve en sa présence. Or, c'est à ce moment qu'elle a commencé à parler de son deuil qui n'était pas terminé.

Bougainville était au courant pour la mort de Frederick Winters. Montcalm lui avait parlé de l'espion, du livre et des lettres qu'il contenait. Cependant, on avait dû conclure que Mme de Beauchêne ne représentait pas une menace pour la ville. Elle avait fui un mari violent et était rentrée chez elle pour retrouver sa fille. Tout cela avait beaucoup de sens et il avait été décidé de ne plus l'importuner avec ces histoires de trahison. Surtout que Bougainville avait à se faire pardonner ses propres gestes disgracieux à son endroit.

Il a donc accepté d'attendre quelques mois, ainsi qu'elle le lui a demandé. Ils publieront les bans en novembre, comme elle l'a proposé. Bougainville se souvient de s'être senti comblé. Et fier aussi. Il s'est approché d'elle pour l'embrasser. Elle l'a laissé faire, mais elle ne lui a pas rendu son étreinte, comme il l'avait souhaité.

Depuis, il lui a fait cinq visites. Et chaque fois, il revient de chez elle avec un sentiment de vide, de solitude. Il se raisonne avec sévérité. Il voulait cette femme pour lui seul. Maintenant qu'il est convenu qu'elle sera à lui, il ne va tout de même pas revenir sur sa décision. Conquérir Marie de Beauchêne a-t-il été si facile qu'il en soit déjà lassé? Non, Bougainville ne croit pas que cela soit la cause de sa déception. C'est plutôt autre chose qui le dérange. Quelque chose de sournois, une lame à deux tranchants. S'il a fait exprès de vanter ses qualités, conscient qu'il était un bon parti pour cette femme, il n'a jamais pensé qu'elle pourrait accepter ce mariage pour ces raisons uniquement. Oui, au fond de lui, il est déçu. Il aurait aimé plus de chaleur, plus d'affection.

– Il y a des sentiments qui naissent avec le temps.

La voix de Montcalm fait tressaillir Bougainville qui secoue la tête pour reprendre ses esprits. Comment le marquis a-t-il pu deviner ce qui le troublait? Le général lui sourit à l'autre bout de la table. Il a peut-être lu la douleur sur son visage. Il a peut-être compris son désarroi.

– Espérons que vous avez raison, murmure Bougainville en reprenant sa fourchette.

Dehors, les passants se sont tus. Les serviteurs ont dû quitter la cuisine. Désormais, les deux hommes sont vraiment seuls dans leur silence.

*

Fin de juin. Il fait nuit. Le ciel a perdu la teinte marine des premières heures. Il est d'un noir d'encre et sa lune presque pleine oscille sur le fleuve, faisant danser le profil élancé d'un canot qui approche de l'Anse-au-Foulon. Une voix s'élève dans l'obscurité, sous les arbres:

— Qui vive?

— La France, répond un des hommes de l'embarcation.

Et le canot s'enfonce dans la boue. Deux hommes en débarquent, se penchent et en retirent un troisième, allongé dans le fond. Leurs pas traînent bruyamment dans l'eau avant d'atteindre la berge.

— D'où venez-vous?

— Nous faisions partie de la milice de la Côte-du-Sud. Il y a eu une embuscade à Beaumont. Mon père est blessé et nous nous rendons en ville le faire soigner.

Un des soldats s'approche, incline sa torche, mettant en évidence les taches sombres sur les vêtements du blessé.

— Vous pouvez monter. Quand vous en aurez fini avec lui, rapportez-vous au château Saint-Louis. Le gouverneur voudra vous poser des questions sur ce qui s'est passé là-bas.

Puis il fait signe à ses hommes et on ouvre le passage aux nouveaux venus. Ces derniers soulèvent leur blessé et gravissent la côte qui les mène sur les hauteurs d'Abraham. De là, ils longent le chemin de la Grande-Allée, dépassent quelques demeures dont les silhouettes imposantes se découpent à la lumière de la lune. Ils atteignent la porte Saint-Louis juste avant qu'on ne la ferme pour la nuit. Ils répètent leur histoire aux soldats de garde et, une fois ce dernier obstacle franchi, ils remontent la rue Saint-Louis jusqu'à une grosse maison de pierre.

L'un d'eux frappe, assez fort pour être entendu à l'étage. Une servante ouvre la porte, une lampe à la main. Elle pousse un cri d'effroi et recule en apercevant un crâne à demi rasé et des peintures de guerre sur le visage d'un des hommes. Puis, découvrant que les deux compagnons de l'Indien sont vêtus à la française, elle se ressaisit.

– Votre maîtresse est-elle là? demande un des hommes.

La servante approche la lampe du visage de celui qui a parlé. Ce n'est pas un Indien, mais son visage n'est pas typiquement français non plus. Elle s'apprête à lui demander de s'identifier lorsqu'elle remarque que l'homme soutient un blessé inconscient dont les vêtements sont tachés de sang. Elle ouvre plus grande la porte pour libérer le passage.

– Mais entrez, voyons! On ne reste pas dans la rue en pleine nuit avec un homme dans cet état! lance-t-elle aux visiteurs qui hissent le blessé sur les quelques marches séparant le pavé de l'entrée.

– Madame est à l'étage, répond la servante, remise du choc initial. Installez votre homme dans la grande salle, je vais chercher ma maîtresse.

Les hommes prennent la direction indiquée par la servante. Les pieds du blessé traînent sur le sol, créant deux sillons de boue jusqu'au fauteuil où ses compagnons l'installent doucement. La pièce est mal éclairée, mais il y fait plus frais qu'à l'extérieur. Ce bref changement de température éveille le blessé qui, reprenant ses esprits, tente de se soulever.

– Où sommes-nous? hurle-t-il, brusquement pris de panique.

– Moins fort! Tu vas réveiller toute la ville. Nous sommes chez une amie. Ne bouge pas. On va essayer de te soigner. Ne bouge pas, je te dis…

L'homme oblige son père à demeurer assis, mais ce dernier se redresse sans arrêt. Il veut constater par lui-même qu'il ne se trouve pas chez un chirurgien. Il n'est rassuré qu'en remarquant la propreté des lieux et la vaisselle fine dans le buffet. Il distingue soudain une silhouette féminine au fond de la pièce. Il plisse les yeux pour voir son visage, mais tout devient flou et il s'évanouit.

*

Debout sur la dernière marche de l'escalier, Marie de Beauchêne est figée sur place, sous le choc. Un homme se tient devant elle, lui tournant le dos. Elle l'a reconnu immédiatement, même si lui n'a pas remarqué sa présence. Elle a l'impression de voir un fantôme surgi d'outre-tombe. Ses vêtements sont déchirés, couverts de boue et de sang. Ses cheveux noirs et raides sont défaits, emmêlés et retombent négligemment sur ses épaules et dans son dos.

Marie vient aussi d'identifier le blessé affalé dans le fauteuil. En remarquant la quantité de sang répandu sur ses vêtements, elle comprend soudain l'urgence de la situation. Elle s'élance vers Daniel Rousselle et s'agenouille à ses pieds, sans un regard pour Jean. Sa voix retentit dans la pièce, étrangère:

– Vite, Louise! Mets de l'eau à bouillir et apporte-moi des linges propres.

Marie déchire le pantalon du blessé, défait le bandage de fortune qui recouvre la plaie et éponge le sang qui s'en écoule encore.

– Que s'est-il passé? lance-t-elle sans détourner la tête, essayant d'évaluer la gravité de la blessure.

Un long silence sépare la question de la réponse. Lorsque Jean prend la parole, sa voix est enrouée et il doit s'éclaircir la gorge avant de pouvoir donner une explication:

– Les Anglais ont atteint l'île d'Orléans. Ils ont établi leur camp près de Saint-Laurent. Hier soir, ils ont traversé le chenal sud et nous ont pris par surprise. On avait monté notre camp à Beaumont, pensant qu'ils n'y risqueraient jamais une descente à cause du haut-fond. Apparemment, on s'est trompés. Plusieurs de nos hommes sont morts ou ont été faits prisonniers. On a même perdu un vieil ami à nous… acadien. Mon père a pris une balle. On l'a porté jusqu'à la rivière Etchemin. On voulait se rendre à Saint-Nicolas, mais on est tombés sur des canots abandonnés. J'ai préféré traverser le fleuve et venir chez vous.

– Louise, apporte-moi des pinces! ordonne Marie à la servante qui vient de revenir avec les linges propres.

Elle a écouté le récit de Jean et hoché la tête, mais ne lui a pas jeté un coup d'œil. Elle sent la tension l'envahir, son cœur qui bat trop vite, trop fort. Elle se ressaisit, préférant se concentrer sur la nécessité de soigner le père plutôt que de reconnaître l'immense joie qu'elle ressent à revoir le fils.

Louise a de nouveau disparu à la cuisine. On l'entend qui fouille des meubles et remue des objets. Elle revient au bout de quelques minutes avec l'outil demandé qu'elle tend tout de suite à sa maîtresse.

– Portez-le sur la table, ordonne encore Marie, mais en s'adressant cette fois-ci à Jean et sans se tourner vers lui.

Ce dernier se penche sur son père et, aidé par le jeune Indien La Mire qui vient de réapparaître à ses côtés, il soulève Daniel et le transporte sur la table que la servante vient de débarrasser. Marie se place de l'autre côté, se garantissant une certaine distance entre elle et Jean. Elle garde la tête inclinée, mais elle sent le poids de son regard peser sur elle.

En effet, à deux pas de la table, Jean Rousselle étudie l'indifférence de Marie. Des émotions se bousculent en lui. Parmi elles, la déception. Que pourrait-il ressentir d'autre devant cette attitude distante? En quittant Québec, un an plus tôt, il pensait ne jamais la revoir. Puis, lorsque, avec son père et ses amis, il a pris la décision de venir défendre Québec, un espoir est né. Un espoir fou, qui l'a motivé durant le trajet depuis l'île Miscou, puis le long du Saint-Laurent, à la suite des Anglais. La nuit, il revoyait des images de leur passé commun. Un passé qui, bien que bref, avait fait naître entre eux une certaine amitié. Il s'était imaginé des *peut-être*, des *si*, et des *après la guerre*. Et voilà, devant lui, enfin, Marie de Beauchêne. Comme il voudrait qu'elle lui prête plus attention, qu'elle manifeste ce qu'elle ressent à le revoir. Il tousse de nouveau, mal à l'aise, regrettant presque d'être venu chez elle.

– Tenez-le.

Marie s'est adressée à Jean sur un ton plus amical cette fois, comme si elle s'habituait à sa présence dans la maison. Il s'approche de la table. Marie lève la tête et le regarde dans les yeux pour la première fois.

— Tenez-le bien, répète-t-elle doucement. Ça va lui faire très mal.

Puis elle lui sourit. Un sourire timide, qui s'efface aussitôt qu'elle aperçoit l'Indien à ses côtés. Celui-ci est venu leur prêter main-forte. Les deux hommes empoignent alors une partie du corps de Daniel et leur prise s'affermit lorsque Marie insère les tiges métalliques dans la plaie. Daniel est secoué d'un spasme de douleur et hurle, reprenant brutalement conscience, persuadé d'être tripoté par un chirurgien.

— Espèce de boucher! Ne me touchez pas!

La colère lui a fait monter le rouge aux joues. Il reconnaît soudain Marie de Beauchêne, cette femme hautaine qu'il a déjà rencontrée à Louisbourg et qui lui a fait une assez désagréable impression.

— Qu'est-ce que vous…?

Daniel a blêmi. La douleur dans sa jambe se fait maintenant si vive qu'il perd connaissance de nouveau. Marie en profite pour retirer la balle et refaire le bandage sur la plaie. Puis elle nettoie longuement le reste de la jambe. La Mire s'est éloigné vers la cuisine, sur les traces de Louise. Marie se retrouve donc seule avec Jean. Cette soudaine promiscuité les détend tous les deux. Comme si, pour se retrouver tels qu'ils se sont quittés, ils avaient besoin de s'isoler du monde.

Marie relève la tête, s'essuie les mains sur son tablier. Elle a du sang partout. Elle s'aperçoit que Jean a fait le tour de la table et est venu la rejoindre. Il a pris un chiffon imbibé d'eau et, délicatement, il essuie les gouttelettes de sang qui perlent sur ses joues. Ils sont très proches, presque aussi proches qu'ils l'étaient, il y a un an. Si Marie tendait le bras, elle pourrait toucher ces épaules solides sur lesquelles elle s'est déjà reposée. Mais elle ne bouge pas, jusqu'à ce que Jean ait terminé de lui nettoyer le visage.

— Comment se fait-il que vous ne soyez pas en France? demande-t-elle alors sans cesser de le regarder dans les yeux.

Ne jugeant pas nécessaire d'expliquer les raisons pour lesquelles il est venu jusqu'à Québec, Jean résume son aventure en deux phrases:

— Pour rejoindre la mer, l'*Allégeance* devait affronter un blocus anglais. J'ai préféré débarquer.

Marie soupire. Elle est heureuse de le revoir, mais, en même temps, elle lui en veut d'arriver trop tard. Trop tard pour elle. Car, malgré tout ce qu'a pu s'imaginer Jean pendant leur long voyage à travers les bois, Marie est une femme de parole et d'honneur. Si elle ne lui a jamais cédé, c'est parce qu'elle savait qu'elle était la femme d'un autre. Cela était suffisant pour qu'elle retienne tout geste susceptible d'être pris pour autre chose qu'une manifestation d'amitié. Et en ce moment, les gestes qu'elle réprime la font souffrir. Encore une fois, Jean a devant lui la femme d'un autre. Du moins une femme promise à un autre. Entre eux, la tension grandit jusqu'à devenir intolérable. Heureusement, Louise et l'Indien reviennent de la cuisine avec du pain et du vin, brisant le charme sans s'en rendre compte.

— Vous devez avoir faim, dit enfin Marie, en désignant de la main la petite table et les fauteuils près du foyer éteint.

Louise y dépose ce qu'elle transportait et attend de nouvelles instructions de sa maîtresse.

– Va voir s'il reste de la place en haut. Et apporte une paillasse pour M. Rousselle. On ne le montera pas à l'étage, ça le ferait trop souffrir. Pour le moment, il va dormir ici. Demain, on va voir si on peut t'installer en haut et lui laisser ta chambre.

– Inutile de préparer des lits pour La Mire et moi, l'interrompt Jean. Nous allons veiller mon père. Donnez-nous seulement des couvertures.

– Comme vous voudrez! conclut Marie. De toute façon, je crois que tout est occupé là-haut. Nous héber-geons une famille de la basse-ville depuis une semaine.

Elle réfléchit encore un moment et ajoute pour Louise :

– Apporte tout ce qui reste de couvertures. M. Rous-selle va certainement faire de la fièvre pendant la nuit. Il faudra le tenir au chaud.

En se tournant vers Jean et La Mire :

– Assoyez-vous donc. Vous me paraissez exténués. Vous devez aussi avoir grand-faim.

*

Il est quatre heures et demie du matin. Le soleil se lève sur la ville, déjà chaud et brillant, laissant présager une autre journée torride. Odélie se faufile discrètement dans les ruelles et les rues encore désertes, ses souliers effleurant à peine les pavés. Ce matin, son costume s'est enrichi d'une corne à poudre presque pleine passée en bandoulière et d'un sac-à-feu, contenant quelques bal-les, attaché à sa taille.

«C'est un butin moins nourrissant, mais combien plus excitant», a-t-elle songé, en s'emparant des objets aux pieds d'un milicien endormi, qui gisait non loin des remparts.

Elle a eu beau errer en ville pendant près d'une heure, elle n'a trouvé ni nourriture ni vêtements à la traîne. Depuis que les habitants de la basse-ville se sont réfugiés dans la haute-ville, plus rien n'est laissé au hasard et ses sorties clandestines sont devenues moins profitables.

Sentant naître au fond d'elle l'excitation, fruit de sa témérité, Odélie passe devant la maison et longe le mur jusqu'à l'arrière. Son fusil à la main, elle s'accroupit pour surprendre l'Anglais imaginaire caché dans la cour. Elle se faufile sans effort entre la clôture et le mur, s'approche de l'arbre et bondit de l'autre côté pour surprendre son ennemi.

– Ne bougez plus, ordonne-t-elle à voix basse à l'Anglais invisible, désormais prisonnier d'un milicien de dix ans.

Un bruit de vaisselle qui s'entrechoque surprend Odélie qui se réfugie immédiatement derrière l'arbre. Louise n'a pas l'habitude de s'affairer dans ses chaudrons si tôt le matin et ce tintement de porcelaine est inquiétant. Si quelqu'un est déjà éveillé, il lui sera difficile de retourner à sa chambre sans être vue.

Odélie jette un œil en direction de la fenêtre, mais n'arrive pas à distinguer quoi que ce soit à l'intérieur, les rayons du soleil se réfléchissant sur les carreaux.

« Il faut que je me rapproche », se dit-elle, en se dirigeant vers le mur qu'elle rase ensuite jusqu'à la fenêtre.

C'est à ce moment qu'elle aperçoit un homme qui fouille dans l'armoire de la cuisine. Des cheveux noirs et longs lui couvrent la moitié gauche de la tête. L'autre est complètement glabre. Le torse de l'homme est nu et peint de dessins étranges. Un Indien? Dans la maison?

«Il ne peut s'agir que d'un voleur! songe Odélie, indignée. Je ne vais tout de même pas me faire voler les provisions que j'ai pris tant soin d'amasser!»

Elle recule d'un pas, s'adosse au mur et, sans faire de bruit, charge son arme, comme elle l'a fait toutes les nuits depuis plusieurs mois. Cette fois, c'est pour vrai. Elle verse la poudre et fait glisser le plomb jusqu'au fond. Les mouvements sont précis et la peur lui procure une énergie nouvelle. Elle se concentre sur sa respiration pour apaiser les battements de son cœur qui se sont soudainement accélérés. Lorsqu'elle redevient calme, elle vérifie que tout est paré et ouvre la porte arrière sans faire de bruit.

En pénétrant dans la cuisine, elle réalise qu'il lui faudrait un moment pour que ses yeux s'habituent à la pénombre, mais elle refuse de perdre l'avantage de la surprise. Elle s'adresse au voleur avec une voix qu'elle souhaite menaçante :

— Qu'est-ce que vous faites dans ma maison?

L'homme sursaute et se retourne. Odélie ne voit encore qu'une silhouette qui se dresse, imposante, devant l'armoire. Odélie tressaille. Elle avait espéré que la vue du fusil suffirait à faire déguerpir l'intrus. Le voilà soudain qui étire le bras vers un objet long et sombre appuyé contre le mur. Elle reconnaît la forme du fusil et fait deux pas dans sa direction.

— Ne bougez pas! Qui êtes-vous?

L'homme s'immobilise, mais ne répond pas. Odélie plisse les yeux et découvre enfin un visage barbouillé de rouge. Ses traits crispés trahissent une impatience à peine contenue. La tension atteint un seuil critique quand l'Indien tend de nouveau le bras vers son arme.

Un coup de feu retentit dans la maison. Le fusil tombe sur le sol dans un fracas qui fait écho à la détonation. La balle s'est logée dans le plâtre et en a fait lever quelques éclats, à moins de quatre pouces de la main de l'Indien. Ce dernier n'y prête pas attention. L'air ahuri, il garde les yeux rivés sur le garçonnet qui vient de lui tirer dessus. Il ne parle toujours pas. C'est d'ailleurs le seul, car le reste de la maisonnée a été réveillé et un bourdonnement de pas précipités et d'éclats de voix provient de l'étage.

Odélie recule sur le pas de la porte, indécise quant au prochain geste à poser. Doit-elle le forcer à partir ou lui barrer la route pour le faire prisonnier? Sa mère ne devrait pas tarder à descendre. Elle saura quoi faire de cet intrus. Odélie place son arme de travers de manière à bloquer le passage de l'Indien si ce dernier tentait de se sauver. Ce qu'il ne fait pas. Il reste sur place, nullement préoccupé par tous ces gens qui accourent. C'est un autre homme, inconnu, qui pénètre le premier dans la pièce. Odélie sent la panique la gagner, mais elle se ressaisit. Pas question de laisser ces deux voleurs partir avec son butin! Elle se tourne vers le nouveau venu.

— Mon fusil n'est pas chargé, mais si je vous en donne un bon coup, vous ne pourrez plus marcher pendant quelques jours. Qui êtes-vous?

La voix de sa mère retentit alors derrière les deux hommes:

— Odélie? interroge celle-ci avant d'apparaître dans l'embrasure de la porte, les yeux écarquillés comme si elle n'arrivait pas à croire que ce garnement en guenilles puisse être sa fille.

En fait, Marie n'a reconnu que la voix de son enfant. Elle s'approche d'elle, soulève le chapeau qui dissimule sa chevelure dense et passe ses doigts dans les mèches écourtées. Puis son regard dégoûté va du visage couvert de boue aux vêtements sales et déchirés. Il s'attarde ensuite sur le fusil et la corne à poudre. Finalement, Marie fait un pas en arrière pour voir l'ensemble de cet accoutrement. Elle s'appuie contre le mur, n'arrivant pas à comprendre ce qui a pu arriver à sa fille.

– Doux Jésus! Veux-tu bien me dire ce que tu fais avec un fusil? demande-t-elle enfin.

Odélie se rend compte que toute l'attention est portée sur elle, comme si la présence de l'Indien ne dérangeait personne.

– J'ai surpris ce voleur à fouiller dans l'armoire, dit-elle en pointant son arme en direction de La Mire.

Mais Marie ne s'occupe toujours pas de l'Indien. De l'étage parvient la voix de Louise qui tente de calmer la panique qu'a provoquée le coup de feu. Odélie sent les yeux de sa mère qui pèsent sur elle et elle incline finalement la tête pour regarder le plancher. Elle remarque alors ses vêtements et prend conscience de ce qui dérange Marie. Elle voudrait s'expliquer, mais, au moment où elle ouvre la bouche, elle s'aperçoit que les deux hommes s'apprêtent à quitter la cuisine.

– Ne les laisse pas s'enfuir, maman! Ce sont des voleurs!

Marie jette un œil derrière elle et, constatant que Jean et La Mire ont disparu, s'adresse à sa fille avec sévérité:

— Ce ne sont pas des voleurs!

Puis, saisissant l'oreille de sa fille et la tirant vers une chaise :

— Maintenant, tu vas m'expliquer ce que tu fais, déguisée de la sorte. Et je veux savoir où et comment tu t'es procuré ce fusil. Voyons donc si ça se fait de tirer sur les gens dans la maison.

Confuse, Odélie s'assoit et commence à faire le récit de ses virées matinales.

Dans la grande salle, La Mire s'est renfrogné dans un coin. Il a été mis en joue par un enfant, par une fillette de surcroît. Si au moins il l'avait entendue arriver, mais la gamine n'avait pas fait plus de bruit qu'un loup. Et elle n'a pas eu peur quand elle l'a aperçu. Pourtant, les femmes blanches, particulièrement les jeunes filles, sont terrifiées lorsqu'il se trouve en face d'elles. Surtout lorsqu'il est couvert de ses peintures de guerre. De toute évidence, la fille de Marie de Beauchêne n'est pas une froussarde. En plus, elle lui a tiré dessus, le manquant de justesse. Quel déshonneur ce serait si cette histoire arrivait aux oreilles des hommes de sa tribu! Il faudra en parler à Jean pour qu'il n'en souffle mot à personne.

À quelques pas de lui, Jean est agenouillé aux côtés de son père dont la fièvre n'a pas baissé de la nuit. Il lui éponge le front du linge que Marie a laissé à cet effet. Le sang a dû se coaguler, car il ne traverse plus le pansement. Cependant, Jean n'a jamais vu son père dans un tel état de faiblesse. Le *Notre Père* qu'il récite soudain lui apporte un peu de réconfort. Il n'a pas à s'inquiéter : Daniel est entre bonnes mains.

— Viens, lance-t-il à La Mire en se levant. Allons voir le gouverneur!

Les deux hommes quittent la maison par la porte avant.

*

– Ce sont nos nouveaux pensionnaires qui font tout ce vacarme?

La voix sévère d'Antoinette fait sursauter Marie.

– Je croyais que tu dormais encore, dit celle-ci en replaçant les rideaux pour éviter que le soleil et la chaleur ne pénètrent dans la pièce.

Dans la pénombre de la chambre, Marie ne peut voir le visage de sa belle-sœur, mais elle devine le regard cynique qui accompagne la phrase suivante:

– Y a-t-il un habitant de la haute-ville qui n'ait pas entendu le boucan qui provenait de notre cuisine? Sans parler du coup de feu!

Marie ne répond pas. Elle a approché son petit banc et s'assoit près du lit. Ses yeux se sont maintenant habitués à l'absence de lumière et elle constate avec effroi qu'Antoinette a l'air encore plus mal en point que la veille. Elle pose le dos de sa main contre le front de sa belle-sœur.

– Tu fais encore de la fièvre. Je…

Elle s'interrompt, hésitant à lui avouer le sentiment d'impuissance qui l'habite. Antoinette a maigri depuis quelque temps, elle n'a plus que la peau et les os. Elle a perdu de nouveau l'appétit et ne s'occupe plus que rarement d'Odélie. Elle ne s'intéresse même plus à ce qui se passe dans la maison, à moins que ce ne soit pour faire un commentaire sarcastique, comme celui de ce matin.

Ça fait des jours que Marie réfléchit à ce qui a causé un tel déclin dans la santé d'Antoinette. Ça lui torture l'esprit de revoir encore et encore les différents changements survenus dans leurs vies. Tout d'abord, il semble que l'état d'Antoinette se soit aggravé plus rapidement depuis l'arrivée des réfugiés de la basse-ville. C'est vrai que la maison a perdu sa quiétude d'antan, mais Antoinette est toujours seule dans sa chambre, Marie ayant interdit à tout le monde d'y pénétrer, sauf à Louise pour soigner la malade. Même Odélie doit demander la permission pour aller y faire ses leçons, ce qu'Antoinette refuse maintenant de plus en plus souvent.

Cette détérioration correspond aussi au moment de l'arrivée de la flotte anglaise dans le fleuve. Est-ce que l'inquiétude de l'attaque peut avoir un effet sur une maladie comme celle d'Antoinette? Marie se le demande, comme elle se demande quel est ce mal qui afflige sa belle-sœur et la rend si faible qu'elle ne peut tenir debout.

— Je ne sais pas quoi faire, murmure-t-elle enfin en prenant la main décharnée d'Antoinette.

Les longs doigts noueux se replient sur les siens, les serrant un moment plus fort qu'à l'habitude. Marie est soudain affligée d'une telle tristesse, d'un tel désespoir, qu'elle presse affectueusement le bras d'Antoinette contre elle. Elle sent les larmes qui lui piquent les yeux.

— Parle-moi des hommes qui sont arrivés hier soir, demande enfin Antoinette en se dégageant timidement de l'étreinte de Marie. Et donne-moi un peu d'eau, s'il te plaît.

Marie sourit faiblement. Elle saisit le verre posé sur la table de chevet, le remplit et aide sa belle-sœur à boire. Antoinette y trempe à peine les lèvres, mais Marie voit dans ce besoin d'eau un besoin du corps, un besoin naturel qui prouve qu'elle n'a pas perdu tout goût à la vie. Il y a aussi cet intérêt qui revient pour ce qui se passe dans la maison. C'est avec beaucoup d'espoir qu'elle entreprend de lui raconter la soirée de la veille et la surprise de ce matin, omettant volontairement les quelques minutes d'intimité passées seule avec Jean Rousselle.

*

Il est dix heures du soir. Tout le monde dort à l'étage. Avant d'éteindre sa bougie, Marie a cru bon de descendre voir l'état de M. Rousselle. Il fait toujours plus noir et plus frais dans la petite chambre adjacente à la cuisine. Pour cette raison, c'est un bon endroit où soigner un blessé pendant l'été. À part le lit, il n'y a aucun autre meuble, la servante ayant monté ses affaires dans la chambre d'Odélie. Comme elle ne trouve nulle part où poser sa bougie, Marie la tient dans sa main gauche, tandis qu'elle termine l'examen de la plaie de M. Rousselle et remonte les couvertures jusqu'au cou de l'homme.

Elle sort ensuite de la pièce, refermant derrière elle sans faire de bruit. Elle se retourne et se fige sur place en apercevant un homme qui se tient dans l'ombre à l'autre bout du couloir. Son cœur cesse de battre pendant un moment. Puis elle se calme, reconnaissant Jean Rousselle appuyé contre le chambranle de la porte avant.

— Vous m'avez fait peur, murmure-t-elle en s'approchant. Je ne vous attendais plus ce soir.

Sa voix est plus faible que le bruissement de ses jupons, mais Jean a tout de même entendu ce qu'elle vient de lui dire. Il jette un regard interrogateur vers la la chambre du fond.

— Il dort, répond Marie à la question qu'il n'a pas posée de vive voix. Sa fièvre a baissé et sa plaie ne saigne plus.

Puis, remarquant l'absence de La Mire, elle ajoute :

— Votre ami a trouvé un autre endroit pour passer la nuit ?

Jean hésite. Il n'a pas vraiment envie de lui décrire l'état actuel de l'Indien, qui se situe quelque part entre l'ivresse et l'ivrognerie.

— Il est avec des amis, lance-t-il en suivant Marie dans la salle commune.

Celle-ci a posé sa bougie sur la table et s'assoit sur une des chaises, imitée par Jean qui a pris le soin d'approcher la sienne. À cette heure, la ville étant endormie, on n'y entend même pas les murmures des passants. De plus les soldats sont trop loin pour qu'on puisse percevoir leur présence jusque dans la maison de Marie.

La voix de Jean résonne alors comme un coup de tonnerre :

— Avez-vous eu des nouvelles de Mr. Winters ?

— Il est mort l'hiver dernier.

Cette réponse est sortie toute seule, imposant un silence lourd de sous-entendus.

Marie se sent soudain mal à l'aise dans sa propre maison. Elle cherche un sujet neutre, quelque chose dont elle pourrait parler et qui briserait la tension qui règne toujours entre elle et Jean. Ne trouvant rien, elle décide de reprendre son rôle d'hôtesse. Un rôle qu'elle joue d'ailleurs à merveille.

– Vous prendrez bien un bouillon. Je crois qu'il reste aussi du lard et du pain.

Jean n'a pas le temps de répondre que Marie se lève pour se rendre à la cuisine. Un sentiment d'urgence monte en lui. Jean n'a pas l'intention de laisser cette femme le fuir de nouveau. Il se lève et lui emboîte le pas. Il est si fatigué de lutter contre ses impulsions, si épuisé de la longue route qu'il a parcourue pour venir jusqu'à Québec, jusqu'à elle... La courbe de sa nuque, le parfum de ses cheveux, la douceur de sa peau lorsque sa main a effleuré sa joue la veille en essuyant le sang sur son visage. Tout son corps exige de la toucher, encore. Plus rien d'autre n'a d'importance et pour rien au monde il ne patientera davantage. «Puisqu'elle est libre maintenant, se dit-il, pourquoi hésiter?»

Marie pénètre dans la cuisine. Elle entend les pas derrière elle. Elle reconnaît cette démarche souple. Elle sent une grande fébrilité l'envahir à l'idée de se retrouver seule avec lui dans le noir. Mais, en même temps, une peur étrange l'empêche de se retourner.

C'est vrai que la cuisine est sombre, éclairée seulement par les flammes mourant dans l'âtre. Marie s'en approche. Elle sent Jean tout près d'elle. Ce dernier est ému par la silhouette de Marie devant le feu. Ses épaules fermes, ses hanches qui l'invitent en silence. Il lui saisit le poignet et l'attire près de lui. Marie sent le bras qui s'enroule autour de sa taille. Elle est pressée contre un torse large et musculeux. Elle perçoit le souffle qui court sur son cou. Des lèvres chaudes dans l'encolure de sa robe remontent avidement vers ses oreilles. Elle frissonne, tourne la tête et cherche de sa bouche celle de Jean. Leur étreinte est impatiente, car elle était désirée secrètement depuis si longtemps.

Ils demeurent ainsi un moment, enlacés en silence dans la lueur tremblante des flammes. Puis Marie se ressaisit. Elle essaie de détacher son corps de celui de Jean. Ce dernier la retient quelques secondes de plus, puis la laisse s'éloigner. Sans un mot, Marie se rapproche davantage du feu, comme si sa lumière la protégeait d'elle-même.

À ce moment, le crépitement lointain d'une fusillade retentit et pénètre dans la cuisine par la fenêtre ouverte. Un tambour bat la générale dans la ville. Des ordres sont criés. On entend les pas des hommes qui courent avec leurs armes dans les rues. Marie se tourne vers Jean, terrifiée.

– Ça commence, murmure-t-elle, étranglée par la peur.

– Oui, ça commence. Et Dieu sait combien de temps ça va durer.

Jean prend la main de Marie pour la rassurer. Il constate alors que ses doigts sont glacés.

*

C'est l'heure du souper, mais la cuisine de Marie de Beauchêne a quelque chose d'inhabituel. Quatre personnes se sont installées pour le repas autour de la table de travail de Louise et non pas dans la grande salle, comme on le fait ordinairement chez les gens de la bonne société. C'est qu'il y a eu, cet après-midi, une nouvelle vague de réfugiés de la basse-ville. Ces familles ont trouvé asile dans plusieurs demeures, et chez Mme de Beauchêne, c'est dans la grande salle qu'ils ont élu domicile.

Sur la table de la cuisine, les flammes des bougies ne dansent pas comme à l'accoutumée au gré du courant d'air engendré par le va-et-vient de Louise. Ce soir, la servante s'occupe plutôt de faire manger M. Rousselle, toujours allongé dans la petite chambre.

Tout le monde mange en silence, chacun ayant à réfléchir sur ce qui lui est arrivé pendant les derniers jours. Odélie n'ose ouvrir la bouche de peur que sa mère ne remarque un peu trop sa présence, ou qu'une mèche hirsute, fuyant de son bonnet, ne lui rappelle son dernier méfait et qu'une nouvelle punition s'ensuive. À ses côtés, La Mire ne s'est toujours pas remis de son humiliation. Il observe du coin de l'œil cette enfant capable de tirer mieux que la plupart des hommes et secoue la tête à chaque fois, incrédule. Pour sa part, Jean ne pense pas. Du moins, il essaie de ne pas penser.

En face de lui, Marie ne quitte pas son assiette des yeux. Elle trouve ce souper vraiment pénible. Elle avale avec difficulté le pain qu'elle a trempé dans le bouillon. Elle n'ose pas affronter le regard de Jean. Elle est embarrassée par ce qui s'est passé la veille. Qu'est-ce qui lui a pris de se rendre comme ça à la cuisine ? C'était évident qu'il la suivrait. Et puis elle lui a rendu son baiser, combien plus ardemment qu'elle ne l'avait fait à Bougainville. Elle aurait dû se souvenir que c'est à l'officier qu'elle est promise maintenant, pas au fils du marchand. Marie jure qu'elle ne l'oubliera plus jamais. Un autre moment de faiblesse comme celui-là et c'en sera fini du mariage avec le colonel. Il y a une chose qui la soulage toutefois, c'est qu'avec le désordre causé par le début du siège, Bougainville sera tellement occupé qu'il ne devrait pas avoir le temps de faire des visites. Ça lui donnera le temps à elle de remettre de l'ordre dans son esprit.

Cette idée lui rappelle quel effroyable sentiment l'habite depuis que la ville est assiégée! Un toit solide ne suffit plus pour abriter les familles, les murs de la ville ne les protègent pas davantage. En entendant la fusillade de la veille, Marie a réalisé que, même si sa maison risque peu d'être touchée par les bombes, ceux qui habitent sous son toit ne seront pas à l'abri de la peur. Pendant la grand-messe de ce matin, alors que toute la ville priait dans l'église, Marie pouvait sentir l'inquiétude qui grandissait. À ce moment-là, la canonnade avait lieu sur le fleuve; le danger était inexistant pour les fidèles assemblés dans la cathédrale. Pourtant, tout le monde était angoissé. Cela, parce qu'on ne leur dit rien à eux, les citoyens. Marie déteste cette attitude des autorités qui force les gens à se rabattre sur les rumeurs circulant dans les rues.

«Ça met tout le monde sur les nerfs!» s'insurge intérieurement Marie, en écrasant son morceau de pain dans sa main.

Comme si la menace anglaise qui pèse sur eux n'était pas suffisante, voilà que Marie a compris la veille pourquoi elle a si bien mangé durant tout l'hiver. Elle n'en revient pas qu'Odélie ait profité de son sommeil pour aller voler de la nourriture. Qui plus est, voler un fusil! Et combien d'autres choses encore? Elle n'ose imaginer ce qui serait arrivé si sa fille avait été surprise. On pend les voleurs, ne le comprend-elle pas? Quelle insouciance! Il faudra désormais la surveiller de plus près. Si

Antoinette n'était pas au plus mal, Marie lui demanderait de l'aide. Mais, en ce moment, elle ne peut compter que sur elle-même et elle se sent complètement dépassée par les événements.

En fait, elle a l'impression que son monde s'écroule, lui qui, pourtant, avait pris une tournure rassurante depuis quelques mois. Elle aurait besoin de solitude, d'espace, de calme pour réfléchir. Or, ce sont là des privilèges qui n'existent plus à Québec depuis des semaines. Les gens s'entassent les uns sur les autres dans l'enceinte de la haute-ville. Au moins ici, ces nouveaux réfugiés ont-ils la délicatesse de préparer eux-mêmes leur repas et de le prendre en famille dans la pièce où ils dormiront le temps que durera le siège. En espérant qu'il ne durera pas trop longtemps.

Marie sait qu'il faut qu'elle reprenne le contrôle de sa vie. Elle cherche donc autour d'elle ce qui pourrait l'égayer. L'odeur du bouillon dans son assiette lui rappelle qu'elle a fait préparer un repas acceptable pour un dimanche. Louise a réussi à trouver un peu de viande en ville et La Mire et Jean ont rapporté d'autres provisions de leur visite au gouverneur. Et puis Marie doit admettre que, malgré ce qui s'est passé la veille entre elle et Jean, elle est réellement heureuse de revoir son ami. Sa présence lui rappelle qu'elle a déjà vécu pire, au milieu des bois, à manger du poisson cru et à dormir sous la pluie, et aussi à craindre la colère et les coups de Frederick. Dans le fond, elle devrait être satisfaite. Elle est encore dans sa maison, avec sa famille, et ils ne manquent de rien. Du moins pour le moment. La voix de Jean vient couper court à ses réflexions et elle l'en remercierait, si elle était capable de le regarder en face.

— Le gouverneur hésite entre nous envoyer au sault de Montmorency et nous ajouter à la garnison de Québec, dit-il. Dans le cas où il nous assignerait à la ville, je l'ai assuré que nous pouvions loger chez vous. J'espère que cela ne vous posera pas de difficulté.

Marie secoue la tête, sans toutefois lever les yeux. Cela laisse Jean perplexe. Est-elle en colère? Cette idée l'amuse, car il n'imagine pas la raison pour laquelle Marie garderait ses distances, surtout maintenant. Lui, il est heureux. Hier, il l'a embrassée et elle ne l'a pas repoussé. Elle lui a même rendu son baiser avec insistance. Que pourrait-il demander de plus? Rien, quoique... Chaque chose en son temps. Il a déjà vécu d'autres situations difficiles avec Marie de Beauchêne. Cela lui a appris qu'il ne fallait pas la bousculer. Surtout si on espère quelque chose d'elle.

Un courant d'air venu de la fenêtre entrouverte fait soudain danser les bougies sur la table. Cette brise le rafraîchit et il se surprend soudain à sourire de contentement. Oui, il est vraiment heureux, malgré la guerre. Peut-être est-ce justement à cause de la guerre, puisque c'est la raison pour laquelle il est revenu à Québec. Il étire le bras, saisit la bouteille de vin et remplit le verre de Marie avant de remplir le sien. Il n'en verse pas à La Mire qu'il juge avoir suffisamment bu.

Au moment où il repose la bouteille, on frappe à la porte de la cuisine. Louise apparaît dans l'embrasure, hésitante. Sa silhouette rondelette se fraie un passage jusqu'à sa maîtresse. Tout le monde la suit des yeux, intrigué. Elle se penche à l'oreille de Marie, lui souffle quelques mots et attend les ordres.

– Fais-le entrer. Et apporte une autre chaise, lance celle-ci dans un soupir.

Son regard croise celui de Jean qui ne sait comment interpréter les excuses qu'il y lit. Il se tourne donc vers le nouveau venu, curieux. Louis Antoine de Bougainville fait son entrée dans la cuisine, mais se fige sur place en reconnaissant l'homme assis devant sa fiancée. Il était au courant pour les autres réfugiés, mais pas pour celui-ci. Marie s'est levée et évite de soutenir son regard interrogateur et contrarié. Elle a choisi de l'accueillir chaleureusement. Après tout, c'est lui, son fiancé. Elle lui offre la place vide à côté de la sienne.

– Je ne vous attendais pas si tard, dit-elle en lui versant un verre de vin. Avez-vous mangé? Notre repas de ce soir est décent.

Bougainville ne répond pas tout de suite à la question. Il sent que le vin lui fera le plus grand bien. Il le porte donc à ses lèvres et son regard s'éclaircit brusquement. Il observe la couleur du liquide, le hume de nouveau avant de reposer le verre sur la table, admiratif.

– Non merci pour le souper. Cependant, ce vin est délicieux. J'ignorais que vous aviez une cave si bien garnie, Marie.

En entendant Bougainville appeler l'hôtesse par son prénom, Jean comprend qu'il s'est passé bien des choses pendant la dernière année. Voilà qui justifie peut-être l'attitude de Marie. Il choisit de faire comme s'il n'avait rien remarqué. Il s'adresse à l'officier avec un sourire malicieux:

– Je vous remercie. Vous n'avez pas idée des difficultés que j'ai dû surmonter pour obtenir cette bouteille.

Bougainville ne dit rien. Marie non plus. Odélie demande la permission de monter à sa chambre, ce que lui accorde sa mère. La Mire, qui n'a pourtant rien remarqué de la tension qui règne autour de la table, se lève et sort de la maison par la porte arrière. Quelques mots en micmac annoncent qu'il va dormir dehors. Sur un ordre discret de sa maîtresse, Louise va rejoindre Odélie à l'étage. Il ne reste que Jean, Bougainville et Marie dans la cuisine et la pièce paraît soudain surchauffée. Marie se lève et ouvre toute grande la fenêtre, espérant trouver assez d'air frais dans la nuit pour calmer ses joues en feu. Elle s'appuie au rebord et entend la voix de Jean derrière elle :

— J'ai ouï dire, colonel, que le général entend gonfler les rangs de l'armée régulière en y incorporant des Canadiens. Vous serez sans doute d'accord avec moi que ces pauvres diables n'auront de militaire que l'uniforme, j'en ai bien peur.

Marie s'est retournée et elle remarque que Bougainville est passé près de s'étouffer. Elle ne comprend pas pourquoi, trouvant elle-même le sujet ennuyeux.

Bougainville rage intérieurement, car c'est lui qui a suggéré au général d'intégrer des habitants dans les bataillons de l'armée. Entendre un point de vue aussi divergent dans la bouche de son rival pique son orgueil, mais aussi sa curiosité. Les deux hommes se retrouvent tout à coup bien aises de discuter de questions militaires, au grand dam de Marie qui approche une chaise de la fenêtre pour se tenir à distance de leurs propos soporifiques. La conversation a pris une tournure inattendue. Et elle se poursuit jusque tard dans la nuit.

CHAPITRE IV

Le tonnerre gronde, faisant trembler le crucifix du couloir. Adossée à l'un des murs et malgré la rumeur de la pluie dans la rue, Odélie est à l'écoute d'un bruit qui trahirait la présence de M. Rousselle. Elle n'ose mettre les pieds dans la pièce, car elle ne sait comment agir en sa présence. Cet hôte dérange les habitudes de la maison. Il ne cesse de rabrouer la servante qui fait pourtant ce qu'elle peut pour qu'il soit confortable. Il critique chaque geste, chaque attention.

Ce qui la trouble davantage, c'est que Louise ne semble pas importunée par l'attitude ingrate du blessé. Odélie l'a entendue plus d'une fois murmurer un timide «Oui, Monsieur». Elle a même surpris un malicieux sourire sur ses lèvres ce matin quand elle lui a apporté son déjeuner. Odélie voudrait bien savoir ce qui peut irriter M. Rousselle et faire sourire une servante malmenée. Brusquement, la voix de l'homme retentit dans le couloir:

— Viens donc ici, petite espionne!

Odélie tressaille. Comment peut-il savoir qu'elle est là? Elle décide de ne pas bouger et se fait plus silencieuse qu'auparavant. M. Rousselle répète son ordre et Odélie pénètre dans la chambre, penaude. Les mains dans le dos, elle se tortille et évite de regarder le blessé allongé, la tête appuyée sur deux coussins.

— Approche, ordonne-t-il sans bouger.

Odélie franchit en hésitant les derniers pas qui la séparent du lit. M. Rousselle ne la regarde pas, il observe plutôt la pluie qui ruisselle sur les carreaux de la fenêtre. Odélie a beau se concentrer, elle ne reconnaît pas cet inconnu qui loge chez elle. Sa mère lui a dit qu'il l'avait visitée au couvent de Louisbourg. Mais Odélie n'a aucun souvenir de cette barbe hirsute, de ces cheveux grisonnants ébouriffés, de ces yeux gris pétillants qui semblent se moquer d'elle. L'homme transpire abondamment et les gouttes de sueur perlent sur son front. Odélie saisit le linge sur le bord du seau, le plonge dans l'eau tiède et va pour rafraîchir le visage brûlant.

— Je n'ai pas besoin d'une autre garde-malade! lance Daniel Rousselle en repoussant violemment le bras d'Odélie. Il y a assez de femmes dans cette maison pour rendre fou n'importe quel homme. Et vous êtes toujours là, à m'éponger le front, à surveiller ma fièvre, à m'enlever ce bandage pour vous assurer que cette balle est en train de m'achever! Quand ce n'est pas pour m'aider à… Quel endroit détestable!

— C'est vous qui êtes détestable! s'écrie soudain Odélie en jetant la serviette dans le seau. Vous n'arrêtez pas de grogner. Avant que vous arriviez, nous n'avions que ma tante à soigner! Et elle ne traite personne de cette manière!

Daniel Rousselle lance un regard menaçant à cette enfant effrontée et lève la main pour la gifler. Le bras reste un instant suspendu dans les airs, puis il retombe sur la couverture et l'homme éclate de rire.

Odélie garde les yeux écarquillés, stupéfaite. Elle ne s'est jamais entendue parler de la sorte et elle n'en revient pas de son ton arrogant. Quoiqu'elle ne se soit jamais trouvée dans une situation pareille, elle reconnaît qu'elle n'aurait pas dû s'exprimer ainsi. Elle s'excuserait volontiers si l'homme ne riait pas à s'en tenir les côtes. Elle se trouve désormais ridicule.

Dehors, la pluie s'intensifie et, pendant quelques minutes, son bourdonnement sur les vitres remplit la pièce. Daniel Rousselle s'est calmé et il fixe de nouveau la fenêtre. Odélie comprend tout à coup ce qui le préoccupe. Il se sent prisonnier! Pire encore, inutile. Tous les autres sont à la guerre, sauf lui. Il dépend même des femmes de la maison pour les soins, pour la nourriture et pour toutes ces autres choses qu'il ne peut plus faire seul. Odélie se souvient d'une froide journée d'automne, sur les remparts de Louisbourg. Elle avait senti la même frustration chez son ami Robert. Il s'était mis en colère parce qu'il avait dû admettre qu'il ne savait pas lire. Comme M. Rousselle en ce moment, il était honteux de sa faiblesse. Cette constatation la fait sourire malgré elle et Odélie comprend l'attitude indulgente de Louise. Elle demeure silencieuse, satisfaite d'avoir trouvé des réponses à ses questions.

— Voilà bien la fille de sa mère! dit enfin Daniel Rousselle.

Le regard gris de l'homme s'éclaircit, s'égaie presque lorsqu'il se tourne vers elle.

— Si tu m'expliquais enfin pourquoi tu épies tous les gens qui vivent sous ton toit. Non! Ne le nie pas. Je sais que tu restes pendant des heures à écouter les conversations, à observer les déplacements de chacun. Je t'entends même la nuit, lorsque tu sors de ta chambre pour vérifier que tout le monde dort. Qu'est-ce qui se passe dans ta tête ?

– J'ai peur, murmure Odélie.

Elle ne se doutait pas qu'il la surveillait. Elle se sent vulnérable et les larmes lui piquent les yeux. Avant que tous ces gens ne viennent habiter chez elle, avant qu'on ne brûle ses vêtements de garçon, avant qu'on ne lui confisque son fusil, Odélie n'avait pas peur. Elle savait qu'elle ne courait pas de danger. Mais maintenant, elle ne fait confiance à personne. La nuit, il y a trop d'hommes dans cette maison.

Daniel saisit le poignet d'Odélie et assoit la jeune fille à côté de lui. Il plonge la main dans le seau à côté du canapé et lui tend le linge mouillé.

– Cesse donc de pleurer et raconte-moi ce qui t'effraie !

Un bruit assourdissant les fait sursauter, contraignant Odélie au silence. La pluie s'est changée en grêle et la foudre a frappé non loin des remparts. Lorsque cette nature déchaînée se calme enfin, Odélie se confie à l'irascible M. Rousselle.

*

– Ce n'est pas parce que vous logez chez moi que vous pouvez vous mêler de l'éducation de ma fille, monsieur Rousselle, dit calmement Marie, nouant le dernier morceau de gaze autour de sa jambe blessée.

L'homme la regarde terminer le pansement. « Une autre séance de torture qui prend fin », songe-t-il, soulagé, en remontant les couvertures. Il s'empare du bras de Marie comme celle-ci s'apprête à sortir de la pièce.

– Je ne veux pas me mêler de son éducation, corrige-t-il. Je vous dis simplement que lui redonner son fusil ne lui fera pas de mal. Elle ne volera plus, je puis vous l'assurer.

– Vous n'êtes pas sans savoir que les femmes qui portent des fusils sont considérées comme des soldats, monsieur Rousselle. Et elles sont abattues comme telles par l'ennemi.

– Et vous, vous devriez savoir que lorsqu'elles n'ont pas de quoi se défendre, c'est sous l'assaut des hommes qu'elles périssent! Vous conviendrez que c'est là un destin guère plus enviable.

Si Daniel Rousselle avait pu prévoir la portée de ses paroles, peut-être ne les aurait-il jamais prononcées. Cependant, personne ne lui a parlé du second mariage de Mme de Beauchêne et il continue de plaider la cause d'Odélie, sans remarquer la pâleur de Marie:

– En remontant la Côte-du-Sud avec la milice, nous avons vu bon nombre de femmes habillées en homme, le fusil à la main pour défendre leur terre. Il n'y a rien de déshonorant à cela.

– Ma fille ne s'habillera pas en homme, monsieur Rousselle. Ce n'est pas convenable pour quelqu'un de sa condition.

Même si Marie est consciente qu'il ne s'agit que d'une excuse, elle a pris un ton agressif pour décourager Daniel à poursuivre dans cette voie. Et elle n'a pas l'intention de se rétracter. Elle ne laissera pas cet homme arrogant la tourmenter dans sa propre maison. Quel besoin a-t-il de lui rappeler les coups qu'elle a elle-même reçus? Odélie ne subira jamais le même sort que le sien. Marie y veillera. Et pour qui cet homme se prend-il donc pour lui dicter sa conduite? La croit-il insensible à la menace qui pèse sur la ville, sur sa maison, sur sa fille?

Il ne se passe pas une nuit sans qu'elle imagine les Anglais pillant et brûlant les campagnes, prenant d'assaut la ville fortifiée, violant et tuant tout sur leur passage. Marie a vu sa part de morts sur un champ de bataille, de sang répandu sur le sol, imprégnant la végétation d'une odeur à vous donner la nausée. Elle a vu tant de corps troués par les balles, mutilés par les baïonnettes, les épées, les bombes et les boulets. Elle ne peut se résoudre à un destin semblable pour sa fille. Son petit corps fragile percé par les balles anglaises? Son sang maculant les pavés? Jamais! Advenant que la ville cède, elle fera valoir auprès de ses ennemis ses propres origines anglaises, et Odélie et elle-même seront épargnées. Il le faut. Il n'y a pas d'autres solutions. Surtout, ne pas prendre les armes. Les yeux pleins d'eau, elle détourne la tête et tente de faire lâcher prise à cette main qui la retient.

Daniel Rousselle se rend compte que Marie essaie de se dégager, mais il resserre sa poigne de plus belle. Il n'en a pas fini avec elle. Elle doit comprendre ce qui se passe dans la tête de sa fille, sinon la gamine continuera de rester cachée dans sa chambre jour après jour.

– Vous n'êtes plus en France, madame de Beauchêne.

Jean lui a dit que le voyage à travers les bois l'avait changée, mais devant ce refus obstiné d'écouter la raison, il a envie de la secouer un peu. Il faudrait qu'elle oublie son rang pour s'apercevoir enfin qu'elle vit sur un nouveau continent. Ici, pour survivre, une femme doit parfois accepter de poser des gestes qui, en France, seraient jugés disgracieux, dégradants même au regard des usages ayant cours dans les vieux pays. Se servir d'un fusil fait partie des apprentissages essentiels dans les campagnes, pour les garçons comme pour les filles.

Ses yeux s'attardent soudain sur les jupes de Marie. Elles sont plus courtes que celles qu'elle portait lors de son séjour à Louisbourg. En fait, elles sont comme les jupes des Canadiennes. Ce détail le laisse perplexe. Elle commencerait donc à s'adapter, enfin… Alors y aurait-il une autre raison qui justifierait son entêtement présent ? Il n'a pas le temps de poser la question. Il sent le poignet de Marie qui glisse entre ses doigts. Il ne peut que la regarder s'éloigner dans le couloir, en se demandant ce qui la rebute à ce point dans le fait que sa fille manie une arme.

– Odélie est pourtant très douée avec un fusil ! lance-t-il à Marie, avant que celle-ci ne disparaisse complètement de son champ de vision.

*

La pluie n'a pas cessé de tomber sur Québec de toute la journée, inondant le pavé et imbibant les vêtements des hommes jusqu'à la chemise. Malgré la chaleur, Jean Rousselle frissonne en remontant la rue Saint-Louis. Il a les pieds mouillés, sa veste lui irrite les aisselles et ses hauts-de-chausses frottent contre ses cuisses, causant une brûlure qui le démange. Il n'a pas besoin d'observer son compagnon pour savoir qu'il n'est pas autant incommodé par l'humidité. La Mire est d'ailleurs si peu vêtu qu'il ne lui faudra pas longtemps pour se sécher. La perspective d'enlever ces vêtements trempés et de s'installer près du feu suffit à lui faire presser le pas.

Aucune lumière pour les guider, pas même la lune, couverte par ces épais nuages qui se déversent sur Québec. Et pourtant, La Mire et lui avancent sans difficulté. Leur vision nocturne étant plus aiguisée que celle des Blancs, ils se servent de la moindre lueur provenant des fenêtres pour trouver leur chemin dans la nuit. Lorsqu'ils atteignent la maison de Marie, ils en font le tour et y pénètrent par la porte arrière. La Mire abandonne un paquet sur la table de la cuisine et disparaît dans la chambre de Daniel sans dire un mot. Jean l'entend qui dépose son fusil sur le sol, qui étend sa paillasse, s'y allonge, en faisant craquer le foin dont elle est remplie. Jean préfère demeurer un moment devant l'âtre dont les braises sont encore fumantes. Il se penche, souffle pour ranimer les flammes, puis y dépose une autre bûche. Celle-ci crépite et s'embrase aussitôt. Jean se dévêt, ne gardant que sa chemise froissée. Il approche deux des chaises près du feu, met sa veste sur l'une et ses hauts-de-chausses sur l'autre. Il tire ensuite une troisième chaise et s'installe devant la cheminée. Il réfléchit en silence, fixant les flammes d'un regard amer.

Depuis qu'il a découvert que Marie est fiancée à Bougainville, il lui semble qu'il est venu à Québec pour rien, que cette ville ne vaut pas la peine d'être défendue. Il regrette même de loger dans cette maison. Si ce n'était de son père blessé, il en serait déjà parti. Ce n'est pas les bâtiments abandonnés qui manquent. Il trouverait facilement un refuge plus approprié.

C'est d'ailleurs à cause de ce sentiment d'échec qu'il ne mange plus à la table de Marie. Il quitte la maison dès l'aube et ne rentre que lorsque tout le monde dort, comme en ce moment. Il faudra qu'il en parle à Daniel.

Sentant soudain une grande lassitude l'envahir, Jean s'abandonne à la chaleur à demi nu, jusqu'à ce que le sommeil le gagne complètement.

C'est ainsi que Louise le découvre au matin. Dès qu'elle franchit la porte de la cuisine, la servante remarque les vêtements étalés sur les chaises, puis aperçoit les jambes nues allongées devant la cheminée. Embarrassée, elle n'ose s'approcher et se met à tousser dans l'espoir de réveiller celui qui dort et qui l'empêche de faire son travail. Au bout de quelques minutes, lasse de faire des bruits qui ne produisent aucun effet, elle avance prudemment et pousse du doigt l'épaule de Jean. Ce dernier sursaute et se lève aussitôt, alarmé.

– Excusez-moi, monsieur Rousselle, bredouille la servante. Je venais rallumer le feu avant d'aller chez le boulanger.

En quelques secondes, Jean constate sa presque nudité, agrippe ses vêtements et disparaît dans la chambre du fond sans dire un mot. Malgré l'empressement de l'homme, Louise a eu le temps d'apercevoir un bout de fesse sous la chemise. Elle se sent rougir, sourit et revient à sa tâche, pour courir ensuite chercher le pain avant qu'il soit tout vendu.

*

Le bruissement de quelques feuilles dans un arbre attire l'attention de l'homme qui avance, aussi silencieux que la brise matinale. Ses yeux perçants évaluent la grosseur de la proie. Le fusil s'élève et, lorsque le bruit de la détonation retentit, l'oiseau dégringole de l'arbre et s'écrase sur le sol, inerte. La Mire baisse son arme, avance dans le sous-bois, trouve l'animal et le met dans son sac avec le reste de ses proies du matin. Trois tourtes et deux pigeons. Ça devrait suffire pour nourrir la maison de Marie de Beauchêne. Il fait demi-tour et sort du bois.

D'où il se trouve, sur les hauteurs d'Abraham, La Mire aperçoit au loin les remparts de la ville. À sa droite, la falaise plonge dans le fleuve. De l'autre côté, à la Pointe-de-Lévy, se trouve le camp des Anglais. Quelques barges, une centaine de navires, tout est prêt pour une attaque qui ne vient pas. La Mire déteste attendre. Ça fait presque deux mois qu'il a quitté la Miramichi et il n'a que quelques chevelures, prises aux premiers Anglais rencontrés sur la Côte-du-Sud. Pas de quoi impressionner une femme! Le fruit de sa chasse pourrait faire l'affaire, si ce n'est que la femme à qui il offrira ces oiseaux ne l'intéresse pas. Il trouve Mme de Beauchêne trop sûre d'elle, trop autoritaire aussi. Lui, il les préfère douces et soumises. Comme la servante! Bien que son visage soit marqué par la petite vérole, Louise est attirante. Les hanches larges, la poitrine lourde et ferme que l'on devine sous son mouchoir de cou et des yeux aussi clairs que le ciel. Elle ferait une bonne femme. Si elle n'était pas toujours aussi effrayée quand elle se trouve dans la même pièce que lui, ça fait longtemps qu'il se serait montré intéressé. Mais il a bien vu comment elle le regarde. Elle n'a pas de sentiments bienveillants à son égard, ça, c'est certain.

Comment Jean s'y est-il pris pour séduire la veuve? Il aimerait bien le savoir. C'est vrai qu'il n'est qu'à moitié indien. Mais vu l'intérêt que lui porte Mme de Beauchêne, il aurait dû réussir à l'approcher depuis longtemps. Jean n'est certes pas un grand chasseur, mais ses talents pour le commerce compensent largement son manque d'habileté à manier un fusil. La Mire a remarqué les gestes maladroits de cette femme en présence de son ami. Celui-ci n'aurait qu'à tendre les bras pour qu'elle s'y réfugie. Il pourrait même la demander en mariage, s'il le voulait. Mais il ne le fait pas! Décidément, La Mire ne comprend pas grand-chose à la cour des Français ni à tout le reste d'ailleurs, et certainement pas à cette guerre. Chez lui, les choses sont plus simples.

Si ça ne dépendait que de lui, il y a longtemps qu'il serait allé déloger ces ennemis qui surveillent la ville. Plus les Français tardent à attaquer, mieux les Anglais auront installé leurs canons. Et pourtant, Jean dit que le gouverneur et le général ont décidé d'attendre. Si la patience ne rapporte pas de chevelures, elle est une perte de temps!

La Mire a franchi la porte Saint-Louis et salué deux de ses nouveaux amis. Ce soir, il boira avec eux puisqu'il ne se passe rien d'autre dans cette ville. Il a déjà trouvé la bague qu'il échangera contre de l'eau-de-vie. Ses amis sauront trouver un acheteur qui leur paiera un bon prix. Peut-être aura-t-il droit à deux bouteilles? Il le souhaite, car cela lui ferait oublier combien il s'ennuie à Québec.

Lorsqu'il arrive devant la maison, des éclats de voix viennent troubler sa réflexion. Une femme crie. Une autre pleure. La Mire saute par-dessus la clôture et s'approche de la fenêtre de la cuisine. À l'intérieur, la colère gronde. Marie de Beauchêne tient fermement le bras de sa fille d'une main. De l'autre, elle désigne un objet déposé sur la table. La gamine est secouée de sanglots.

– Je t'ai dit de ne plus voler, rage la mère.

– Je n'ai pas volé, murmure la fille.

– Ne me mens pas! Sinon, tu iras en enfer!

La Mire comprend ce qui se passe en reconnaissant son sac sur la table. Il ouvre la porte, mais personne ne remarque sa présence. Il lance alors le produit de sa chasse du matin et les oiseaux s'écrasent bruyamment sur la table, leurs ailes glissant hors du sac. Ce tapage surprend Marie qui tourne la tête vers lui, interrompant la remontrance.

– Qu'est-ce qu'il y a? demande-t-elle en serrant les dents.

La Mire lui répond en micmac et Marie hausse les épaules, indiquant qu'elle ne comprend pas. L'Indien se dirige alors vers la petite chambre, suivi de Marie qui tient toujours sa fille par le bras. Odélie se laisse mener docilement. La Mire réveille sans ménagement M. Rousselle qui dormait encore malgré le tumulte. Il répète ensuite son explication et Daniel lève ses yeux embrumés vers Marie en traduisant:

– Il dit que le lard n'a pas été volé. Il dit que c'est celui que le gouverneur a fait distribuer aux miliciens et aux soldats. Il a mis sur la table, pendant la nuit, la moitié de ce que Jean et lui ont reçu hier.

En entendant ces mots, Marie lâche sa fille. Elle fait un signe de tête à l'Indien pour lui signifier qu'elle a compris et se tourne vers Odélie.

– Tu vois où ça t'a menée de voler comme tu l'as fait! Je ne peux plus te croire maintenant!

Odélie garde la tête baissée, penaude. Sa mère lui donne une tape sur les fesses et l'enfant s'enfuit dans sa chambre, montant les marches deux par deux.

Demeurée sur le seuil, Marie soupire en regardant sa fille s'éloigner. Elle était tellement en colère lorsqu'elle a cru qu'Odélie lui avait désobéi. Elle lui en voulait d'avoir mis de nouveau l'honneur de la famille en danger. C'est une chance que l'Indien soit arrivé au début de sa colère. Encore cinq minutes et Odélie aurait reçu une fessée pour un crime qu'elle n'avait pas commis.

«Ç'aurait peut-être compensé ces autres fois où je ne m'en suis pas aperçue!» songe Marie en remerciant La Mire d'un hochement de tête.

Puis, se rappelant les oiseaux sur la table, elle se tourne vers M. Rousselle.

– Dites-lui que j'apprécie qu'il partage sa nourriture avec nous.

– Dites-le-lui vous-même, madame de Beauchêne. La Mire ne parle pas notre langue, mais il la comprend fort bien. Surtout les mots qui vantent ses qualités de chasseur, ajoute-t-il sur un ton sarcastique.

La Mire jette un regard méprisant à l'homme qui se moque de lui. Il se tourne pour s'éloigner, mais Marie le retient.

– Merci, dit-elle en lui offrant un sourire sincère.

La Mire hoche la tête et quitte la pièce. Se retrouvant seule avec M. Rousselle, Marie en profite pour vérifier son état. Elle se penche sur sa jambe, mais l'homme s'enfuit sous les couvertures.

– Ça va! ronchonne-t-il, soudain aigri. Vous devez bien pouvoir vous occuper autrement!

Exaspérée, Marie tourne les talons. Elle a bien d'autres choses à faire que de soigner un vieux grognon.

*

Dimanche, le 12 juillet. Neuf heures du soir. Marie, Odélie et Louise sont agenouillées dans la cathédrale, entourées des citoyens qui ont décidé eux aussi de demeurer dans l'enceinte de la ville. En passant devant l'église, une heure plus tôt, Marie a résisté à l'envie d'aller voir, du haut des remparts, le camp que les Anglais ont dressé de l'autre côté du fleuve. Si elle avait été seule, elle y aurait peut-être jeté un œil, mais elle refuse d'effrayer davantage sa fille. Tout le monde sait que les Anglais sont nombreux, bien armés et déterminés à prendre la ville. Inutile d'en rajouter.

Tout ce qu'elle peut faire, c'est joindre sa voix à celles de ces gens réunis pour un dernier salut. La peur au ventre, elle implore le ciel de les épargner, elle et sa fille, et tous leurs proches. Elle prie pour que tous soient protégés du pire de la guerre.

Absorbée dans sa prière, Marie n'entend pas tout de suite le sifflement qui va en s'intensifiant. Comme les autres fidèles, elle ne le remarque que lorsqu'il retentit dans la nef. Mais il est trop tard ; une partie du mur avant s'écroule, frappée de plein fouet par le premier boulet. Suit un autre projectile qui détruit le toit du presbytère. Des bombes explosent. Des pierres s'effondrent. La poussière s'élève des débris et la panique s'empare de l'assemblée.

Les gens se ruent vers la sortie. Marie agrippe la main d'Odélie, lève le bras pour se protéger les yeux des éclats et tente de suivre Louise. Elles avancent avec difficulté dans la foule qui reste bloquée devant la porte. Marie sent tout à coup les doigts d'Odélie qui glissent entre les siens. Elle se retourne pour rattraper la main de sa fille, mais des femmes se faufilent entre elles, les éloignant l'une de l'autre.

– Accroche-toi, Odélie!

Puis, constatant son impuissance, elle lance à Louise:

– Sauve-toi! Je te rejoindrai.

Elle se tourne ensuite vers Odélie qui est entraînée de plus en plus loin, vers le côté où se trouve une autre sortie. Marie essaie de résister à la pression de ceux qui la poussent vers l'avant. Elle n'ose se glisser sous les bras levés et agités de peur d'être piétinée. Lorsqu'elle franchit malgré elle la porte principale, elle s'élance vers la gauche, en longeant l'église.

Le ciel est sillonné des pots-à-feu qui fendent la nuit pour s'écraser contre les édifices de la haute-ville. Les boulets et les bombes sifflent tout autour. Le bruit des explosions fait trembler les bâtiments encore debout. Marie cherche la silhouette de sa fille. Elle la retrouve recroquevillée au pied d'un mur, les mains sur les oreilles, l'air terrifiée.

Odélie se souvient de Louisbourg, lors d'une nuit aussi terrible que celle-ci. Elle revoit les maisons dévorées par les flammes. Elle entend de nouveau la déflagration qui happe Robert sur la plage, les édifices qui s'écroulent, faisant vibrer le sol et onduler l'eau dans la rade. Ces mêmes secousses, ce même martèlement ici, maintenant, à Québec. Paralysée par la peur, elle ne reconnaît pas sa mère qui se penche sur elle pour la protéger de son corps. Soudain, un pot-à-feu s'écrase contre la façade du collège des Jésuites, de l'autre côté de la rue. L'incendie se propage rapidement aux édifices voisins.

— Viens, ordonne Marie à sa fille qu'elle force à se lever. Il ne faut pas rester ici, Odélie. Il faut s'éloigner de la falaise.

Marie saisit la petite main dans la sienne, mais l'enfant ne bouge pas, paniquée à l'idée de passer si près du brasier. Marie raffermit sa poigne et l'entraîne de force vers la campagne, vers les remparts ouest, le plus loin possible de la batterie anglaise.

Lorsqu'elles atteignent les fortifications, elles se retrouvent entourées de ces mêmes femmes qui priaient dans l'église. Toutes ont eu la même idée. Les enfants sont en pleurs et leurs mères récitent des chapelets en espérant que Dieu, dans sa grande bonté, voudra bien les épargner. Marie et sa fille se sont agenouillées dans l'herbe haute. Des larmes coulent de leurs yeux, autant à cause de la brûlure du soufre que de la peur qui les habite. Elles joignent leurs voix à celles des autres et prient avec ferveur.

Odélie répète les mots qu'elle connaît par cœur, sans toutefois quitter des yeux le brasier qui enflamme la ville. Elle espère qu'il ne s'étendra pas jusqu'à sa maison.

*

Rampant sur le sol, propulsé uniquement par la force de ses bras, Daniel Rousselle cherche à tâtons dans le noir, à travers la fumée et la poussière, la première marche de l'escalier. Elle ne devrait pas se trouver bien loin. Après avoir longé le mur du couloir sur toute sa longueur, il a pénétré dans la grande salle et suivi le mur jusque dans le coin de la pièce. Il a presque atteint son objectif. Et puis, il y est enfin !

Il grimpe sur la première marche. Puis la seconde. Il s'arrête alors, épuisé. La douleur dans sa jambe irradie dans ses hanches. Comme si tout le bas de son corps était en flammes. Il sent la sueur qui lui coule dans le dos, collant sa chemise contre sa peau brûlante. Cela l'empêche de penser à ses genoux, ensanglantés, qui ont traîné dans le verre brisé des carreaux qui jonchent le plancher.

« Encore un effort, se dit-il pour se redonner du courage. Elle doit être terrifiée là-haut. »

En entendant les premières explosions, Daniel s'est réveillé en sursaut, persuadé que la maison avait été atteinte. Il s'est redressé dans son lit et a ressenti une douleur fulgurante lui remonter le long de la colonne vertébrale, le forçant à se recoucher immédiatement. Mais une image lui est alors venue à l'esprit. Celle d'une femme malade, dont on lui parle souvent. Une religieuse avec qui il s'était entretenu quelques fois, à Louisbourg. Une femme menue, fragile aussi. La belle-sœur de Marie de Beauchêne. Elle était seule là-haut, probablement paniquée à chaque fois que les murs tremblaient sous les déflagrations.

Puis il a entendu un bruit sourd venant de l'étage, comme si quelqu'un était lourdement tombé sur le sol. C'est alors que le pire coup de tonnerre a retenti. La maison a tremblé. Le souffle des bombes a pénétré par les fenêtres, faisant voler les vitres en éclats. L'odeur des incendies lui est parvenue avec une insistance inquiétante, portée par le vent. Un cri a alors fendu la nuit. C'est là qu'il s'est lancé en bas de son lit et a rampé jusqu'à l'escalier, dans la noirceur la plus totale, ignorant sa propre souffrance et incapable de se soutenir sur sa jambe valide.

Il continue sa progression dans l'escalier. Il sent soudain une chaleur se répandre en lui, coulant le long de sa cuisse, dépassant le genou, se refroidissant enfin et dégoulinant jusqu'à ses pieds : sa plaie s'est rouverte. Il pousse un juron, mais ne s'arrête pas. Puisque la maison est déserte, c'est à lui de veiller sur la femme malade.

Lorsqu'il atteint le palier, il s'affaisse et demeure allongé pour reprendre son souffle, ce qui lui semble durer une éternité. Il entend soudain un murmure, plutôt une complainte.

— Mademoiselle de Beauchêne, hurle-t-il pour que son cri domine le bruit des explosions. Où êtes-vous ?

Encore une déflagration, puis une autre. Entre deux explosions, il cherche d'où vient la voix. Lorsqu'il l'a repérée, il se traîne et se soulève sur un bras pour atteindre la poignée de la porte avec son autre main. Il l'ouvre et la lueur des flammes provenant de la rue lui permet d'apercevoir une mince silhouette affaissée le long du mur, près de la fenêtre. Il ne comprend pas les paroles qu'elle prononce à voix basse, mais il devine qu'il s'agit d'une prière.

— Venez, mademoiselle de Beauchêne. Vous ne devez pas rester ici. Votre chambre est trop à découvert. Il faut descendre à la cuisine.

La femme ne bouge toujours pas. Elle hausse simplement la voix, les mots se distinguant alors parfaitement malgré le bombardement. Daniel s'accroche au lit, se hisse sur un genou et tire sur l'autre jambe inerte. Il s'approche ensuite d'Antoinette. Paniquée, la femme pousse un cri et recule dans le fond de la pièce.

— Vous n'avez pas à avoir peur de moi. Je suis Daniel Rousselle, un de vos pensionnaires. Vous savez, le père de Jean. Je vous ai déjà visitée à Louisbourg, quand Odélie et vous étiez au couvent. Vous vous en souvenez?

Antoinette demeure tapie dans l'ombre, mais lorsqu'il avance ses bras vers elle, elle ne bouge pas. Content d'avoir réussi à lui inspirer confiance, Daniel s'en approche davantage.

— Je viens vous aider, mademoiselle de Beauchêne. Il faut me suivre.

Antoinette demeure immobile, mais sort peu à peu de sa torpeur. Ainsi, l'homme qui se porte à son secours est Daniel Rousselle. Elle se souvient maintenant. Elle le connaît. Louisbourg. Ce mot évoque une nouvelle vision de cauchemar, mais Antoinette fait un ultime effort pour se ressaisir. Il est venu l'aider. C'est ce qu'il a dit. Mais l'aider à faire quoi? À mourir? Si seulement!

Le choc d'une nouvelle explosion la secoue. Les bombes, le feu. Peut-être même sur la maison. Elle sent le danger. Oui, il faut qu'elle lui fasse confiance.

Elle sent les mains de l'homme qui se glissent sous ses aisselles pour la forcer à se relever. Antoinette comprend ce qu'il faut faire, mais elle sait qu'elle n'en a pas la force.

— Je… Je ne peux pas marcher, monsieur Rousselle. Je…

Elle essaie de se tourner vers lui, mais sent la brûlure sur la paume de ses mains, sur ses cuisses aussi. Il y a des éclats de verre partout. Elle ne peut bouger sans les sentir qui s'enfoncent dans sa chair. Et puis elle est tellement étourdie. Parce qu'elle n'a rien mangé depuis des jours, souhaitant la mort chaque soir, son corps ne réagit plus à ses commandements. Il n'est plus capable de soutenir cette tête trop lourde. À chaque explosion, elle a l'impression que son crâne va se fendre en deux. Le grondement persistant des canons bourdonne en écho dans ses oreilles. Elle ne veut plus l'entendre. Elle se laisse retomber lourdement sur le sol, contre Daniel Rousselle qui s'adosse alors au mur.

— Je veux mourir ici, murmure-t-elle.

— Ce n'est pas votre heure, mademoiselle. Pas tant que je serai en vie.

Et Daniel la soulève de nouveau. Antoinette pleurerait, si elle en était encore capable. Si elle avait encore des larmes à verser. Mais son cœur est vide. Ses yeux aussi. Sa tête repose sur le torse de Daniel Rousselle. Elle sent sa respiration sur son visage. Sa main baigne dans un liquide visqueux sur le plancher. Du sang ? Ce ne peut être le sien. Ses mains sont entaillées, mais il n'en coule certainement pas assez pour couvrir un plancher de bois. Daniel Rousselle est donc blessé. Oui. Elle se souvient maintenant. Il a pris une balle dans la jambe. C'est pour ça qu'il est ici et non avec les autres hommes. Ce sang sur le sol, c'est le sien. Antoinette étire le bras. Une autre explosion fait trembler la maison et elle attend que la secousse soit passée pour palper la jambe de l'homme. Ce dernier pousse un cri de douleur.

— Excusez-moi, dit-elle, hésitante. Vous saignez beaucoup, monsieur Rousselle. Il faut vous soigner.

— Il faut d'abord descendre à la cuisine avant qu'un boulet ne traverse le plafond de cette chambre ou que le feu n'atteigne la maison.

Sur ces mots, il recommence à tirer sur le corps d'Antoinette. Celle-ci se laisse faire pendant un moment, puis, réalisant l'effort surhumain que fournit l'homme pour leur trouver un abri, elle se met à ramper elle aussi. Elle sent une chaleur nouvelle au fond de ses entrailles. Une énergie depuis longtemps disparue. Au milieu de cet enfer, elle prend soudain conscience qu'il faut qu'elle vive, ne serait-ce que pour porter secours à cet homme qui a donné de son sang pour la sauver.

*

Le lendemain, à midi, après quinze heures de bombardement, les canons anglais se taisent enfin. Les femmes et les enfants rentrent dans la ville, constatant avec effroi les dégâts causés aux immeubles. Marie, Odélie et Louise marchent rapidement. Elles ont passé la nuit à prier pour que la maison soit épargnée, pour que Daniel et Antoinette soient sains et saufs. Marie est rongée de remords. Comme elle regrette de les avoir abandonnés pour aller à l'église! Lorsqu'elles atteignent toutes trois leur demeure, elles sont hors d'haleine et saisies d'effroi en apercevant tout le sang répandu sur le plancher.

Odélie et Louise se précipitent dans l'escalier, pendant que Marie suit les traces qui mènent à la cuisine. C'est là qu'elle découvre Daniel et Antoinette, endormis sous la table.

*

— Il n'est pas question que je parte! Cette maison, c'est tout ce que j'ai.

La voix de Marie est presque suppliante. Ému, Bougainville fait un pas vers elle. Il a l'impression qu'elle n'est pas consciente du danger, qu'elle désire rester ici pour une raison qu'il ne comprend pas. Ou plutôt qu'il redoute de comprendre. Les Anglais ne se borneront pas à bombarder les édifices qui longent les remparts. Ils finiront bien par atteindre l'ouest de la ville. Et dans ce cas...

Les mots de Marie résonnent dans sa tête. «Cette maison, c'est tout ce que j'ai.» Elle semble oublier que lorsqu'ils seront mariés, elle possédera une maison bien plus grande, en France. Toutefois, en faisant valoir le peu de valeur des biens de Marie, Bougainville risque de l'indisposer. Il choisit de la raisonner. Après tout, la menace est réelle.

— Il ne vous restera pas grand-chose de cette maison si elle est incendiée comme les autres.

Marie accuse le coup. En toute autre circonstance, elle lui donnerait raison. Mais justement, les circonstances ne sont pas ce qu'elles paraissent être. Elle est indépendante de fortune. Et jusqu'à son mariage, elle entend le demeurer. Elle ne pourrait jamais s'abaisser à devoir se faire entretenir par un homme qui n'est pas son mari, même si elle lui est promise. Qu'il y ait la guerre ou non!

— Vous croyez que je n'y ai pas pensé, lance-t-elle pour essayer de le convaincre d'abandonner cette idée. Ma maison est beaucoup plus loin que les autres. Elle court peu de risque de brûler, mais combien davantage d'être pillée. Les voyous n'attendent que le départ des résidants pour s'emparer de leurs biens!

— Apporterez-vous donc tous vos biens en enfer, Marie?

Cette fois, la voix de Bougainville est tranchante et cette insistance agace Marie. Elle a pris sa décision et ne la remettra pas en question pour l'amour-propre d'un homme. C'est certain que Bougainville se sentirait valorisé de devoir s'occuper d'elle dès maintenant. Marie sait qu'elle aurait peut-être pris une décision différente, si l'homme ne la priait pas, chaque fois qu'il la voit, de quitter la ville. Comme elle déteste qu'il veuille tout prendre en charge tout de suite! Ça l'étouffe, elle qui a appris à vivre sans homme depuis un an.

— Je ne partirai pas, répète-t-elle au bout d'un moment, déterminée à clore le sujet.

Cet entêtement énerve Bougainville. Il n'a qu'une envie: forcer Marie de Beauchêne à le suivre, au moins jusqu'à l'un des faubourgs. Il jette un regard à cette cuisine qu'il a fini par détester et il sent l'exaspération le gagner. Il faut qu'il la convainque de quitter ce lieu avant que Jean Rousselle ne profite de la situation. Bougainville tente un dernier argument:

— L'intendant est sur le point d'émettre une ordonnance contre les voleurs. Tous ceux qui seront pris à voler seront pendus devant le château Saint-Louis, sans procès et sur-le-champ. Cela devrait suffire à vous rassurer!

— Vous êtes fou si vous croyez que ça freinera l'ardeur des bandits.

Cette dernière remarque embrase la colère qui grondait sourdement dans les entrailles du colonel.

— Je vous ordonne de partir! lance-t-il en abattant son poing sur la table.

— Vous oubliez, monsieur de Bougainville, que nous ne sommes pas encore mariés. Vous n'êtes donc pas en position de m'ordonner quoi que ce soit!

Cette phrase, même si prononcée avec le plus grand calme, blesse Louis Antoine qui réalise la gravité de la situation. Cette querelle pourrait mettre en péril leur avenir commun. Quoique, doit-il admettre, l'intention de Marie de demeurer dans la ville soit tout aussi hasardeuse avec Jean Rousselle dans les parages. Sans parler du danger réel que représentent les attaques ennemies !

— Vous êtes impossible, Marie ! laisse-t-il enfin tomber.

— Et vous, tyrannique !

C'en est trop ! Bougainville tourne les talons et s'apprête à sortir dans la cour. Il aperçoit alors Daniel Rousselle dans la chambre adjacente. Il s'est assis dans son lit et l'observe d'un air réprobateur. Nul doute qu'il a entendu leur conversation. Bougainville lui lance un regard méprisant.

— Au lieu de rester là à rien faire, dit-il, vous devriez essayer de la convaincre de partir. L'accalmie ne durera pas, vous savez !

— Tout le monde est au courant en ce qui concerne l'accalmie, répond Daniel. Mais pour ce qui est de l'entêtement de Madame, je n'ai pas encore trouvé de remède !

À ce moment, la porte claque si fort que les murs en résonnent. C'est Marie qui vient de sortir, les joues en feu.

*

Sous un ciel couvert de nuages, Marie remonte la rue Saint-Jean d'un pas lent. C'est vrai que la détresse qu'elle ressent au creux de son estomac l'étourdit par moments. Mais celle qui habite son esprit la fait souffrir plus encore. C'est qu'elle revient de chez le boulanger les mains vides, pour la troisième fois en trois jours. Lundi, on n'a pu faire de pain parce que les fours avaient été endommagés par les bombardements. Le lendemain, Marie a dû attendre une accalmie pour sortir de la maison. Il était plus de dix heures et tout le pain avait déjà été vendu. Aujourd'hui, c'est la farine qui manque. Elle a bien compris ce que le boulanger n'osait lui dire; il n'y aura probablement pas de pain à vendre demain, peut-être pas le jour suivant non plus.

Marie ne pouvait imaginer pire situation. Ce matin, elle s'est aperçue que son potager avait été pillé pendant la nuit. Elle s'en veut d'avoir négligé de rentrer les légumes, même si, pour la plupart, ils n'étaient pas encore à maturité. Mais, au moins, ils les auraient soutenues, elle et sa famille, pendant un jour ou deux. Alors que là…

Depuis que la nourriture se fait rare, Marie a renoncé à envoyer Louise faire des courses. Elle ne se fie plus qu'à son propre jugement, à sa propre persévérance. À son courage aussi. C'est vrai que sa servante est débrouillarde, mais Marie sait que cette qualité ne remplace pas une certaine expérience de la vie. Et des hommes.

Elle atteint la côte de la Fabrique qu'elle entame d'un pas décidé. Tout en haut, la cathédrale se dresse toujours, noble, malgré son toit ravagé. Juste en face, le collège des Jésuites est en partie incendié. Marie poursuit sa route sans se laisser distraire par ce spectacle désolant. Elle n'a qu'une idée en tête : nourrir les siens. Et elle ne rentrera pas tant qu'elle n'aura pas trouvé de quoi manger. Car au fond d'elle, malgré sa détresse, un espoir l'anime.

Ayant appris que les Anglais ne s'en prenaient pas aux églises, le gouverneur Vaudreuil a fait transférer la réserve de farine à la chapelle des Jésuites, à côté du collège. Lorsque des bombes ont atteint la cathédrale, l'homme a bien été obligé d'admettre que le tir de l'ennemi n'était pas très précis. Il a donc ordonné de déplacer la réserve dans le faubourg Saint-Jean.

C'est le boulanger qui lui a raconté cette anecdote, sous-entendant que les soldats assignés au transport de la farine n'étaient pas très fiables. Marie l'a remercié et s'est immédiatement dirigée vers la chapelle. Elle n'avait pas besoin de plus d'explication. Peut-être a-t-on négligé de fouiller l'endroit en entier? Peut-être reste-t-il assez de farine sur le plancher pour faire un pain ou deux?

Marie dépasse le collège. Elle a presque atteint son but. Il est cependant trop tard quand elle reconnaît le bruit strident qui se propage en écho dans la rue, entre ce qui reste des édifices encore debout. Une ombre passe au-dessus de sa tête, une autre tout près, derrière elle. L'explosion l'aurait balayée si quelqu'un ne s'était jeté sur elle, la clouant au sol. Un autre sifflement, puis une autre déflagration. À plat ventre dans la poussière, Marie se bouche les oreilles. La terre tremble sous sa joue. Soudain, celui qui la protégeait de son corps se relève et l'aide à se mettre debout. Marie n'a pas encore aperçu le visage de son sauveur, mais déjà l'homme lui saisit la main et l'emmène avec lui à la recherche d'un endroit sûr. Un boulet percute un mur à leur droite. Des pierres s'écroulent et roulent à leurs pieds. Ils les contournent et vacillent à cause d'une nouvelle explosion. Un autre mur vole en éclats. L'inconnu se précipite alors dans les ruines à sa gauche. Marie vient elle aussi d'apercevoir l'entrée d'une voûte. Elle emboîte le pas à cet homme qu'elle vient à l'instant de reconnaître. Elle plonge dans la noirceur du trou, jusqu'au fond, sous la terre, à l'abri.

Le bombardement continue et le bruit des explosions est accentué par les parois rocheuses de la voûte. Affaissée sur le sol, Marie reprend son souffle et murmure un timide merci à celui qui vient de lui sauver la vie. Mais Jean Rousselle ne l'entend pas. Il s'est assis, adossé au roc et secoue la poussière qui recouvre ses vêtements. Son visage affiche une exaspération inhabituelle chez lui. Au bout d'un moment, il enlève son chapeau et se redresse, le corps légèrement penché à cause du peu de hauteur de la voûte. Il cherche dans la pénombre ce qui pourrait lui servir à bloquer l'entrée de leur refuge pour atténuer la résonance. Il découvre, dans un coin, quelques sacs de toile bien remplis qu'il entasse les uns sur les autres. Il s'empare ensuite de ce qui reste de la porte qui devait bloquer l'entrée de la voûte avant que la ville ne soit bombardée.

Quand il a fini de hisser la structure de bois, le vacarme, bien qu'encore très présent, est rendu sourd et tolérable. L'obscurité se fait plus dense et il faut un moment pour que Jean repère l'endroit où se trouve Marie. Il la rejoint et s'assoit à ses côtés. Il se passe alors beaucoup de temps avant que l'un d'eux ne parle. Lorsque les explosions s'espacent d'une quinzaine de minutes, Marie espère que c'est la fin. Mais, inlassablement, le bruit de la canonnade reprend.

C'est Jean qui prend la parole en premier et sa voix est tranchante :

— C'était de la folie de vous balader aussi près des remparts !

— Me balader? répète Marie, aussi incrédule qu'insultée. Me croyez-vous donc insouciante? J'allais chercher de la farine à la chapelle des Jésuites. Je n'ai plus de pain depuis trois jours. Je ne vais pas laisser ma fille mourir de faim sans rien faire!

— Et vous pensiez qu'il y aurait de la farine chez les Jésuites?

Marie lui résume en quelques mots l'histoire du boulanger et Jean l'écoute en secouant la tête.

— Le boulanger a oublié de vous dire que l'intendant Bigot a vérifié lui-même l'état des lieux à la fin du déménagement. Vous n'imaginez tout de même pas qu'il permettrait à quelqu'un de cacher quelques sacs de la farine du roi.

Jean est cynique et Marie prend conscience de sa propre naïveté. Bien sûr que non! Si l'intendant peut voler le roi à sa guise, ce que tout le monde sait d'ailleurs, il ne permet pas à qui que ce soit de faire de même sans sa permission. Marie aurait dû y penser. Mais l'espoir fait parfois commettre des bêtises. S'approcher des remparts aujourd'hui en était une. Jean s'est tu et Marie l'imite, écoutant le tonnerre qui exprime le courroux des Anglais.

Une explosion retentit tout près. La voûte en est secouée de plus belle. Jean a senti Marie sursauter à ses côtés. Il se rend compte qu'elle tremble, peut-être même depuis un bon moment. C'est vrai qu'il fait plus frais sous la terre et Marie est vêtue trop légèrement pour être à l'aise dans un endroit aussi humide. Sans un mot, il passe son bras derrière elle et l'attire contre lui. Il se souvient alors de ces nuits dans les bois. Marie s'en souvient, elle aussi. Elle appuie la tête contre son torse et Jean la serre plus fort. Il l'entend soupirer. Cela le rassure et il ferme les yeux.

Marie n'ose remuer. Elle est envahie par un bien-être étrange, malgré le fracas des explosions à l'extérieur. Tous ses sens sont en éveil. La barbe de quelques jours qui couvre le menton de Jean vient frotter contre ses cheveux noués. Elle sent glisser une petite mèche hors de sa coiffe. Il y a aussi le souffle chaud sur son front. Marie ferme les yeux à son tour.

Elle respire l'odeur musquée qui la fait s'étirer malgré elle pour s'appuyer la joue contre le cou solide. L'effluve crée un léger étourdissement, puis une brûlure entre ses cuisses. Une main a glissé sur sa nuque et le pouce remonte maintenant derrière ses oreilles. Cette pression dégage d'autres cheveux du chignon. Marie frissonne. Elle ne pense plus.

Jean l'a sentie frémir sous cette caresse. Encouragé, il penche la tête vers la nuque offerte et l'effleure de ses lèvres. Il voit les doigts de Marie qui défont les boutons de sa veste de drap. Il les sent qui se déploient à l'intérieur jusqu'à sa chemise de lin, qui descendent jusqu'à son ventre. Le tissu glisse hors de ses hauts-de-chausses. La paume de Marie est chaude lorsqu'elle remonte sur son torse, frôlant à peine sa peau.

Les bombes et les boulets tombent toujours sur la haute-ville. Le bruit des explosions et des murs qui s'affaissent pénètre toujours dans la voûte par l'entrée mal fermée. Le sol tremble à tout moment. Malgré ce danger grandissant, ou peut-être justement à cause de lui, Jean n'hésite plus. Il repousse doucement Marie, enlève sa veste qu'il étale sur la terre battue.

Marie s'y étend sans qu'il ait à l'inviter. Y aura-t-il un lendemain sous les canons des Anglais ? Peut-être pas. Non, Marie ne pense plus. Déjà, Jean a glissé une main dans son corset, sous la dentelle de la blouse. De l'autre, il relève ce qui reste de ses jupes, découvrant ses cuisses. Marie étire alors le bras. Ses doigts défont la braguette des hauts-de-chausses.

Jean frémit à son tour sous la caresse. N'en pouvant plus, il s'allonge sur Marie, le souffle court, se fondant dans son corps jusqu'à ce que son cœur batte plus fort que le bruit des canons.

*

Les bombardements durent toute la nuit, contraignant Jean et Marie à demeurer dans leur refuge. Ils ont fini par s'endormir, enlacés, les vêtements en désordre. À l'abri sous la terre, la lumière du jour ne les atteint pas. C'est pourquoi ils demeurent habités par cette langueur jusqu'à ce qu'un silence obscur et prolongé tire Marie de son sommeil. Les canons se sont tus. Il est près de midi.

Elle se redresse et écoute, dans l'attente d'une explosion qui ne vient pas. Elle se lève, se dirige vers la porte de fortune et jette un œil par un mince interstice. La poussière est retombée. Le soleil brille, faisant étinceler les éclats de pierre qui jonchent le sol. Marie retourne vers Jean et le touche doucement.

– Réveille-toi, dit-elle. Je crois que c'est fini.

Jean ouvre les yeux, perplexe. Il lui faut un moment pour se souvenir de l'endroit où il se trouve. Il s'étire avec un bâillement de satisfaction. Puis il se lève, remet ses hauts-de-chausses et s'approche de l'entrée à son tour. Après un bref coup d'œil entre deux planches, il déplace le gros morceau de bois servant de porte et une lumière crue le contraint à plisser les yeux lorsqu'il sort la tête à l'extérieur. Un silence de mort écrase la ville et une odeur de soufre s'engouffre dans leur abri.

— Est-ce que c'est bien fini? demande Marie, hésitant à le suivre sur le seuil.

— J'espère bien que non.

Jean s'est tourné pour lui répondre et un sourire malicieux égaie son visage. Marie est un instant déconcertée, mais comprend ensuite que Jean ne parle pas du bombardement. Elle lui rend son sourire, gênée. Elle n'espère pas que ce soit terminé, elle non plus. Étrangement, elle souhaiterait presque entendre une nouvelle explosion qui les forcerait à demeurer dans la voûte, à l'abri du monde, pendant encore un moment. Elle se sent si bien. Elle ne s'était pas sentie dans cet état depuis longtemps. Depuis leur aventure en pleine forêt, l'année précédente. Mais il n'y avait pas alors cette béatitude, ce bien-être intense. Ce moment hors du temps peut-il finir comme ça, dès que se pointe une accalmie?

Avec les minutes qui passent, la réalité les rejoint, amenant avec elle une certaine inquiétude. Marie constate que, de la même manière que sur les rives du lac Champlain, leur intimité se dissout, imperceptiblement. Quel avenir les attend, maintenant que les Anglais leur offrent un répit? Un mariage? Cette idée ferait sourire Marie, dans toute autre circonstance. Il y a un an, elle a refusé d'envisager sa vie avec Jean Rousselle. Pendant l'hiver, le regret qui a fait surface l'a étonnée elle-même. La vie l'aurait donc changée à ce point! Mais en cet instant, alors qu'elle arrive à s'imaginer avec Jean en toute sérénité, un mariage avec lui est-il encore possible? Peut-elle oublier qu'elle s'est promise à un autre? Que de désordre dans sa vie!

Cette réflexion ramène son attention sur leur tenue. Elle constate l'état débraillé de Jean et réalise qu'elle n'est guère plus décente. Elle rougit en replaçant sa blouse sous son corset. Ses jupes sont déchirées, couvertes de poussière et mouillées par endroits. Marie sent un liquide tiède lui couler sur les cuisses et descendre jusqu'à ses genoux. Embarrassée, elle n'ose l'essuyer de ses jupons.

Jean la regarde remettre de l'ordre dans ses vêtements et a soudain envie d'elle à nouveau. Mais puisque Marie s'est assombrie, il réprime son désir. Insister maintenant serait gâcher l'avance qu'il vient de gagner sur son rival. Dans son esprit, les choses sont claires, pour la première fois. Marie a un penchant certain pour lui. Or, en ce moment, il n'est pas en position de prendre une épouse; il n'a pas de quoi la faire vivre. Cependant, dès que la guerre sera terminée et que les choses retrouveront leur cours normal, les affaires reprendront. Avec son père, il ouvrira une échoppe dans la basse-ville, non loin de la place Royale. Il sera un prospère commerçant et elle n'aura pas honte de devenir sa femme. Il ne lui faut que du temps. Pas beaucoup. Juste un peu, pour qu'il puisse retomber sur ses pieds. Mais un peu de temps, c'est peut-être tout ce dont Bougainville a besoin, lui aussi. Il faudra qu'il surveille le colonel et l'empêche de profiter de sa faiblesse.

Il secoue la tête. Cette pensée le contrarie, malgré le bonheur des dernières heures. Pour se changer les

idées, Jean retourne vers la sortie et entreprend de la dégager complètement. Il s'arrête en découvrant ce que con-
tiennent les sacs de toile. Il appelle Marie et sa voix est si
fébrile que sa compagne en est immédiatement alertée :

– N'est-ce pas ce que tu cherchais ? dit-il, en pointant du pied la poudre blanche répandue sur le sol.

Le regard de Marie s'illumine.

– Je crois que nous devrions rentrer maintenant,
poursuit-il, en soulevant les sacs pour les mettre sur son
épaule.

Marie acquiesce et prend la main libre qu'il lui
tend. Craignant que la canonnade ne reprenne, ils quittent à la hâte leur refuge, dans les débris d'une maison
effondrée de la rue Sainte-Anne, à moins de mille pieds
de la falaise.

*

Lorsque Marie pénètre dans la cour, son instinct lui
dit que quelque chose ne va pas. On devrait entendre le
babillage de Louise, les cris joyeux d'Odélie, les ronchonnements de Daniel, peut-être même les plaintes
d'Antoinette. La maison est dangereusement silencieuse
et aucun feu ne brûle dans la cheminée. Elle se précipite
dans la cuisine, suivi de Jean, tout aussi inquiet.

La table a été renversée dans un coin et, de l'autre
côté, ils découvrent Daniel adossé au mur, Odélie assise
entre ses jambes. Antoinette est appuyée contre l'autre
mur, serrant entre ses doigts noueux les petites mains
de sa nièce. Daniel et Antoinette soupirent de soulagement en apercevant Marie et il ne faut qu'une seconde
à celle-ci pour comprendre ce qui arrive à sa fille. Elle

se précipite sur elle, défait son corset et l'assoit sur une chaise.

— C'est… c'est la fumée, souffle Odélie avec peine. J'ai pensé que tu étais…

— Je suis là. Calme-toi.

La voix de Marie est douce. Elle apaise Odélie dont la respiration demeure bruyante, malgré le réconfort apporté par sa mère.

— Je pensais… que j'étais guérie, poursuit l'enfant.

Oui, Marie aussi l'avait espéré. Elle s'était convaincue qu'en grandissant Odélie avait vaincu son asthme. Elle n'avait pas fait de crise depuis son retour de Louisbourg. Mais dans la ville surchauffée, il semble que la maladie ait repris le dessus.

— Respire profondément, Odélie. Détends-toi. Il ne t'arrivera rien maintenant.

— Vous devez partir! dit soudain Jean Rousselle, debout à leurs côtés. Les incendies vont se faire plus fréquents, jusqu'à ce qu'il ne reste plus une maison à brûler dans la ville. La plupart des gens ont déjà fui, Marie. Il faut vous en aller.

— Mais je n'ai nulle part où aller!

— Nous pourrions aller chez moi.

Tout le monde se retourne, stupéfait. Paniquant en voyant se détériorer l'état d'Odélie, Louise n'avait pu que se réfugier dans la grande salle, abandonnant l'enfant aux soins de sa tante. Elle n'en revient qu'après avoir reconnu la voix de sa maîtresse.

— Je ne savais pas quoi faire, murmure-t-elle en baissant les yeux, l'air coupable. Je n'ai jamais vu quelqu'un qui… Le sifflement, Madame, il y avait un sifflement tellement aigu. Et Odélie pleurait. Et toussait. C'était terrible!

Marie hoche la tête, compréhensive. Quant à Odélie, sa toux semble vouloir se faire moins persistante, la douleur dans sa poitrine, moins vive. Louise continue de parler:

— Mes parents vous accueilleront avec plaisir, Madame. La Pointe-aux-Trembles est à moins de huit lieues. Si nous prenons la route tôt demain matin, nous y serons à la tombée de la nuit.

— Mais les autres? s'inquiète Marie, songeant aux habitants venus se réfugier chez elle.

— Tout le monde est parti, Madame.

— Tout le monde?

— Oui, intervient Daniel Rousselle. Il n'y a que nous pour nous acharner à demeurer dans une ville bombardée!

Marie se mord la lèvre et pose les yeux sur sa fille, indécise. Odélie respire déjà mieux, c'est vrai. Mais combien de temps cela durera-t-il? Elle sent la main décharnée d'Antoinette glisser sur la sienne.

— Ne t'en fais pas, la rassure sa belle-sœur. M. Rousselle et moi allons nous rendre à l'Hôpital-Général. Son fils va nous y conduire dès demain matin. Les religieuses veilleront sur nous.

— Ouais, ajoute Daniel, d'une voix excessivement bougonne. Moi, je n'en peux plus d'être entouré de femmes! Au moins là-bas, il y aura d'autres hommes. Même estropiés, ils seront de meilleure compagnie!

Jean sourit devant le commentaire faussement bourru de Daniel. Il y a longtemps qu'il essaie de convaincre son père de se rendre à l'hôpital. Chaque fois qu'il abordait la question, Daniel refusait net, arguant qu'il devait veiller sur ces femmes qui passaient leurs journées seules. «Qui sait de quoi sont capables les rôdeurs?» objectait-il en dernier ressort, en posant la main sur son fusil. Maintenant que ces femmes seront en sécurité, il n'a plus d'objection à se faire soigner par les religieuses.

«Espérons qu'il reste encore de la place!» songe Jean en croisant le regard complice de son père.

Marie s'éloigne de sa fille et se rend à la fenêtre. Dehors, la fumée traîne sur les pavés. Il y en a dans toutes les rues. Elle y stagnera sans doute longtemps, si le soleil continue de darder la ville de ses rayons. Et il fait tellement chaud! La décision n'est pas difficile à prendre. Mais les conséquences pourraient être catastrophiques. La maison pillée, que lui restera-t-il de Charles, du peu de biens qu'elle possède? Elle ne peut quand même pas tout transporter sur ses épaules!

— Il me faut une charrette! dit-elle en se tournant vers Jean.

— Je vais voir ce que…

Mais Jean n'a pas le temps de terminer sa phrase. Quelques mots de micmac s'élèvent de l'embrasure de la porte. La Mire s'y tient, appuyé contre le chambranle. Personne ne l'a entendu entrer, mais il a manifestement assisté à la conversation. Jean traduit:

— Il dit qu'il sait où on peut en trouver une.

CHAPITRE V

Lorsque l'aube naissante dévoile la ville enfumée, Marie, Odélie et Louise sont déjà loin. Malgré la batterie anglaise qui n'a cessé de menacer la ville de toute la nuit, ses canons n'ayant de répit que le temps d'être rechargés, Marie a préparé son voyage. Elle n'emporte pour elle-même que le nécessaire, mais n'abandonne aucun objet qu'elle pourrait vendre ou échanger contre de la nourriture. Car, à cause du peu de denrées disponibles en ville, il ne reste plus rien de la bourse apportée par Montcalm l'hiver dernier. L'inflation a dépassé les limites de l'imagination.

Le chemin de Sainte-Foy s'étire tel un ruban, bordé de fermes et de boisés. Il longe la falaise qui domine la vallée et le clocher de l'Ancienne-Lorette au loin. Plus au nord, les montagnes se découpent, enveloppées d'une forêt encore sombre qui s'étale jusqu'à très loin de leurs bases, ne laissant à découvert que les champs ensemencés.

Marie revoit la scène de leur départ avec un pincement au cœur. Elle n'a pas questionné La Mire lorsqu'il lui a apporté la charrette quelques heures avant le lever du soleil. Elle l'a simplement remercié et y a fait monter sa fille, pendant que Jean installait les bagages à l'arrière. Elle a ensuite embrassé sa belle-sœur, la serrant longuement dans ses bras, retenant les larmes qui lui piquaient les yeux. Puis elle a souhaité bonne chance à M. Rousselle et accepté la main que lui tendait Jean pour l'aider à monter aux côtés de Louise. Il lui pressait les doigts avec insistance, et elle ne le quittait pas des yeux. Derrière la façade d'une mère solide qui emmenait sa fille au loin, il y avait une femme terrifiée. Elle savait que Jean l'avait vu dans ses yeux et sa main n'a laissé celle de son compagnon que lorsque la charrette s'est mise en marche, ses doigts glissant sur la paume rugueuse de l'homme.

Le sol se déroberait-il encore une fois sous ses pieds? En quittant la voûte, elle avait eu l'impression que le charme était brisé. Si ses sentiments pour Jean étaient clairs, le monde dans lequel ils vivaient s'avérait, lui, compliqué, cruel et plein d'embûches. Une seule pensée l'obsédait et l'obsède encore. Bougainville. Elle s'est fiancée à lui de son plein gré. Comment pourrait-elle maintenant revenir sur sa parole? Cette perspective la torture et, tandis que défile le paysage, Marie ressasse les mêmes idées, balançant entre sa tête et son cœur.

Assise docilement aux côtés de sa mère, Odélie se plaît à écouter les bruits du village de Sainte-Foy qui s'éveille. Des coqs chantent leur insouciance matinale, des enfants turbulents sortent faire le train et des vaches meuglent dans les étables, sans doute indisposées par cette agitation. Le tintement de la vaisselle révèle des femmes préparant le déjeuner. Quelqu'un a même fait cuire du pain et l'arôme envoûtant flotte au-dessus des maisons, jusqu'autour de l'église.

Odélie se tourne vers sa mère. Le visage radieux de celle-ci lui confirme ce qu'elle vient elle-même de découvrir: il sera plus facile de se nourrir à la campagne qu'en ville.

La voiture traverse le village et poursuit sa route sur les hauteurs pendant près d'une heure encore. Puis elle descend la pente abrupte jusqu'au niveau du fleuve pour traverser la rivière Cap-Rouge. La charrette s'arrête alors devant l'église, le temps de manger le lard « trouvé » par La Mire ce matin.

Les jambes allongées sur le parvis, Odélie se sent de mieux en mieux. Elle observe le paysage, regrettant de ne pas avoir apporté les pastels de sa tante. De l'autre côté, sur la rive sud, les falaises se dressent, abruptes, dominées par le clocher de Saint-Nicolas. Malgré le babillage incessant de Louise qui a entrepris de décrire à Marie chacun des membres de sa famille, Odélie peut entendre, venant de l'est, flottant dans la tranchée naturelle du fleuve, l'écho de la canonnade qui frappe toujours Québec. Mais ce bruit est si sourd et si lointain, qu'il ne l'effraie plus autant. Lorsqu'il faut reprendre la route, au bout de trente minutes, Odélie a une pensée pour sa tante, pour M. Rousselle, pour son fils aussi et pour l'Indien, tous demeurés près de la ville.

«Pourvu qu'il ne leur arrive rien de fâcheux!» songe-t-elle, se considérant soudain presque lâche de les avoir abandonnés.

De Cap-Rouge à Saint-Augustin, la route monte sur le cap, puis traverse des fermes qui s'allongent jusqu'au fleuve, sur des paliers nivelés. Ici et là, un boisé sert de couvert contre le soleil encore pesant. Le chemin devient ensuite sinueux, longeant la crête, montant ou descendant, selon les aspérités du terrain. De temps en temps, un pont enjambe un ruisseau téméraire qui se précipite vers le Saint-Laurent, après avoir coupé à travers les champs fertiles qui recouvrent les berges tout en bas.

– On est rendues! s'exclame soudain Louise en désignant au loin, devant les nuages teintés d'ocre et de rose, le clocher de la Pointe-aux-Trembles, qui fend le ciel devant le soleil couchant.

Il reste moins d'une lieue à parcourir. Marie s'est emparée de la main de sa fille qu'elle serre dans la sienne. Elle sent soudain un regain d'énergie. Ce soir, elles dormiront à l'abri du feu et des bombes, dans le silence d'un village éloigné. Un refuge contre la guerre.

*

Jean et La Mire rejoignent la dernière charrette du convoi au moment où celle-ci s'immobilise devant l'entrée principale de l'Hôpital-Général. Des religieuses se ruent déjà vers les blessés, les aidant à descendre et dirigeant les moins mal en point vers la grange. Dans la chaleur accablante de midi, les malades suffoquent et transpirent, mais ils se laissent malgré tout transporter à l'intérieur de l'église.

Après s'être fait secouer durant la demi-lieue qui sépare la haute-ville de l'Hôpital-Général, Daniel Rousselle n'en peut plus. Il étire sa jambe valide hors de la charrette et, lorsque son fils vient à son secours, il le repousse dans un geste d'impatience.

– Occupe-toi plutôt d'elle! ordonne-t-il en montrant le corps inerte d'Antoinette. Je crois qu'elle a perdu connaissance. Trouve-lui une place à l'intérieur, où il ne fera pas trop chaud. Moi, je vais... m'asseoir à l'ombre.

Sur ces mots, il agrippe le bras de La Mire et lui indique le chemin menant sous un arbre non loin de l'entrée.

Jean a soulevé Antoinette et, la portant dans ses bras, il disparaît dans les entrailles sombres de l'hôpital. Lorsqu'il revient, au bout d'une demi-heure, il transpire abondamment. Il n'enlève son chapeau qu'une fois à l'ombre.

— Les sœurs m'ont dit qu'elles lui trouveraient une place avec les autres femmes, dit-il simplement, avant de se laisser choir sur le sol.

Un nouveau convoi de malades et de blessés emplit l'air de bruits et de poussière. Le cliquetis des roues, les plaintes des hommes, les pleurs des enfants. Un grondement sourd, accentué par l'humidité, signale un nouvel affrontement en aval du fleuve, tout près des chutes de la rivière Montmorency. La voix de Jean s'élève, résignée, mais distincte par rapport au tapage ambiant :

— Il n'y a plus de place à l'intérieur. Il va falloir t'installer dans l'église. C'est là qu'elles soignent les blessés. Il paraît que la grange et l'étable sont réservées aux pauvres et aux vieillards.

— Bon, bien allons-y ! décide enfin Daniel, jugeant que son fils et l'Indien seraient plus utiles dans la ville qu'à l'hôpital.

Jean acquiesce de la tête, se redresse et aide son père à faire de même. Puis les trois hommes replongent dans le soleil.

L'église est bondée. Une odeur d'encens camoufle à peine celle de la chair en décomposition. Jean retient une nausée, alors que La Mire fait deux pas en arrière, annonçant qu'il préfère attendre à l'extérieur. Jean s'enfonce donc seul dans la pénombre de cet hôpital de fortune, soutenant son père qui a recommencé à grogner :

— Quelle puanteur ! Tu ne vas tout de même pas me laisser ici ?

Jean ne l'écoute pas, continuant d'avancer, poussant Daniel lorsque celui-ci cherche à freiner ses pas.

— Ne fais pas le difficile. C'est ici qu'on soigne les gens. Tu as besoin d'être soigné.

— Pas dans ces conditions ! Aide-moi à sortir immédiatement, avant que je me mette à vomir sur ces pauvres malheureux.

— Au cas où tu ne l'aurais pas remarqué, tu pues autant que ces pauvres diables. Et ta jambe n'a pas meilleure mine que les autres blessures que j'ai sous les yeux.

— Il n'est pas question que je reste ici ! hurle Daniel en se jetant par terre pour ramper vers la sortie. Ces bonnes femmes seraient capables de me couper la jambe. Laisse-moi ! Ou bien aide-moi à sortir, je te dis !

Jean hausse les épaules et relève son père avant de l'entraîner vers l'extérieur.

— C'est vrai que ça puait là-dedans, admet-il en replaçant le bras de Daniel sur son épaule. Bon, il reste la grange et peut-être un autre bâtiment à l'arrière. Mais il n'y aura personne pour te soigner.

— Je me soignerai moi-même, grince Daniel en essayant de se porter sur sa jambe valide. Mène-moi donc à cette grange. Ça ne sera jamais pire qu'ici !

— Je me demande dans quelle catégorie les sœurs vont te classer ? raille Jean en se retrouvant dans le soleil et la chaleur. Tu fais partie des pauvres ou des vieillards?

Daniel ne répond pas, mais lui assène un coup de coude dans les côtes. Jean éclate de rire. Il sait bien que son père n'apprécie pas davantage l'idée de faire partie de l'une ou de l'autre de ces catégories.

— Regretterais-tu déjà les mains expertes de Mme de Beauchêne? Ou serait-ce plutôt celles de sa servante si bien en chair?

La Mire les a rejoints et n'a entendu que la deuxième question. Persuadé que Jean se moque de lui, il lui enfonce à son tour son coude dans les côtes.

— Ça va! raille Jean en faisant un clin d'œil entendu à son père. Je pense que nous avons ici un Indien jaloux.

Puis, se tournant vers La Mire, il ajoute:

— Tu perds ton temps, mon vieux. Il faut plus que des oiseaux pour séduire une Blanche!

La Mire marmonne quelques mots disgracieux en micmac, puis glisse son bras sous l'autre épaule de Daniel. Les trois hommes entreprennent ensuite de contourner l'hôpital. Il leur faut plusieurs minutes pour atteindre leur objectif.

— Tiens, voilà la grange, lance Jean, en montrant du menton le bâtiment délabré qui se dresse devant eux. Est-ce que cet endroit sied à tes goûts?

Daniel acquiesce de la tête, incapable de répondre à la moquerie tant la douleur s'est intensifiée dans sa jambe. Il n'aurait pas dû se jeter par terre dans l'église. Sa plaie s'est remise à saigner, il peut sentir le liquide chaud dégouliner sur ses mollets. De plus, il commence à avoir honte de dépendre de son fils pour se déplacer.

Il voudrait bien prendre appui sur ses deux jambes, mais n'y arrive pas. Il se contente donc de jurer entre ses dents.

Le bâtiment de planches où ils pénètrent sent à peine meilleur que l'église. Ce n'est plus l'odeur de la putréfaction, mais plutôt celles de la crasse, de l'urine et de la misère qui assaillent leurs narines. Des odeurs, sinon plus tolérables, du moins plus familières, et Daniel ne rechigne pas en avançant parmi les gueux effondrés sur le sol. Malgré la pénombre, il aperçoit, au fond, entassés derrière les balles de foin frais, des outils servant à travailler la terre. C'est cette direction qu'il montre à son fils lorsque s'élève d'un coin sombre une voix railleuse :

– Ça parle au diable ! Si c'est pas mes fidèles compagnons d'armes ! Avouez que vous me pensiez mort, mes verrats !

Un homme à l'aspect miteux sort de l'ombre. Jean le reconnaît et vient près de laisser choir son père tant la surprise est grande. Après avoir confié Daniel à l'Indien, il donne une chaleureuse accolade à son vieil ami.

– Robichaud ! Comment est-ce possible que tu sois ici ? J'ai vu une demi-douzaine d'Anglais te sauter dessus. Tu étais blessé à l'épaule ; tu n'as tout de même pas réussi à les battre avec un seul bras !

Jean voit briller l'étincelle de la fierté dans les yeux du vieil homme. Il a tellement de questions à lui poser ! Il se retient cependant et revient plutôt vers son père pour l'aider à s'allonger sur le sol aux côtés de l'Acadien. En s'affalant sur la terre battue, Daniel émet un gémissement, une sorte de plainte sourde. Robichaud se tourne vers lui, inquiet.

– Serais-tu blessé, toi aussi, mon ami ? Laisse-moi voir ça ! J'ai soigné mes hommes pendant si longtemps que je me demande si je ne devrais pas me faire médecin du roi !

Jean retrousse le haut-de-chausse de son père. Au-dessus du genou, la plaie encore suppurante saigne abondamment. Robichaud lève des yeux autoritaires vers La Mire, demeuré en retrait.

– Utilise tes précieux talents pour me trouver des guenilles propres et de l'eau-de-vie, ordonne-t-il. Il me faut aussi de la poudre. Celle que tu as dans ton sac-à-feu fera l'affaire.

Puis, après le départ de l'Indien, il s'adresse à Jean :

– Essaie de me trouver une chandelle et de quoi l'allumer. Nous allons en finir avec cette blessure.

En entendant les paroles de Robichaud, Daniel Rousselle devine ce qui l'attend et devient blême. Il regrette vraiment les soins de Marie de Beauchêne et ceux de sa servante. Il regrette même d'avoir levé le nez sur l'église. Les méthodes des femmes pour soigner une plaie ouverte sont peut-être peu efficaces, mais elles sont certainement moins douloureuses que le sera le traitement que lui prépare le vieux Robichaud. Plein d'orgueil, il soutient sans broncher le regard de l'Acadien.

L'après-midi est déjà bien avancé lorsque Robichaud finit d'une gorgée le reste de l'eau-de-vie.

– Pour soigner mon épaule, explique-t-il à La Mire qui, la mine frustrée, aurait préféré terminer lui-même la bouteille.

Daniel Rousselle est allongé le long d'un mur de planches, inconscient. Ils l'ont tellement fait boire que

Jean est persuadé que son père n'aura aucun souvenir de sa guérison subite. Ses cris de douleur, lorsque la chair brûlait sous la poudre, ont effrayé les enfants qui se sont enfuis de la grange. Personne d'autre n'a prêté attention lorsque les hurlements se sont transformés en jérémiades incohérentes, juste avant que Daniel ne perde connaissance. La fièvre qui ne le quittait plus semble avoir baissé, ou peut-être cette impression est-elle due au vent frais qui s'engouffre dans la grange par les portes ouvertes. Jean écoute Robichaud qui, stimulé par l'alcool, a entrepris le récit de son évasion du camp des Anglais. Son histoire ne se termine d'ailleurs qu'à la brunante. Daniel dort toujours, assommé par l'alcool. Jean salue l'Acadien, vérifie une dernière fois que l'état de son père ne s'est pas aggravé avec la médecine de Robichaud, puis il quitte la grange, La Mire sur les talons. Ils atteignent le haut de la côte d'Abraham une demi-heure plus tard. Au lieu de pénétrer dans la ville pour aller dormir dans la maison de Marie, les deux hommes tournent à droite et s'enfoncent dans un boisé. Puisqu'ils n'ont rien mangé de la journée, aussi bien chasser un coup, avec la poudre du gouverneur Vaudreuil.

*

Un jour brumeux et chaud se lève sur la Pointe-aux-Trembles. De puissants rayons de soleil percent les nuages et ondoient sur les murs blanchis d'une maison de pierre, à deux pas de l'église. Les fenêtres sont ouvertes pour laisser passer la brise marine, s'il y en avait une. Or, en cette matinée de la fin de juillet, aucun vent ne souffle sur le fleuve. L'air est collant et la lumière crue du soleil, qui s'accroît de minute en minute, laisse présager une autre journée torride.

Dans une chambre de cette maison, où pénètrent déjà les bruits de la campagne, Marie et sa fille sont encore endormies. La pièce est minuscule. Un lit étroit, dont les courtines sont grandes ouvertes. Un coffre de bois, rempli des effets personnels des deux nouvelles pensionnaires. Une commode contenant les vêtements de rechange des cinq enfants qui dorment habituellement ici.

Marie ouvre les yeux. Elle écoute avec soulagement la respiration régulière d'Odélie. C'est un tel bonheur de voir son enfant prendre du mieux aussi vite. Elle en regrette presque son entêtement initial à ne pas quitter la ville. Cela aurait peut-être évité à sa fille de souffrir. Mais Marie avait alors d'autres préoccupations, des inquiétudes tout aussi justifiées.

Elle s'assoit sur le bord du lit et sa chevelure sombre tombe en cascades humides sur sa chemise froissée. Il fait déjà trop chaud. Son pied est appuyé sur quelque chose de dur et de froid. Le contraste est agréable, même si l'objet en question la rebute. C'est le fusil d'Odélie qui repose sur le plancher, à côté du lit, à portée de la main. Marie a finalement reconnu qu'il pouvait leur être utile. Elle a placé les balles et la poudre près de la tête du lit, s'assurant qu'elles seraient rapidement accessibles en cas de besoin.

On entend des bruits venant de la cuisine. La maisonnée se réveille lentement à cause de la tiédeur de l'air. Marie observe la pièce et soupire. Elle se trouve bien privilégiée de n'avoir à la partager qu'avec sa fille. Mme Lafleur a tellement insisté que refuser aurait été impoli. La mère de Louise s'est montrée d'une grande générosité en les accueillant et, surtout, en déplaçant ses enfants pour offrir ce lit et cette chambre à la maîtresse de sa fille. Il faut dire que Louise ne cesse de la louanger depuis leur arrivée. Marie trouve la chose embarrassante par moments.

Cette attention de la part de Mme Lafleur n'est d'ailleurs pas appréciée de tous, Marie s'en est vite rendu compte. D'autres femmes, arrivées bien avant elle, doivent dormir avec leurs enfants à la cuisine, sur des paillasses infestées de punaises. L'apparition de Marie dans ce décor et la préséance qu'on lui a concédée ont été suivies de commentaires venimeux, de reproches voilés et même d'une diminution des portions aux repas. Mais Marie ne s'est pas rebellée contre ce traitement injuste. Il était à prévoir que l'intimité qui leur serait accordée, à elle et à sa fille, provoquerait de la jalousie.

— Le cœur des gens ne change pas parce qu'il y a la guerre, a-t-elle expliqué à sa fille, lorsque celle-ci se plaignait d'être tenue à l'écart par les autres enfants.

Comme le commérage dans les rues de Québec, la ségrégation s'effectue avec cruauté dans un village aussi réduit que la Pointe-aux-Trembles. Plusieurs familles accueillent les femmes qui ont fui les bombardements de Québec. Ces réfugiées ont beau faire gonfler la population du village, on réussit pourtant à nourrir tout le monde. C'est d'ailleurs ce qui a le plus surpris Marie à son arrivée, car la table des habitants est étonnamment bien garnie. Force lui est de constater qu'il n'y a pas de disette à la campagne. Cependant, si tout le monde mange à sa faim, chacun ne peut prendre ses aises tant la promiscuité est grande. C'est donc un réel privilège que Mme Lafleur a donné à Marie et, Marie le sait bien, il n'y a pas une femme de la maison qui lui pardonne de l'avoir accepté.

Elle se lève, s'étire et se rend à la fenêtre, sur le rebord de laquelle elle s'assoit, en repliant les jambes sous elle. Dehors, le village commence à s'animer. Quelques enfants vont et viennent dans les rues. D'où elle se trouve, elle aperçoit une femme à genoux, qui travaille dans son jardin. Une autre arpente son champ de blé qui descend en paliers jusqu'à la grève. Quelques vaches broutent dans un pâturage. Plus loin, sur le fleuve, un oiseau plonge du haut des airs et disparaît dans les flots avant de ressortir quelques pieds plus loin, un poisson au bec. On oublierait presque la guerre dans ce village paisible, si ce n'était de l'absence des hommes. Hier, Marie a bien aperçu quelques vieillards discutant sur le parvis de l'église, mais aucun n'était en état de prendre les armes. Comme partout dans les environs, les hommes font partie des milices et se sont rendus à Québec dès le mois de mai, selon les ordres du gouverneur. Marie est consciente désormais que cela n'est guère rassurant pour la population des campagnes. Affligée par le pilonnage constant de la ville, elle n'avait jamais songé aux répercussions de la guerre sur la vie rurale. En observant ce paysage bucolique plus attentivement, Marie reconnaît la forme sombre et allongée d'un fusil aux pieds de la femme du jardin. Manifestement, ces femmes ne sont pas rassurées, elles non plus.

On frappe soudain à la porte de la chambre. Marie se lève avec empressement, à la recherche d'un vêtement pour se couvrir. En reconnaissant la voix de Louise de l'autre côté, elle se détend. Fidèle à ses habitudes de Québec, la servante apporte un seau d'eau.

– Je viens vous aider à faire votre toilette, Madame, dit-elle en pénétrant dans la pièce.

Louise dépose le seau sur le plancher et aperçoit le fusil sous le lit. Son regard s'éclaircit lorsqu'elle se tourne vers sa maîtresse.

– C'est une bonne idée, Madame.

*

Un homme avance dans la nuit, longeant les remparts. La chaleur du jour a fait place à une moiteur inconfortable, mais l'homme n'en est pas incommodé. Il s'arrête de temps en temps derrière les canons, rassurant les soldats et leur demandant de garder l'œil ouvert.

– Je veux savoir s'il en passe d'autres. Envoyez un homme m'avertir si vous apercevez ou entendez quoi que ce soit d'inhabituel.

Les soldats acquiescent et le général poursuit sa ronde. À tout moment, il s'approche de la falaise et scrute lui-même la nuit, à la recherche d'une ombre qui filerait sur le fleuve pour passer en amont de la ville. Ce mouvement de la part des Anglais l'inquiète. La nuit dernière, quatre navires ont réussi à passer devant Québec. Heureusement, ils n'ont pas réussi à mettre pied à terre, mais il s'en est fallu de peu. Il est évident que cette tactique a pour but de couper les communications avec Montréal et d'ainsi empêcher le ravitaillement des troupes françaises. Sans vivres supplémentaires, Québec ne tiendrait pas longtemps.

Montcalm continue d'arpenter le sommet de la falaise, de long en large, les yeux toujours braqués sur la nappe obscure du Saint-Laurent. Soudain, il retient un rire cynique. L'idée du ravitaillement lui a rappelé la proposition soumise par l'intendant la semaine dernière. Le ridicule de ce projet l'a fait s'y opposer avec virulence. Il est heureux pour la colonie que le gouverneur l'ait appuyé dans son opposition. Le contraire aurait été catastrophique.

En effet, l'intendant proposait d'enlever de force tout le blé de la colonie, ainsi que le produit de la récolte prochaine. Il suggérait d'en distribuer par la suite une demi-livre par tête. Il ne lui était pas venu à l'esprit qu'il serait arrivé ce qui s'est déjà produit et qui ne cesse de se répéter chaque fois qu'on paie mal les habitants. Ces derniers auraient caché leur grain et la population serait morte de faim! Mais ce n'était pas là le pire du projet. Pour résoudre le problème du manque de vivres, Bigot soumettait l'idée d'attaquer l'ennemi sur-le-champ pour diminuer le nombre de bouches à nourrir. Il fallait être un sot pour oublier que des hommes morts ne peuvent défendre une ville assiégée.

«Quelle situation difficile! songe Montcalm en continuant sa ronde. L'ennemi d'un pays n'est pas toujours celui qui songe à l'envahir! Quand ce n'est pas le pain qui se fait rare inutilement, c'est la poudre qui disparaît. Nous ne tirons presque jamais pour ménager les munitions et pourtant il paraît que le quart des réserves ont déjà été utilisées. Si l'Anglais ne l'attaque pas, le Canada sera rongé de l'intérieur et le résultat sera le même! Dieu nous préserve d'une telle déchéance!»

Tout à ses pensées, le général s'éloigne des canons et se dirige vers l'Hôtel-Dieu. De cette partie des remparts, il peut voir le camp de Beauport où une fusillade a éclaté, il y a moins d'une heure. Même si tout est redevenu calme là-bas, les Anglais vont tenter d'y descendre, il en mettrait sa main au feu. C'est pour cette raison qu'il y a déjà déplacé le plus gros des troupes régulières, les seules sur lesquelles il puisse compter. C'est vrai que les Canadiens lui sont utiles, mais ils délaissent leurs postes en si grand nombre que pendre les déserteurs reviendrait à exterminer la population. Que faire dans ces conditions? Au moins ceux qui restent seront-ils d'un tir efficace si l'ennemi décide d'attaquer. Mais Montcalm continue de penser que le meilleur moyen de vaincre serait d'éviter la bataille, de forcer les Anglais à maintenir leur attente jusqu'à l'automne. Ils seraient alors obligés de partir avant que la glace ne prenne dans le fleuve et les fasse prisonniers malgré eux.

« C'est une question de temps! conclut-il intérieurement, en levant les yeux vers l'est, au-dessus du camp de Beauport, vers le sault de Montmorency. Il faut attendre! Si seulement Vaudreuil voulait m'écouter, je lui prouverais que j'ai raison. Mais il ne le fera pas, car il se moque de mes avis. Qu'est-ce donc qu'un général qui commande une armée, tout en étant placé sous les ordres d'un gouverneur? Ne suis-je donc qu'un pion? »

Au-delà de l'île d'Orléans, une lueur rosée annonce que le jour se lève. Maussade, Montcalm tourne les talons et continue de longer les remparts jusqu'aux murs de l'Hôtel-Dieu. Il compte se reposer quelques heures, dans la quiétude de sa résidence, d'où il peut garder à l'œil le camp de Beauport.

*

Cinq jours se sont écoulés depuis l'arrivée de Marie
et d'Odélie à la Pointe-aux-Trembles. Il est tôt le matin
et la dizaine de femmes déjeunent dans la cuisine. Leur
conversation ne porte que sur ce convoi qui doit descendre le fleuve de Montréal pour apporter des vivres à
Québec. Tout le monde en parle au village, spéculant
sur la date de son arrivée.

On frappe soudain à la porte des Lafleur. Les femmes se taisent, alarmées, car il est trop tôt pour recevoir
de la visite. Mme Lafleur se lève sans hâte, se préparant
à sermonner celui ou celle qui dérange son déjeuner.

Elle ouvre la porte, pousse un cri d'effroi et recule
d'un pas pour s'appuyer contre la table, l'air terrifiée.
Un Indien se tient dans l'entrée, couvert de peintures de
guerre. Il ne dit pas un mot, mais observe ces femmes
adossées au mur, le plus loin possible de la porte, prêtes
à céder à la panique s'il pose le pied dans la cuisine. Les
enfants, qui jouaient près de la cheminée, ont fui dans
les chambres en criant. Marie et Odélie demeurent en
retrait, alertes certes, mais calmes. L'Indien semble satisfait de l'effet qu'il produit. D'un geste lent et sans dire
un mot, il tend une lettre à Mme Lafleur. Celle-ci s'af-
fole presque en apercevant les mots griffonnés sur le
dessus, elle tente de la lui rendre, mais l'homme a déjà
fait demi-tour.

– Attendez, crie-t-elle. Dites-moi pour qui est cette
lettre! Je ne sais pas lire. S'il vous plaît, monsieur…

Mais le messager ne se retourne pas. Il a déjà franchi la cour et s'éloigne rapidement. Mme Lafleur demeure
sur le seuil, la main levée, hésitante. L'homme a rejoint

d'autres Indiens qui attendaient en haut de la côte, devant l'église. C'est Odélie qui rompt le silence en poussant un bruyant soupir d'exaspération. Elle s'approche de Mme Lafleur et s'empare de la lettre. Ses yeux s'écarquillent alors qu'elle lit le nom du destinataire.

– C'est pour toi, maman! lance-t-elle en lui tendant le pli.

Les femmes se sont rapprochées de la table. Une rumeur fébrile envahit la cuisine, mais Marie n'y prête pas attention tant la surprise est grande. Une lettre? Pour elle? Elle brise le sceau et ses yeux vont immédiatement à la signature. Elle pâlit, hésitant entre l'embarras et une joie coupable. Puis un sourire illumine son visage.

– Excusez-moi, dit-elle à Mme Lafleur, avant de disparaître dans sa chambre, abandonnant sa fille et les autres femmes de la maison à leur curiosité insatisfaite.

Assise sur le rebord de la fenêtre, Marie déplie avidement le papier. Ses yeux s'attardent sur l'écriture fine et élégante. Jean Rousselle lui a dit qu'il avait étudié au collège des Jésuites, cependant Marie n'a jamais eu l'occasion d'apprécier cet aspect de sa personnalité. Cette découverte crée en elle un remous nouveau. En commençant la lecture, elle croit entendre la voix grave du Métis, comme s'il lui soufflait ces mots à l'oreille:

Québec, 20 juillet 1759

Ma chère amie,
J'ose vous appeler ainsi et j'espère que cette familiarité ne vous insultera point. Je profite du départ de ces Sauvages pour les Pays-d'en-Haut pour vous faire parvenir une courte lettre qui, je le souhaite, vous rassurera quant au sort de votre maison de Québec.

Comme M. de Bougainville vous l'avait annoncé, l'ordonnance concernant les voleurs vient d'être passée. Cela évitera sans doute certains désagréments à votre famille.

Après votre départ, j'ai conduit votre belle-sœur et mon père à l'Hôpital-Général où ils sont entre bonnes mains. Mlle de Beauchêne a été reçue avec beaucoup de gentillesse par les religieuses qui l'ont accueillie comme une des leurs. Pour ce qui est de mon père, sa blessure a été soignée dès son arrivée, mais je crois que le traitement lui a fait regretter la douceur de vos soins et de ceux de la jeune Louise. Quand je l'ai quitté, il dormait profondément et sa fièvre avait baissé.

On est à construire des fours à pain additionnels dans le faubourg Saint-Jean. Cela devrait permettre de nourrir tous les hommes, quoique ceux-ci se fassent de moins en moins nombreux. Je vous assure que cette diminution des troupes ne résulte pas du nombre élevé de soldats tombés sous les balles. Observez l'empressement que manifeste le porteur de cette lettre à rentrer chez lui et vous comprendrez le piteux état des défenses de la ville. Malgré que le gouverneur nous exhorte de ne tirer qu'en cas de nécessité, ordre qui est peu observé d'ailleurs, la poudre est encore rationnée. Il semble qu'elle disparaît à vue d'œil. Si les Anglais connaissaient l'état de nos munitions, ils ne se feraient pas du souci pour l'issue de la guerre.

L'ennemi continue de bombarder les édifices qui dominent les remparts, ainsi que la basse-ville où plus de cent maisons ont été incendiées depuis le début du siège. Soyez rassurée, rien n'est encore arrivé à la vôtre, car elle est hors de portée de leurs canons et trop isolée pour être la proie des flammes. Vous savez que vous pouvez compter sur La Mire et sur moi pour l'occuper, quand nous ne sommes pas sur *les remparts. Comment pourrais-je autrement vous témoi-gner l'affection que j'éprouve pour vous ? J'ai appris, avec le temps, à apprécier les murs solides de votre demeure et il ne manque que votre présence pour lui rendre sa chaleur et son attrait.*

Je souhaite de tout cœur que cette lettre ne porte pas ombrage aux sentiments que j'espère faire naître dans votre cœur et veuillez pardonner l'emportement que vous lirez dans ces lignes. Il n'est dû qu'à la douceur dont vous avez su imprégner mon âme.

Votre très dévoué,
Jean Rousselle

Marie replie la lettre et son regard erre un moment sur le clocher de Saint-Antoine, de l'autre côté du fleuve. Sur ses lèvres, un sourire timide. Ainsi donc, cette nuit-là dans la voûte n'était pas un moment d'égarement. Une vague de chaleur l'envahit à ce souvenir, puis un bonheur furtif qui se transforme en une tristesse sourde. S'ils avaient eu plus de temps… Marie voit cependant naître enfin un espoir. Jean partage ses sentiments au point d'avoir compris la cause de sa détresse. En lui faisant la cour, ouvertement, malgré la présence de Bougainville, Jean essaierait-il de soulager sa conscience d'un poids qu'il sait trop lourd pour elle ? Dans ce cas, il fait preuve d'un courage et d'une détermination qu'elle ne peut qu'admirer. En se déclarant publiquement, il montre qu'il est prêt à assumer seul la colère de Bougainville. Cette image ravive le doute dans l'esprit de Marie.

En acceptant de repousser leur mariage de quelques mois, Bougainville ne s'attendait pas à voir resurgir Jean Rousselle. Sans quoi, il l'aurait épousée sur-le-champ, à n'en pas douter. Il savait qu'il était un bon parti, comme Marie le savait, elle aussi.

« Pourquoi alors ne suis-je plus capable de le voir de la même manière ? A-t-il tellement changé en quelques semaines ? »

Marie s'interroge pour se donner bonne conscience, mais, dans le fond, elle sait qu'elle commence à trop bien connaître la réponse à ces questions. Que faire alors ? Rompre avec Bougainville parce qu'elle ne l'aime pas ou rejeter Jean Rousselle parce qu'il est sans le sou et ne pourra les faire vivre, elle et sa fille ?

C'est vrai que la dernière visite de Bougainville s'est terminée par une querelle et qu'elle a été soulagée de le voir partir. Elle déteste qu'il tente de lui forcer la main pour faire ceci ou cela. Elle comprend que c'est pour son bien, mais ça lui donne toujours l'impression de perdre cette indépendance qu'elle a apprivoisée depuis un an.

C'est vrai aussi que Jean Rousselle n'a pas de quoi prendre une épouse. Il n'a même pas de maison. Mais elle, elle en a une, grâce au ciel ! Et si Dieu le veut, elle en aura encore une lorsque la guerre sera finie. La présence de Jean Rousselle est un tel réconfort ! Il lui apporte un bonheur qu'elle n'a pas éprouvé depuis tellement longtemps. Comment expliquer autrement le plaisir que lui procure la lecture d'une simple lettre ? Elle pouvait bien mettre sur le compte de l'épuisement ce premier baiser dans la cuisine. Mais comment justifierait-elle cette nuit-là, dans la voûte ? Peut-elle plaider la peur sans se leurrer elle-même ?

Des bruits de chaises venant de la cuisine la tirent de sa réflexion. Le repas est fini ; il est temps de se rendre aux champs. Marie se lève, cache la lettre sous son matelas et replace les couvertures pour que rien n'y paraisse. Pourquoi risquer de perdre cette lettre en travaillant? Si quelqu'un mettait la main dessus, la chose pourrait s'avérer embarrassante, surtout que Bougainville n'est pas encore au courant de sa décision. C'est avec cette idée en tête que Marie s'empresse de quitter la pièce avant qu'on ne vienne l'y chercher.

*

C'est la fin de l'après-midi. Le soleil accable toujours les femmes et les enfants en sueur. À genoux dans le jardin, un chapeau bas sur la tête, Marie peste contre les mouches qui la harcèlent. Elle voudrait se lever pour s'étirer un peu, mais elle sait qu'elle aura mal aux os dès qu'elle se redressera. Elle demeure donc penchée, reconnaissant qu'elle n'a jamais peiné si fort de toute sa vie. C'est le lot des habitants, elle le sait, mais elle s'y habitue difficilement.

«Ça pourrait être pire», songe-t-elle en jetant un œil à sa fille agenouillée à ses côtés.

Le pire, ç'aurait été qu'on l'envoie aux champs. Puisqu'il n'y a pas d'hommes aux alentours, il revient à toutes les femmes et à tous les enfants de cultiver la terre. Mais Marie et sa fille ne connaissant rien aux travaux de la ferme, on les a très tôt affectées au jardin pour sarcler. Marie aimerait que cette tâche garde son esprit occupé, au lieu de le laisser divaguer sans arrêt. À tout moment, certaines pensées refont surface et elle rage en arrachant les mauvaises herbes.

Car Odélie lui a fait part du mécontentement exprimé par des femmes à la cuisine, pendant qu'elle lisait sa lettre dans la chambre. L'une d'elles, Mme Trudel, affirmait que les lettres devraient être lues à haute voix pour permettre à toutes d'avoir des nouvelles de la ville. Après tout, le mari de chacune ne s'emploie-t-il pas à défendre les biens de toutes? C'est alors qu'une autre avait fait remarquer que si Mme de Beauchêne n'avait pas une chambre pour elle et sa fille, elle aurait sans doute plus de compassion pour ses compagnes d'infortune. L'intervention de Louise n'a rien fait pour calmer les esprits échauffés. Elle a répété plusieurs fois que Mme de Beauchêne, son employeur, n'était pas qu'une simple réfugiée dans la maison. Les autres femmes ont alors laissé sortir leurs frustrations et la conversation a dégénéré jusqu'à ce que Mme Lafleur annonce qu'il était l'heure d'aller travailler. Tout le monde a quitté la cuisine, non sans quelques protestations.

— Je crois qu'elles ne veulent pas être tes amies, dit soudain Odélie, comme si elle suivait la pensée de sa mère.

Marie se tourne vers sa fille et s'aperçoit que celle-ci ne la regarde pas. Elle fixe plutôt l'arrière de la maison, un peu plus haut. Trois femmes se tiennent près de la porte, les yeux braqués sur elles.

— Ignorons-les, dit Marie en revenant à sa tâche.

— Maman, auriez-vous laissé votre lettre dans notre chambre?

Marie lève la tête et sent la fureur la gagner en reconnaissant le papier que la minuscule Mme Trudel tient dans la main. Faisant fi de la douleur qui lui assaille les reins, elle se redresse et se dirige vers la maison, bien décidée à affronter la voleuse.

Elle n'a pas fait trois pas qu'un cri retentit sur la grève derrière elle, à la limite des champs. Un petit garçon gesticule en montrant du doigt quelques voiliers qui s'approchent de la rive. Lorsque le pavillon du premier navire devient visible, les mots de l'enfant sèment la consternation.

— Les Anglais! hurle-t-il. Les Anglais arrivent!

La panique s'empare alors des femmes qui courent dans tous les sens, cherchant leurs petits pour les mettre à l'abri. Marie demeure plantée là, un peu en retrait du jardin, Odélie pressée contre ses jupes. Elle réfléchit. La plupart des femmes tentent de gagner la forêt. Marie salue leur courage, mais elle sait bien qu'à cause de la pente raide seules celles qui se trouvaient à moins de quinze cents pieds auraient le temps de se mettre à l'abri. Les Anglais rejoindront les autres sans effort bien avant qu'elles n'atteignent l'orée du bois. La voix de Daniel Rousselle s'impose dans sa tête. Oui, il n'y a qu'un moyen de sauver sa fille. Elle se tourne donc vers elle.

— Va à la chambre, ordonne-t-elle. Charge le fusil et cache-toi dans la cave avec les balles et la poudre. Si un Habit rouge descend, tire et recharge aussitôt. Compris?

Marie serre son enfant dans ses bras pendant quelques secondes. Puis elle la pousse vers le haut de la pente que gravissent toutes les femmes qui travaillaient près du rivage.

— Vite! Fais ce que je te dis! Et ne sors de là que lorsque tout sera redevenu calme.

Pour la première fois de sa vie, Odélie obéit immédiatement à sa mère. Son cœur bat très vite, mais étrangement elle garde son calme. Sans même un regard aux soldats qui approchent en courant, elle grimpe la colline à grandes enjambées, atteint la maison et s'élance vers sa chambre. Elle charge le fusil, glisse les balles et la poudre dans une poche et revient dans la cuisine. Il lui faut un moment pour trouver la trappe. Elle doit pousser quelques chaises, rouler un coin du tapis et… voilà! Elle soulève l'abattant de bois, se glisse avec agilité dans l'ouverture, serrant son fusil contre elle. Elle a fait exactement ce que sa mère lui a dit et, collée contre la paroi rocheuse de la cave, la jupe retroussée, les cuisses à même la terre battue, elle se met à l'affût. Au-dessus de sa tête, il y a des bruits de pas, puis ceux de meubles que l'on déplace.

Marie a d'abord attendu de voir la direction que prendraient les soldats. Puis, constatant qu'elle avait quelques minutes devant elle, elle est montée à la maison à la suite d'Odélie. Elle a pénétré dans la cuisine au moment où la trappe se refermait. Après avoir replacé les chaises et la table de manière à dissimuler le passage, elle s'est appuyée contre le mur, derrière la porte, une bouteille de vin presque vide à la main. Puis elle a épié l'ennemi.

Elle vient d'apercevoir la silhouette d'un homme par la fenêtre de la cuisine. Voilà la clenche qui se soulève, la porte qui s'entrouvre, un uniforme écarlate qui avance dans la pièce. D'un geste brusque, Marie fracasse de toutes ses forces la bouteille sur le crâne de l'homme. Des morceaux de verre volent jusqu'à sur la table et le soldat s'affaisse sur le plancher. Marie l'agrippe par la veste et le déplace avec difficulté avant de refermer la porte. Ne trouvant pas d'autre bouteille à portée de la main, elle s'empare d'une chaise avant de reprendre son poste de guet.

La porte s'entrouvre de nouveau. Un autre uniforme se présente, pointant un fusil armé d'une baïonnette. Marie frémit; elle ne doit surtout pas manquer son coup. L'homme s'avance, lui offrant le dos. La chaise s'abat sur les épaules du soldat, les barreaux lui heurtant la tête. Son fusil lui glisse des mains. Même si la chaise est en morceaux, l'homme n'a été qu'ébranlé par l'assaut. Il se retourne, l'air furieux, et empoigne Marie par le bras. Celle-ci se débat, lui mord la main, lui griffe le visage, mais en vain. Elle se met alors à hurler et sa voix fait tressaillir son agresseur.

À ce moment, un deuxième Habit rouge fait irruption dans la cuisine, il dépose son arme pour prêter mainforte à son compagnon aux prises avec une femme en furie. Finalement, un troisième vient les rejoindre qui n'a pas tant de scrupules. D'un coup de crosse, il assomme Marie qui s'écroule, inconsciente, dans les bras d'un des soldats.

À la cave, Odélie est pétrifiée. En entendant le cri de sa mère, elle n'a eu qu'une envie, monter lui porter secours. Elle s'est retenue au dernier instant, se rappelant ses instructions: «Ne sors de là que lorsque tout sera redevenu calme.» Sa mère s'est sacrifiée pour elle. Odélie sent les larmes qui coulent, tièdes, le long de ses joues.

Les Anglais sont toujours là, dehors. Des femmes hurlent de terreur, des enfants sanglotent, des animaux beuglent. Quelques coups de feu sont tirés. Des ordres sont criés. Un fracas de bois annonce que la porte vient de voler en éclats. Soudain, les cris de guerre des Indiens se mêlent à ceux des enfants en larmes. D'autres coups de feu. Odélie gémit, tapie seule dans l'humidité de la terre.

Un effluve désagréable lui pique les yeux. Des pas vont et viennent sur le plancher au-dessus de sa tête.

Odélie n'ose bouger, même si elle a reconnu l'odeur du feu. Quelques planches grincent, on déplace des meubles de nouveau. Une épaisse fumée blanche s'infiltre par les interstices. La trappe s'ouvre brusquement, à quelques pas d'elle.

*

L'eau bat contre la coque du navire et fait tanguer le corps inerte de Marie. Celui-ci reprend vie, lentement. Ce retour à la conscience ne se fait pas sans heurt, car une douleur vive à la base du crâne lui rappelle ses derniers moments sur la terre ferme.

Elle se souvient du coup, venu par-derrière, qui l'a fait vaciller. Elle s'est réveillée quelques minutes plus tard, au moment où un homme la portait sur ses épaules comme un sac de maïs. Elle avait la nausée d'être ainsi renversée. Elle a relevé la tête, cherchant sa fille du regard. De nombreuses femmes se laissaient mener docilement vers les canots. D'autres pleuraient. Odélie ne se trouvait pas parmi celles qu'elle pouvait voir. Elle avait alors ressenti un grand soulagement. Odélie était restée cachée, comme elle le lui avait ordonné. Rassurée de savoir sa fille en lieu sûr, Marie était prête à accepter son propre sort… jusqu'à ce qu'elle aperçoive les soldats qui brandissaient des torches. Dès qu'elle les a vus mettre le feu aux maisons de la berge, elle a compris ce qui allait se passer.

Elle s'est mise à crier le nom de sa fille. Il fallait qu'elle l'avertisse. Il fallait qu'Odélie sorte de la cave avant qu'on n'enflamme la maison de Mme Lafleur. Le soldat qui la portait ne s'est pas arrêté en l'entendant hurler. Tout au plus lui a-t-il donné une tape sur les fesses pour la faire taire. C'est à ce moment que la détresse s'est emparée d'elle. De désespoir, elle a approché sa bouche du dos de l'homme et l'a mordu de toutes ses forces juste au-dessous des côtes. Le soldat a poussé un cri de douleur en la jetant brutalement par terre. Marie s'est relevée immédiatement et s'est mise à courir en direction de la maison, hurlant à Odélie de sortir de la cave. Quoi faire d'autre? Elle était trop loin et les Anglais ne la laisseraient pas filer aussi facilement. Mais il fallait qu'elle prévienne Odélie. Elle ne pouvait pas la laisser mourir.

Comme elle s'y attendait, les soldats l'ont rattrapée bien avant qu'elle ne gagne le jardin. Pour se venger de la morsure qu'elle lui avait infligée, le soldat qui l'avait portée lui a asséné un coup de poing au visage. C'est là son dernier souvenir.

Et maintenant, dans la cale d'un navire ennemi, elle refuse de bouger la tête, de peur de voir surgir avec la douleur l'image cauchemardesque d'Odélie étouffant dans la cave, son fusil chargé à la main, prête à abattre un Habit rouge qui ne descendra jamais jusqu'à elle. Aussi Marie garde-t-elle les yeux clos, forçant son esprit à se concentrer sur ses autres sens. Comment autrement tolérer ce remords douloureux qui essaie de se frayer un chemin jusqu'à sa conscience?

Un chuchotement s'élève des femmes qui l'entourent. Marie entend le froissement des jupes lorsqu'elles s'agenouillent au fond de la cale. Elle reconnaît aussi la voix du père Labrosse, le curé de la paroisse. Pauvre homme! Il a été embarqué avec elles comme prise de guerre. La première prière est d'abord murmurée, puis la clameur s'intensifie, comme si une profonde piété pouvait leur épargner un terrible destin. Une nouvelle voix se fait entendre dans sa tête, puis s'immisce dans ses oreilles. C'est la sienne, qui répète à son tour les mots apaisants pour l'âme qu'elle connaît depuis toujours.

*

Marie monte un étroit escalier, suivie de près par l'homme qui lui sert d'escorte. L'odeur du soufre lui apprend qu'elle passe près d'une rangée de canons. Après un deuxième escalier, elle se retrouve sur le pont extérieur. Il fait nuit. L'air du fleuve qui lui fouette le visage devrait être un soulagement après toute une journée à respirer les relents viciés de la cale. Pourtant, il n'en est rien, car rien ne saurait soulager sa peine.

Le soldat lui tient maintenant le bras et la guide vers la poupe. Elle ignore les regards de convoitise que lui jettent les marins en mal de femmes qui se retournent sur son passage. Elle ne fait qu'obéir à la pression sur son coude. Elle atteint la dunette et s'arrête au fond, devant la porte close de la salle du conseil. L'homme de garde frappe et n'ouvre que lorsqu'on lui en donne l'ordre. Indifférente, Marie se laisse pousser à l'intérieur.

Elle est d'abord éblouie par la lumière des lampes tempêtes suspendues au plafond. Elle distingue ensuite les uniformes écarlates, le vert foncé de la nappe, les poutres basses du plafond et les riches boiseries sur les murs. Tout cela confère à la pièce un air étrangement luxueux pour un simple navire de guerre. En tout, une dizaine d'hommes ont pris place autour de la table. Puis elle remarque les dorures de leurs uniformes, qui témoignent de leurs hauts rangs. Marie comprend alors les raisons qui justifient le faste de ce vaisseau. Elle n'a pas devant elle de vulgaires subalternes, mais l'élite même de l'armée britannique. Les premières paroles qu'elle entend confirment cette déduction :

— Madame de Beauchêne, je présume, demande un homme d'une trentaine d'années, en se levant au bout de la table. Je suis le général James Wolfe. J'aurais quelques questions à vous poser. Mais assoyez-vous, je vous en prie.

Wolfe s'est adressé à elle en français, langue qu'affectionnent particulièrement les nobles anglais. Cependant, ce n'est pas ce détail qui tire Marie de sa torpeur. C'est plutôt son nom. Comme tout le monde, elle n'ignore pas qui est le général Wolfe, le commandant des forces britanniques qui somme les Canadiens de retourner dans leurs fermes, prétendant qu'il ne leur sera fait aucun mal s'ils restent chez eux. Le même homme qui a fait incendier des villages entiers et qui fait bombarder la ville depuis des semaines. L'homme qui a fait brûler la maison des Lafleur, condamnant ainsi Odélie. La colère naît dans son cœur et Marie serre les poings en prenant le siège qu'on lui offre.

Les flammes des lampes au-dessus de la table répandent une lumière dorée sur le visage de James Wolfe, révélant des traits fins et un sourire avenant. Marie remarque que le général est le moins âgé des officiers présents. « Est-il si jeune qu'il ne soit pas conscient des meurtres qu'il a commis ? » se demande-t-elle, en écrasant ses jupes entre ses doigts pour contrôler l'agressivité qu'elle ressent en présence de cet homme.

– Comme vous êtes sans doute au courant, nous avons fouillé tous nos «invités» avant de leur permettre de monter à bord.

Marie ne se laisse pas berner par l'apparente douceur de son interlocuteur. Elle répond d'une voix tranchante:

– Le mot invités ne me semble pas approprié, général. «Prisonniers» serait certainement plus juste. Surtout si on considère la manière dont certaines d'entre nous ont été traitées par vos hommes.

Wolfe ne paraît pas surpris de la réplique et il poursuit sur le même ton affable, cette fois, empreint de sympathie:

– Celui qui vous a brutalisée a été mis aux fers, madame. Vous m'en voyez désolé. Il faut cependant comprendre que ces hommes ont quitté leur foyer depuis plusieurs mois et...

– Si vous ne pouvez pas contrôler vos hommes, général, vous feriez bien de songer à faire un autre métier.

Marie regrette aussitôt cette pointe, insolence qu'elle n'a pu retenir, mais elle parvient difficilement à contenir l'envie qu'elle a de sauter au visage du général.

– Et celui qui a ordonné de mettre le feu aux maisons, l'avez-vous aussi emprisonné? demande-t-elle du même ton provocant, sachant très bien que c'est Wolfe qui a donné l'ordre d'incendier le village.

Au début de cet échange, les autres officiers semblaient fort occupés à examiner les divers objets et papiers exposés sur la table. Or, la dernière remarque de Marie leur a tous fait tourner la tête dans sa direction, l'air amusés. Marie soutient un moment le regard de Wolfe, puis, n'en pouvant plus d'y lire une sympathie non partagée, elle baisse les yeux. Elle découvre alors, parmi les documents étalés devant elle, la lettre de Jean Rousselle.

— Nous avons trouvé ce billet doux dans les poches d'une certaine Mme Trudel, reprend Wolfe, toujours avec cette gentillesse affectée. Cette dame nous a assurés qu'il ne lui appartenait pas, qu'il serait plutôt le vôtre. Si c'est le cas, il est de notre devoir de vous le remettre en mains propres, madame.

Marie étire le bras et saisit la feuille qu'elle replie pour la glisser dans sa poche. Cette discussion prend une tournure trop dangereuse et Marie préfère changer de sujet :

— C'est fort aimable de votre part, dit-elle en cachant mal son amertume. Est-ce pour cette simple raison que vous m'avez fait demander, général ?

Pour se donner une contenance, mais surtout pour se calmer et éviter que les hommes présents ne perçoivent son anxiété croissante, Marie prend une gorgée du vin que lui a versé un des domestiques.

— Vous comprendrez, poursuit Wolfe sans répondre à sa question, que nous avons dû prendre connaissance du contenu de cette lettre. Ce Jean Rousselle serait-il votre amant, madame ?

Insultée, Marie repose le verre et jette sur Wolfe un regard chargé de mépris. Son indélicatesse n'est certainement pas digne d'un officier.

— En quoi cela vous regarde-t-il, monsieur Wolfe ?

Le général s'attendait de toute évidence à une autre réponse. Il cherche ses mots un moment, mais reprend avec cette assurance qui agace Marie :

— Vous excuserez mon indiscrétion, madame. Je me demandais si vous étiez mariée.

– Je suis veuve.

Cette réponse semble satisfaire Wolfe qui hoche la tête avant de consulter l'officier à sa gauche, puis il revient à Marie :

– Votre nom, de Beauchêne, a attiré l'attention d'un de mes hommes. Il prétend vous avoir déjà rencontrée et m'assure même avoir assisté à votre arrivée à Boston à bord d'un vaisseau appartenant à un armateur très connu. Le nom de Frederick Winters vous dit-il quelque chose, madame ?

Encore lui ! Va-t-il donc la hanter toute sa vie ? Malgré son irritation, Marie demeure calme, balaie la pièce du regard, à la recherche de ce témoin gênant, mais ne reconnaît personne. Wolfe poursuit :

– N'avez-vous pas suivi notre armée jusqu'à Carillon l'été dernier ?

Marie supporte sans broncher l'interrogatoire de l'Anglais. Elle a commencé à comprendre où il veut en venir, mais n'a pas l'intention de tomber dans le piège qu'il lui tend.

– Et en quoi ceci pourrait-il vous intéresser, monsieur Wolfe ? répète-t-elle, son regard acéré plongeant dans celui du général au point de le rendre soudain mal à l'aise.

Wolfe décide de changer de tactique. Il poursuit en anglais :

– Notre homme affirme que vous étiez mariée. Si vous êtes la veuve de Frederick Winters, vous êtes des nôtres, madame. Il fallait me le faire savoir dès votre arrivée. Je vous aurais généreusement offert ma cabine.

« Ainsi voilà donc ce qu'il avait à dire ! » songe Marie en haussant les épaules avec indifférence. Elle jette un œil autour de la table, se demandant pour quelle raison personne d'autre ne prend la parole. Une tension évidente règne entre les officiers et leur général. Cette découverte lui donne une nouvelle dose de courage. Elle décide de jouer sur leur terrain et répond donc en anglais :

– J'ai quitté mon époux quelques mois avant sa mort. Vous n'êtes sans doute pas sans le savoir, général, puisque vous semblez au courant du reste de ma vie.

Un murmure s'élève des officiers et Wolfe les fait taire d'un geste de la main.

– Je suis au courant, en effet. Avez-vous utilisé à bon escient l'argent que la couronne vous a fait remettre ?

Marie secoue la tête, incrédule. Elle a l'impression que son sang se retire de son corps.

– Je… je ne vois pas de quoi vous voulez parler. On m'a dit qu'il s'agissait là d'un montant forfaitaire, étant donné que…

– Vous n'avez tout de même pas cru que sa majesté se délesterait d'une somme pareille pour subvenir au besoin d'une…

Wolfe hésite, puis se reprend :

– Pour subvenir aux besoins de la veuve d'un officier.

– Je… J'ai cru…

Les mots qui sortent de la bouche de Marie sont aussi confus que ceux qui tourbillonnent dans sa tête. Ainsi, Montcalm avait raison quand il la soupçonnait de trahir sa patrie. Elle ne le faisait pas, mais eux croyaient-ils vraiment que…

– J'ai utilisé cet argent pour nourrir ma famille pendant l'hiver dernier. Il n'en reste rien, croyez-moi.

Le coût de la vie à Québec a considérablement augmenté depuis…

– Je puis vous arranger un transport vers New
York, si vous le désirez.

Cette offre prend Marie de court. À une époque,
pas si éloignée, elle aurait tout donné pour vivre à New
York avec sa fille. Mais voilà ! C'est un boucher qu'elle a
devant elle. Qui plus est, il tente de la convaincre de travailler pour lui, en faisant valoir ce qu'elle lui doit.
Wolfe a dû croire que Marie profitait de ce silence prolongé pour réfléchir à son offre, car lorsqu'il prend la
parole, c'est pour lui donner plus de précisions :

– En échange d'une pension à vie, vous pourriez,
par exemple, me donner quelques informations au sujet
de la ville.

CHAPITRE VI

C'est la fin de l'après-midi. Un ciel nuageux promet une pluie qui tarde cependant à venir. Le cessez-le-feu, respecté de part et d'autre, permet aux barques anglaises de s'approcher de la grève à l'Anse-des-Mères, un peu à l'ouest de Québec. Plus tôt dans la journée, les Anglais ont envoyé un messager pour annoncer qu'ils ramenaient les captives qui occupaient la cale de leurs navires. Les embarcations accostent l'une après l'autre, laissant débarquer au sec les femmes et les enfants capturés à la Pointe-aux-Trembles. C'est presque deux cents otages qui descendent ainsi en silence sur la berge. En mettant pied à terre, ces femmes saisissent la main de leurs petits et longent le rivage jusqu'à l'Anse-au-Foulon, à quelque trois cents pieds sur leur gauche. Elles contournent ensuite l'abattis qui bloque le passage et prennent le sentier qui les mène sur les hauteurs d'Abraham.

Les voiliers anglais sont demeurés en retrait, ancrés de l'autre côté du fleuve. Le général Wolfe, une longue-vue à la main, se tient sur le pont de son navire. Il contemple de loin la rapidité avec laquelle ses prisonnières atteignent le haut du cap. Derrière lui, d'autres officiers gardent les yeux fixés sur la rive nord où les femmes sont descendues. Ils observent le va-et-vient des quelques soldats qui y montent la garde. Un des hauts gradés s'approche de Wolfe.

– A-t-elle dit quelque chose d'intéressant, général?

Wolfe ne répond pas, abaisse sa lunette d'approche et retourne dans la salle du conseil où sont encore déroulées, sur la table, les cartes de la région de Québec.

*

Il est près de six heures du soir lorsque Marie remonte le chemin de la Grande-Allée, entourée des autres otages relâchés. Quelques enfants pleurent, épuisés, une femme renifle de temps en temps, encore secouée par les événements des derniers jours. Mis à part ces gémissements, aucun bruit ne trouble le silence imposé par le cessez-le-feu. Les soldats qui gardent la porte Saint-Louis sont déconcertés en voyant autant de femmes s'amasser le long des murs.

Pendant le trajet, Marie a senti la tension grandir en chacune des prisonnières. La fatigue exacerbant sa sensibilité, elle a cru dirigé contre elle le moindre commentaire désobligeant au sujet de leur aventure. Il faut dire que, depuis sa rencontre avec M. Wolfe, personne ne lui a adressé la parole, sauf les quelques autres qui, comme elle, ont été reçues par le général. Elles n'étaient qu'une poignée, choisies peut-être au hasard, peut-être pour une autre raison. Si Marie comprend très bien ce qui a motivé le général anglais en ce qui la concerne, elle ignore tout des raisons qui l'a poussé à choisir ses compagnes. Et en ce moment, elle ne s'y intéresse pas le moins du monde.

Elle est simplement repliée sur elle-même, sur sa douleur, et refuse de laisser qui que ce soit lui infliger un châtiment supplémentaire.

Elle marche donc en retrait, ne souhaitant tisser de liens avec personne. Elle va rentrer chez elle et cette consolation est la seule qu'elle souhaite, pour le moment. Mais dès qu'elle aura mis les pieds dans sa maison, elle fera parvenir un message à la Pointe-aux-Trembles. Et si Odélie avait eu le temps de sortir? Et si une âme charitable lui avait porté secours, la sortant de la maison en flammes? Et si… Marie s'accroche à cet espoir, le seul qui lui reste. S'il s'évanouit, elle s'effondre. Elle en est convaincue jusqu'au plus profond d'elle-même.

Ce matin, avant d'apprendre que les prisonnières allaient être rendues aux autorités françaises, Marie a prié avec plus de dévotion qu'à l'accoutumée. Wolfe a permis au père Labrosse de célébrer la messe puisque c'était dimanche. Le missionnaire a même pu entendre en confession les femmes qui le désiraient. C'est pendant ce moment de grande humilité que l'idée s'est ancrée en elle: «Odélie a certainement survécu. Elle est trop vive, trop débrouillarde aussi pour avoir accepté de suffoquer sans bouger.» Elle lui aura désobéi. Ce ne serait d'ailleurs pas la première fois! Cette pensée encourageante lui apporte l'apaisement dont elle a besoin, en attendant d'avoir des nouvelles fraîches.

Marie quitte le cortège pour longer sa maison jusqu'à la cour arrière. Elle s'arrête net en atteignant la clôture, le regard fixé sur la fenêtre de la cuisine où, à travers les vitres embuées, on peut voir une silhouette en mouvement. Elle s'élance vers la porte, mais se fige sur le seuil en apercevant, devant la cheminée, un cuveau rempli d'eau fumante. Jean ne l'a pas encore entendue. Il lui tourne le dos, nu au milieu de la pièce. Ses cheveux noirs dégouttent sur le plancher, inondé par endroits, pendant qu'il enfile ses hauts-de-chausses.

– Tu prenais un bain? interroge Marie d'une voix qu'elle voudrait plus assurée.

Jean sursaute et se retourne, brandissant un couteau pointé vers Marie. Celle-ci recule immédiatement devant la menace. Mais Jean se dirige déjà vers elle, abandonnant l'arme sur la table.

– Marie! Qu'est-ce que...? Ma parole! Tu as été battue!

Il a ouvert les bras et Marie s'y est réfugiée sans un mot. Elle demeure ainsi plusieurs minutes, le visage collé contre le torse humide de Jean. Quel bien-être! Quel réconfort! Elle a fermé les yeux et se laisse bercer par cette main qui lui caresse les cheveux, doucement. Et par cette voix chaude et rassurante qui murmure près de son oreille qu'elle n'a pas à avoir peur, qu'il est là, maintenant.

– Qu'est-ce qui s'est passé? Que fais-tu de retour en ville?

Jean l'éloigne doucement et, glissant un doigt sur l'ecchymose qui marque le haut de sa joue, il ajoute:

– Qui t'a fait ça?

Le regard de Marie s'embue aussitôt, comme les vitres de la cuisine. Elle se love de nouveau dans les bras de Jean et il ne peut qu'écouter sans l'interrompre le récit de l'enlèvement. Marie le termine par un long silence qui trahit ses inquiétudes, mais aussi ses remords en ce qui concerne sa fille. Comprenant l'état d'épuisement dans lequel elle se trouve, Jean lui offre une chaise.

— Pour le moment, tu as besoin de repos. Prends donc un bain. Ça te fera du bien. Je dois retourner sur les remparts, mais je vais envoyer tout de suite un message à la Pointe-aux-Trembles. Je trouverai bien un déserteur pour le porter.

Marie le regarde qui finit de s'habiller à la hâte. Elle aurait aimé qu'il reste auprès d'elle, mais la perspective de prendre un bain la réconforte quelque peu.

— Je repasserai ce soir.

Il se penche, dépose sur son front un baiser plein de retenue.

— Ne t'en fais pas pour ta fille. Je suis certain qu'elle t'aura désobéi et sera sortie de la maison à temps. C'est tout à fait dans ses cordes.

Puis il ramasse son fusil et sort dans la cour, la saluant de la main en franchissant la clôture. Lorsqu'il a disparu, Marie constate que la lumière du jour a baissé. Elle sèche ses larmes du revers de la main et s'approche de la fenêtre. Il y a encore de l'espoir. Elle le sait. Il le faut. Elle hoche la tête, bien décidée à ne pas se laisser abattre. Pas tout de suite. Pas avant d'avoir la réponse.

Une fois son assurance retrouvée, elle ferme les rideaux et se déshabille. Elle ne va pas gaspiller cette eau encore chaude.

*

Quand Marie finit de vider le cuveau dans la rigole qui longe la rue, il fait presque nuit. À la lumière d'une chandelle, elle monte à l'étage jusqu'à sa chambre. Le bain l'a plongée dans une torpeur bienfaisante. Elle n'a plus d'inquiétude maintenant. Jean va retrouver Odélie, elle en est persuadée. Rassurée, mais exténuée, elle enlève ses jupes et son corset, s'allonge en chemise sous le drap et trouve immédiatement le sommeil.

Elle est réveillée par un fracas. Sur le coup, elle pense qu'un boulet a défoncé le plafond. «Les bombardements reprennent», songe-t-elle en se levant d'un bond. Elle enfile un jupon et descend vite au rez-de-chaussée pour se mettre à l'abri à la cuisine. Elle n'a pas atteint le bas de l'escalier que des ombres surgissent dans la nuit, lui bloquant le passage. Affolée, elle pousse un cri et fait demi-tour, espérant trouver refuge à l'étage. Mais les ombres la rejoignent en quelques secondes.

— Marie de Beauchêne, je suppose? dit la voix éraillée de l'homme qui lui saisit le bras.

— Qui êtes-vous? Que faites-vous dans ma maison?

Les hommes ne répondent pas. Ils se contentent de la traîner jusqu'à la grande salle où l'un d'eux, une torche à la main, éclaire son visage pour l'identifier. Marie s'aperçoit que ses agresseurs sont en fait des soldats en uniforme. Leurs armes sont pointées vers elle.

— Vous êtes en état d'arrestation, madame. Habillez-vous en vitesse, ordonne l'homme à la torche, en lui lançant les vêtements qu'un autre vient de rapporter de l'étage.

*

Allongée sur de la paille puant la pourriture et l'urine, Marie cherche un peu de chaleur en se recroquevillant sous la couverture. Une couverture sans doute pleine de poux ou de mites, mais le seul refuge possible contre la froide humidité du cachot. Au centre de la cellule trônent les restes d'un feu éteint depuis des heures, entourés des quelques bûches qui forment tout l'ameublement. Un râlement provenant du coin opposé l'informe que sa compagne de cellule est mal en point. Le typhus peut-être? La variole? Marie replie ses jambes et se love contre le mur suintant, le plus loin possible de ce corps qui gémit dans l'ombre. Elle ne distingue pas suffisamment son visage pour déceler les ravages causés par la maladie, mais si elle se fie à ce qu'elle entend, à ce qu'elle peut sentir aussi, même à cette distance, le corps de cette pauvre femme doit être dans un piteux état.

Depuis qu'on l'a menée ici, la veille, Marie ne cesse de s'interroger sur les raisons de son emprisonnement. Montcalm aurait-il finalement décidé de la faire arrêter? Dans ce cas, qui aurait-il pu interroger pour se convaincre de sa culpabilité? Bougainville lui a assuré que plus aucun soupçon ne pesait sur elle? Comment alors expliquer qu'elle se retrouve dans cette prison sordide, traitée comme une criminelle?

Un tiraillement d'estomac lui rappelle qu'elle n'a pas mangé depuis plus de vingt-quatre heures. Elle a refusé le ragoût de viande putride qui leur a été servi ce matin. L'odeur lui en donnait la nausée, l'apparence, une répugnance indicible. À côté, les croûtes de pain moisi avaient l'air appétissantes. Elle en aurait peut-être mangé, si l'autre prisonnière ne s'était ruée comme un animal vorace sur les morceaux secs. Marie n'a pas insisté pour avoir sa part, jugeant, à l'aspect famélique de sa compagne, qu'elle n'avait pas dû manger à sa faim depuis longtemps. Sans doute aura-t-elle elle-même cette apparence lorsqu'on la sortira de ce trou. Si on l'en sort un jour!

À réfléchir de la sorte, Marie se rend compte qu'elle a mis sa douleur en veilleuse. Comme si, en confiant à Jean la mission de retrouver Odélie, elle s'était enlevé elle-même une partie du poids qui pesait sur ses épaules. Puis cette idée amène un second espoir.

« Jean devait repasser hier soir, songe-t-elle. Il doit maintenant être au courant de ce qui m'arrive. Bougainville également. Je ne peux pas croire qu'à eux deux ils ne trouveront pas un moyen de faire entendre raison à Montcalm. »

L'idée que son destin repose entre les mains de ces deux hommes éveille en elle un sentiment de fatalité. Pourra-t-elle les blâmer s'ils échouent ? Elle sait bien qu'elle en serait incapable. Non. Il faut donc qu'elle trouve par elle-même le moyen de sortir de ce cachot infect. Des idées fusent en elle, toutes plus absurdes les unes que les autres, et elle finit par s'endormir, étrangement apaisée, malgré la précarité de sa situation.

C'est la voix bourrue du geôlier qui la tire de son sommeil, quelques heures plus tard.

— Debout ! lance-t-il, en lui donnant un coup de pied pour la forcer à se lever. Le gouverneur veut vous voir, « madame ».

Cette façon de prononcer madame en exagérant les syllabes lui rappelle l'attitude dominatrice de Frederick. Elle se lève et lui jette un regard méprisant.

— C'est pas trop tôt ! dit-elle, en lui tendant ses poignets qu'il attache avec une violence à peine contenue, frustré de l'insolence de sa prisonnière.

Marie le suit, docilement, mais son sourire arrogant nargue l'homme qui n'hésite pas à la brutaliser pour la forcer à prendre le rythme de son pas.

*

Un immense chandelier suspendu au plafond illumine la salle de réunion de l'état-major. Les murs sont richement décorés, les meubles, de bois rare, les fauteuils, rembourrés et couverts de velours. À l'autre bout de la table, le gouverneur Vaudreuil, l'intendant Bigot et les autres membres du gouvernement de Québec et de la Nouvelle-France. De chaque côté, les officiers importants de la colonie et de la France. Les décorations des uniformes scintillent dans la lumière des bougies. Il n'a fallu qu'un coup d'œil à Marie pour repérer Montcalm et… Bougainville, côte à côte, visiblement embarrassés par sa présence.

Si les événements n'étaient pas si tragiques, Marie éclaterait de rire devant l'absurdité de sa situation. Elle fait face à un deuxième interrogatoire en moins de deux jours. Elle se trouve dans la même position, de l'autre côté d'une grande table, debout devant une dizaine d'hommes importants. Elle porte les mêmes vêtements salis que la première fois, mais, pire encore, elle pue l'humidité du cachot et son visage est sans doute couvert de crasse puisqu'elle a dormi à même le sol. De plus, elle n'est pas coiffée et ses cheveux retombent ébouriffés dans son dos et sur son visage. Elle a l'air d'un animal effarouché. Elle en est bien consciente et, dans toute autre circonstance, elle en aurait honte. Mais, ce soir, elle a bien l'intention de profiter des avantages que cela lui donne sur ces hommes, en les culpabilisant dès qu'elle en aura l'occasion. Elle n'est pas n'importe qui, et elle n'est pas une espionne.

Marie croise le regard de Bougainville dont la venue confirme l'importance dramatique de la réunion. Le colonel ne fait pas partie de l'état-major. Il a donc été convié à la réunion à cause d'elle. Marie prend un air sérieux, mais pas aussi arrogant que celui qu'elle avait en présence de son geôlier. Son attitude montre simplement qu'elle est prête à se défendre, si besoin est.

— Madame de Beauchêne, commence le gouverneur. Connaissez-vous les raisons de votre arrestation ?

— Non, monsieur le gouverneur. Personne n'a eu la décence de m'en informer. Surtout pas la brute qui m'a mise aux arrêts.

Marie s'aperçoit que Bougainville a baissé les yeux. Il secoue la tête, l'air découragé. Déçue, elle revient à Vaudreuil qui ne cesse de consulter l'intendant Bigot, assis à ses côtés.

— Vous êtes accusée de trahison, madame, dit-il enfin.

Un murmure parcourt l'assemblée, mais Marie fait mine d'ignorer les commentaires disgracieux qu'elle entend.

— Me direz-vous donc sur quelle base on m'accuse, monsieur le gouverneur ?

— Madame de Beauchêne, intervient Montcalm, usurpant ainsi l'autorité du gouverneur. Nous avons eu vent que vous avez soupé à la table du général Wolfe, il y a deux jours. Est-ce vrai ?

— Oui, convient Marie, soutenant son regard. Je ne vois pas en quoi cela ferait de moi une traîtresse.

— Répondez seulement à la question, s'il vous plaît, coupe Vaudreuil en reprenant la direction de l'interrogatoire. Savez-vous pour quelle raison il vous a invitée, vous, plutôt qu'une autre?

– Absolument pas. Nous étions une dizaine, je crois. M. Wolfe a été très courtois. Nous avons passé une excellente soirée, ce qui compensait la violence avec laquelle on nous avait arrachées de nos maisons.

Marie remarque une tension autour de la table. La même qu'elle a décelée à la table de Wolfe. Une lutte d'autorité et de pouvoir qui ne peut qu'affaiblir celui qui dirige. Mais qui dirige vraiment? Marie ne saurait le dire. Ce qu'elle peut constater, par contre, c'est que ce conflit est en tout point semblable à celui qui règne dans le camp des Anglais. Forte de cette conclusion, Marie sent son assurance lui revenir. «Ce ne sont que des gamins», décide-t-elle, en redressant les épaules pour mieux affronter ces ennemis ainsi dévalorisés. Agacé par la nouvelle attitude de la prisonnière, Vaudreuil reprend avec un ton glacial:

– Que pensez-vous de la rumeur selon laquelle vous auriez donné à ce général anglais des informations concernant la ville et l'état de nos troupes?

Marie écarquille les yeux, incrédule. Même quand elle se perdait en conjectures sur les raisons de son arrestation, elle n'a jamais pensé que la cause en était sa conversation avec Wolfe, ne croyant pas qu'elle s'était rendue jusqu'aux autorités françaises. Surtout qu'elle ne lui a rien dit. Comment aurait-elle pu s'allier à un bourreau comme lui? Elle sent que la situation lui échappe et cherche de nouveau un soutien dans le regard de Bougainville. Celui-ci n'a toujours pas relevé la tête. «Quelle déception!» songe-t-elle en se tournant vers Montcalm. Étrangement, c'est le regard serein du général qui lui redonne confiance. Elle ne comprend pas pourquoi, mais l'homme lui semble désormais plus sympathique, comme si, après un mystérieux concours de circonstances, il avait décidé de la croire.

C'est alors qu'elle devine que la guerre intestine que se livrent Montcalm et Vaudreuil peut jouer en sa faveur. Elle s'adresse au gouverneur d'une voix décidée :

– Monsieur le gouverneur, je n'ai rien révélé au général Wolfe. Qu'aurais-je pu lui dire ? Qui suis-je pour connaître l'état de nos troupes ? Je puis vous avouer qu'il m'a offert un transport pour New York en échange d'informations sur la ville. Mais je vous assure que j'ai refusé. À preuve, je suis descendue avec le reste des otages.

– Un transport pour New York ? s'exclame Bigot, prenant la parole pour la première fois. Qu'iriez-vous donc y faire, madame ? Y trouver un homme qui vous soit « convenable » ?

Il a sans doute voulu faire de l'humour et la plupart des hommes présents rient avec lui. Marie remarque que ce n'est pas le cas de Montcalm ni de Bougainville. Ce dernier est si rouge qu'il fixe maintenant le mur droit devant lui, refusant obstinément de participer à la discussion et, par le fait même, de lui venir en aide. Non, elle ne peut vraiment pas chercher un appui auprès de lui. Il ne reste que Montcalm. Après une profonde inspiration, elle se jette à l'eau :

– Monsieur l'intendant, je suis la veuve du capitaine Charles de Beauchêne, mort sous les ordres du marquis de Montcalm au fort Chouagen. Je suis aussi la veuve du lieutenant Frederick Winters, officier de l'armée britannique, décédé en décembre dernier des suites d'une blessure survenue à la bataille de Carillon. M. le marquis de Montcalm, ici présent, peut en témoigner. C'est lui-même qui m'a appris le décès de mon second époux. Je suis également la nièce du pasteur Frobisher, dont l'église est sise à New York. J'aurais pu accepter l'offre du général Wolfe. Si je ne l'ai pas fait, c'est parce que mes allégeances sont à la France, monsieur.

Le silence écrase l'ensemble de l'état-major. Chacun paraît abasourdi par ces dernières révélations. Marie savoure l'effet de ses paroles et se tourne enfin vers le marquis de Montcalm pour avoir son soutien.

— Mme de Beauchêne dit vrai, messieurs, commence celui-ci. Et je puis attester de son intégrité, ayant mené ma propre enquête durant l'hiver. Je ne vois donc pas d'autres raisons de la retenir plus longtemps. Je crois que nous avons suffisamment d'informations sur ce qui s'est passé à bord de ces navires. Mme de Beauchêne n'était pas la seule à avoir été invitée à la table du général Wolfe et il semble que ces femmes aient été choisies au hasard. Si personne d'autre n'a de question, je crois que nous pouvons la laisser partir.

Marie sent ses épaules qui s'affaissent. Un soulagement l'envahit. Elle s'apprête à faire demi-tour, mais la voix du gouverneur la retient :

— On nous a dit que les Anglais ont fouillé toutes les prisonnières. L'une d'elles nous a parlé d'une certaine lettre qui vous appartiendrait et qui aurait attiré l'attention du général Wolfe. Il paraîtrait que ce serait pour cette raison que vous auriez été convoquée en entrevue.

Marie sent la panique l'envahir. Pas ici ! Pas devant Bougainville ! Elle se tourne vers lui et lit une curiosité mêlée d'inquiétude sur son visage. Elle se mord les lèvres, baisse les yeux. Que pouvait-il arriver de pire? Vaudreuil poursuit, mais Marie a déjà deviné ce qu'il s'apprête à dire:

— J'ai pris sur moi de faire fouiller votre demeure, madame. Je vous aurais certainement demandé la permission, si vous eussiez été présente, mais étant donné les circonstances…

Vaudreuil fait un signe à l'un des hommes de garde près de la porte. Marie aperçoit Montcalm qui interroge Bougainville du regard. Ce dernier hausse les épaules en secouant la tête. Puis tout le monde fixe son attention sur la lettre que le soldat remet au gouverneur. Seule Marie baisse la tête. Ce qu'elle voulait éviter est sur le point de se produire et elle ne peut rien faire pour l'en empêcher. Bougainville va souffrir, mais surtout il sera humilié. Marie aurait voulu le lui éviter.

Après avoir jeté un coup d'œil à la lettre, Vaudreuil la fait circuler autour de la table. Tous les hommes présents lisent en silence, remettant le pli au suivant. Lorsqu'il arrive à Bougainville, celui-ci devient blême en prenant connaissance du contenu. Le papier lui glisse des doigts et Montcalm le ramasse, le parcourt rapidement et se lève. Il s'éclaircit la gorge avant de parler et sa voix est alors empreinte de sagesse:

— Le contenu de ce pli trahit manifestement l'état d'une partie de nos troupes, mais je ne crois pas qu'il puisse causer un grand préjudice à notre endroit. Je propose qu'on laisse partir Mme de Beauchêne. Nous lui avons causé suffisamment d'émoi pour la soirée.

Le gouverneur est visiblement insatisfait. Il acquiesce néanmoins et, de la tête, fait un signe au soldat posté près de la porte.

— Ramenez madame chez elle.

Montcalm s'est approché de Marie et lui remet discrètement la lettre avant de tendre le bras pour lui montrer la sortie.

— Bonne nuit, madame, dit-il sans la regarder.

Marie glisse la lettre dans sa poche, salue l'assemblée d'une brève révérence et quitte la pièce en suivant le soldat. Elle n'a pas fait trois pas dans le couloir qu'une voix retentit derrière elle :

— Un moment, je vous prie ! lance Bougainville en les rejoignant. Attendez devant la porte, dit-il au soldat. J'ai quelques mots à dire à la dame. Elle vous rejoindra dans une minute.

Marie observe le soldat qui s'éloigne, la laissant seule avec celui qu'elle aurait préféré éviter. Lorsque ses yeux se posent enfin sur lui, elle peut lire dans les siens l'amertume légitime d'un orgueil blessé.

— Votre réputation a souffert ce soir, madame de Beauchêne.

Marie ressent la distance qu'il crée volontairement. Elle soupire, mais ne répond pas. Que répondre ? Il n'y a rien à dire. Il n'y a qu'à subir maintenant.

— Je crois que nous devons rompre notre engagement, continue Bougainville sans quitter des yeux la lampe qui brille près de l'entrée. Notre union me ridiculiserait puisque tous ces hommes ont pu lire ce que contenait votre lettre. Je ne le supporterais pas. Pardonnez-moi.

Il fait alors demi-tour et disparaît dans l'ombre, à l'autre bout du couloir. Pas un mot sur sa trahison. Ni sur la lettre de Jean. Qu'une fierté froissée ! Quelle déception ! Dire que c'est à lui qu'elle allait confier son sort ainsi que celui de sa fille ! Ça aurait été une nouvelle erreur, à n'en pas douter.

C'est avec cette idée en tête qu'elle hausse les épaules et poursuit son chemin jusqu'à la sortie. Lorsqu'elle ouvre la porte, la bouffée d'air frais qui lui fouette le visage lui fait du bien. Elle inspire profondément. Elle se sent lasse, affamée et sale.

Elle demeure un moment sur le seuil, contemplant la nuit, à deux pas du soldat chargé de l'escorter. La pleine lune confère aux maisons de pierre une blancheur étincelante. Dans les rues désertées, le vent fait frissonner les feuilles des arbres. Le bruit d'une fusillade s'élève du sault de Montmorency, à l'est de la ville, mais cela ne l'inquiète plus. Elle vient d'apercevoir, un peu en retrait, une silhouette qu'elle connaît bien, une silhouette rassurante qui l'attendait. Celle d'un homme qui vient vers elle, qui ne l'a pas abandonnée.

— Ça va, soldat, dit Jean Rousselle. Je vais reconduire Madame chez elle.

Lorsqu'il prend sa main pour la déposer sur son bras, Marie ne résiste pas. Elle se laisse guider.

— Des nouvelles d'Odélie ?

— J'ai envoyé le message à la Pointe-aux-Trembles. Personne n'en est encore revenu, mais ça ne devrait pas tarder.

Marie hoche la tête, consciente qu'elle devra être patiente.

— Je savais que tu viendrais, ajoute-t-elle alors en appuyant sa tête lourde sur l'épaule de Jean.

Oui, elle savait qu'il serait là à l'attendre, qu'il ne l'aurait jamais laissée croupir en prison, qu'il viendrait à son secours. Malgré la tourmente des dernières heures, le ciel vient de s'éclaircir au-dessus de leurs têtes. Il n'y a plus d'embûches ni de contraintes. Il n'y a qu'eux, maintenant, malgré la guerre. Et lorsque Odélie sera auprès d'eux, son bonheur sera complet.

*

Presque un pied. C'est à peu près le diamètre du trou qu'a percé dans le toit le boulet qui s'est écrasé sur la commode, fracassant le miroir dont les morceaux gisent sur le sol, dans l'eau de pluie de la nuit. Qui aurait pu imaginer une chose pareille?

L'ouverture dans le plafond laisse passer les rayons du soleil de midi qui s'allongent jusque sur le lit d'Odélie. Appuyée à la porte de la chambre de sa fille, Marie est encore sous le choc. Un peu plus à droite et c'est sur elle, sur le lit dans lequel elle dormait, que ce boulet serait tombé. Si un tel projectile a touché la maison, il est possible qu'un pot-à-feu, ou même une bombe, malgré sa masse supérieure, réussisse à l'atteindre également. Dans ce cas, l'explosion causerait des dommages considérables, sans parler du risque d'incendie.

«Mais comment faire pour partir maintenant? Il n'y a plus de voitures en ville depuis longtemps. Je ne vais tout de même pas parcourir seule et à pied les huit lieues qui séparent Québec de la Pointe-aux-Trembles!»

Marie secoue la tête. Il est hors de question qu'elle demeure dans cette maison. Pas après ce qu'elle a vu la veille. Car elle n'arrive pas à effacer la vision cauchemardesque d'un quartier de la basse-ville réduit en cendres sous ses yeux. La garnison, impuissante à intervenir. Les hommes qui tentaient de contenir l'incendie, mais

231

devaient reculer à tout moment parce que les Anglais continuaient leurs bombardements pour les empêcher d'éteindre le brasier. Du haut des remparts, le plus loin possible des tirs ennemis, Marie a regardé les flammes se propager. Dix-huit maisons ont brûlé, en plus de l'église. C'est à ce moment qu'elle a véritablement pris conscience du danger. Un danger bien réel, comme en témoigne ce trou dans le plafond ce matin.

« Que nous restera-t-il de la ville quand les Anglais s'en iront? » se demande-t-elle, en ramassant quelques effets personnels pour les descendre à la cuisine.

Alors, elle prend sa décision. Il n'y a qu'un endroit qui soit hors de portée de la batterie anglaise. Un endroit où se trouvent les malades, les blessés, mais aussi les pauvres qui n'avaient d'autre refuge lorsque les Anglais se sont amenés devant Québec. C'est aussi un endroit suffisamment éloigné de tout pour être à l'abri du feu. Elle y sera également à l'abri des soupçons du gouverneur. Et puis quel bonheur ce sera de retrouver Antoinette! Oui, à l'Hôpital-Général, elle sera en sécurité.

Quand Jean reviendra en fin de journée, elle lui demandera de l'y escorter. Mais, en attendant, aussi bien se tenir l'esprit occupé. Elle s'installe à la table et se met à écrire à sa fille qui n'a probablement pas pu l'avertir de son état faute de messager. Elle n'a pas de doute : Jean trouvera bien un autre porteur pour cette lettre.

Depuis qu'elle a compris que c'est lui qui avait averti Montcalm de son arrestation, réclamant qu'on procède à un interrogatoire au plus vite pour lui éviter de souffrir inutilement en prison, Marie a dû admettre que Jean a fait preuve d'un courage exceptionnel. En racontant à Montcalm leur départ de fort Edward, la défendant ainsi contre les accusations qui pesaient contre elle, c'est sa propre réputation qu'il mettait en jeu. Comment ne pas tomber amoureuse d'un tel homme?

Et comment se fait-il qu'il lui ait fallu tellement de temps pour se rendre à l'évidence? Pour reconnaître et accepter ce qu'elle ressent? Pour décider de son avenir en écoutant enfin son cœur? Marie se promet de profiter dorénavant de chaque instant. Il n'y a plus de distance, plus de doute. Il lui tarde même que Jean revienne pour qu'elle lui avoue enfin qu'elle l'aime et qu'elle l'a aimé dès le premier instant où elle l'a aperçu à bord de la *Fortune*, au milieu du fret qu'on chargeait.

Elle se souvient du choc qu'elle a ressenti en se retrouvant devant lui. Il provoquait en elle tant de remous. Ces sentiments, elle s'est forcée de les ignorer, de les combattre. Mais ils n'ont fait que croître, jusqu'à culminer dans la voûte, où elle n'a plus eu la force de résister. Et quel bonheur ils lui apportent, maintenant qu'elle a la conviction qu'ils sont partagés! Vite que passe cette journée et que vienne la nuit… avec Jean!

*

Le temps est si long quand on le passe à attendre. L'après-midi est déjà entamé. Lorsqu'elle a eu terminé la lettre, Marie n'a trouvé autre chose pour s'occuper l'esprit que de recoudre sa jupe déchirée lors de l'enlèvement. Les bombardements ont repris depuis quelques heures maintenant, mais seule la basse-ville semble être la cible des tirs. Et Jean ne rentre toujours pas.

Soudain, des coups de feu se font entendre, venant de la campagne, derrière la ville. Marie frémit. Serait-ce une escarmouche sur les hauteurs d'Abraham? Cela signifierait que les Anglais ont réussi à monter. Ils couperont alors les communications avec Montréal. Ils empêcheront aussi le ravitaillement et la situation sera encore plus critique qu'elle ne l'est déjà.

De la cuisine, Marie entend des soldats et des miliciens qui accourent vers la porte Saint-Louis. Un bruit de tambours s'élève dans les rues. On bat la générale, encore une fois!

«C'est commencé», se dit-elle, l'inquiétude créant un nœud au creux de son estomac.

Et pendant que le fil glisse dans le tissu, Marie sent venir à ses lèvres les mots d'une prière. Ses pensées ne vont cependant pas aux soldats qui s'apprêtent à défendre Québec. Elles sont plutôt pour elle-même, à cause de la peur, mais aussi d'un retard, autrement plus catastrophique et significatif que ne l'est celui de Jean. Et ce retard l'angoisse depuis quelques jours déjà.

Lorsque le soleil décline à l'horizon, il fait trop sombre pour coudre, pour lire ou pour écrire. Marie ne veut pas gaspiller de bougie. Elle n'ose pas non plus sortir ni monter à l'étage pour voir ce qui se passe dans la ville. Elle a les nerfs à vif et elle n'arrive pas à se détendre.

Elle comprend désormais l'impatience des Indiens et des miliciens devant l'ennui qu'entraîne le siège. Personne ne peut rien contre la batterie anglaise de la Pointe-de-Lévy qui ne cesse de marteler la ville. Jean lui a dit que le gouverneur interdit toujours d'utiliser les canons pour la faire sauter, parce qu'il veut ménager les réserves de poudre. Rien d'autre à faire que d'attendre dans l'enceinte de la ville, en espérant presque une offensive, qui ne vient malheureusement pas.

Cette attente dure depuis plus d'un mois. Dans quelques semaines, ce sera le temps de commencer les récoltes. Les hommes veulent rentrer chez eux. Les Indiens doivent chasser et faire des provisions. Si personne ne peut engranger pour l'hiver, il y aura une nouvelle famine. Et cette fois, elle s'étendra à la grandeur de la colonie.

« Plus on retarde la bataille finale, songe Marie, plus les vivres diminuent. Si le siège se poursuit, on court tout droit au désastre ! »

Marie inspire profondément et l'air apaise un moment le vide de son estomac. Ce matin, elle n'a pu acheter qu'une demi-livre de pain. C'est la ration imposée. Impossible de se procurer de la viande, le lard étant réservé aux soldats et aux miliciens. De plus, pendant son absence, les derniers plants du jardin ont été arrachés. Qu'est-elle donc censée manger ? Les mauvaises herbes qui poussent là où il y avait des légumes ? Le pire, c'est qu'elle y a pensé. Il est grand temps que Jean l'emmène à l'hôpital. Les autorités ont certainement prévu de la nourriture pour la population qui s'y est réfugiée, à défaut d'avoir pensé à celle qui demeure dans l'enceinte.

Toute à ses angoisses, elle n'aperçoit pas la silhouette qui traverse la cour.

Marie a fermé les yeux et la pénombre grandissante lui donne envie de faire une sieste. Elle oubliera peut-être ainsi combien elle a faim.

Un craquement du plancher la fait sursauter. Elle se lève d'un bond, le sourire aux lèvres, prête à accueillir Jean. Son visage devient livide en apercevant le visiteur qui pénètre dans la cuisine en titubant.

– Qui êtes-vous ? Que faites-vous dans ma maison ?

Mais l'inconnu ne répond pas. Il grogne et se met à fouiller dans l'armoire.

– Sortez de chez moi ! ordonne-t-elle.

Marie a pris une voix autoritaire, mais en dedans elle tremble comme une feuille. L'homme est sale et dégage une forte odeur d'alcool. Son regard est tout sauf bienveillant.

– Je cherche de l'eau-de-vie, marmonne-t-il en renversant la chaise qui lui bloquait le passage. Vous devez bien en avoir quelque part ?

– Non ! Il ne m'en reste plus depuis longtemps. Allez-vous-en maintenant, avant que mon mari ne revienne !

– Votre mari ? Hé ! Hé ! Vous êtes veuve, tout le monde sait ça !

Puis, s'arrêtant soudain comme si une idée nouvelle venait de surgir dans son esprit, l'homme se tourne vers elle.

– C'est vrai, ça, que vous êtes veuve, ma chère dame ! Dans ce cas, vous avez peut-être envie de vous amuser un peu !

Sans attendre la réponse, l'homme se dirige vers Marie. Celle-ci se rend compte qu'elle est coincée contre le mur. Et il continue d'avancer, lentement.

– Comment ça se fait que vous soyez toujours en ville, hein ? Qu'est-ce qu'une belle femme comme vous peut bien attendre ici ? demande-t-il en essayant d'attraper le bras de Marie. C'est pas bien prudent de rester seule dans votre maison.

Marie esquive le geste et, après un bref coup d'œil vers l'âtre, elle s'empare du tisonnier. Puisque l'homme lui bloque la sortie, elle devra se frayer un passage par ses propres moyens. Elle vise immédiatement la tête de son agresseur, mais n'atteint que l'épaule. Il fléchit les jambes et vacille, étourdi. Marie en profite pour s'enfuir et, puisque la sortie arrière est toujours inaccessible, elle court à la salle commune. Juste avant d'arriver à la porte avant, elle aperçoit une ombre devant la fenêtre, dans la rue.

« Un complice ! » jure-t-elle entre ses dents.

Elle file alors dans l'escalier. Elle entend derrière elle les pas de l'homme qui monte les marches, étrangement solide pour quelqu'un qu'elle a cru ivre.

Arrivée à l'étage, elle se dirige vers la chambre d'Odélie. Si sa fille a réussi à entrer et sortir par la fenêtre, elle peut le faire aussi. Elle fonce dans la pièce, veut fermer la porte, mais celle-ci se rabat aussitôt contre le mur dans un fracas de bois brisé. Marie se retourne. Son agresseur lui fait face, puant et dégoulinant de sueur.

— C'est pas bien gentil de frapper les invités, susurre l'homme d'une voix mielleuse. Je veux juste te cajoler un peu. Ne te sauve pas, j'te ferai pas mal.

Marie frémit à ce soudain tutoiement. Elle n'a pas le temps de passer par la fenêtre. Puisqu'elle ne peut pas fuir, il faudra qu'elle se défende. Elle lève de nouveau le tisonnier et l'abaisse de toutes ses forces. Son bras est brutalement arrêté dans son mouvement et la douleur résonne jusque dans son dos. L'homme a bloqué le coup et lui arrache le tisonnier des mains. Il le brandit alors au-dessus de sa tête.

— C'est dangereux ces choses-là, ma jolie, murmure-t-il en continuant d'approcher.

Marie sent son cœur qui bat plus vite. Elle transpire. Elle lève les bras pour se protéger du coup qui ne va pas tarder. Mais, au lieu de la frapper, l'homme lance le tisonnier dans un coin de la chambre.

– Je t'ai dit que j'voulais pas te faire de mal!

Encore cette voix doucereuse. Marie le voit qui défait sa braguette. Elle recule jusqu'à la fenêtre. Elle pourrait peut-être se glisser à l'extérieur? Sauter sur la première branche accessible? Il le faut! Les mains derrière le dos, elle essaie d'ouvrir le battant, mais elle n'y arrive pas. Il est bloqué, comme dans ses anciens cauchemars. Paniquée, elle ne peut quitter des yeux l'homme qui s'avance vers elle, son membre dressé.

Elle pousse un cri d'effroi lorsqu'il la saisit par le bras et la bascule sur le lit d'Odélie. Puis ses hurlements se découpent sur le bruit de la canonnade qui vient de reprendre. L'homme s'impatiente.

– Tais-toi, ma belle! grogne-t-il. Même dans ce vacarme, on pourrait nous entendre.

Puis il se penche vers elle et, la maintenant fermement sur le lit d'une main, il relève ses jupes de l'autre. Marie sent ces doigts poisseux qui remontent le long de ses cuisses.

Une détonation éclate dans la chambre et l'homme s'écroule sur elle. Marie peut sentir la chaleur du sang qui s'étend sur son ventre. Elle a le souffle coupé et pousse malgré tout des bras et des jambes pour soulever le corps inerte. Ses mains sont collantes du sang qui continue de se répandre sur ses vêtements. Elle est alors secouée d'une nausée insoutenable et tourne la tête pour vomir. Soudain, le corps de l'homme se soulève tout seul et roule sur le sol. Marie aperçoit alors celui qui a tiré, qui l'a sauvée. Bougainville se tient tout près et lui tend la main.

– C'est fini, Marie. Il est mort.

Elle se lève et regarde le sang sur ses mains, sur ses bras, sur ses vêtements. Elle n'arrive pas à faire un geste ni à prononcer une parole. Bougainville s'approche et la prend dans ses bras.

– C'est fini, Marie, répète-t-il. Tu n'as plus rien à craindre maintenant.

Des larmes coulent sur ses joues. Un flot de larmes qu'elle n'arrive pas à retenir et qui inondent l'uniforme sur lequel elle a appuyé la joue. Elle sent la main apaisante de Bougainville dans son dos. Elle entend les mots qu'il lui murmure à l'oreille. Elle perçoit l'étreinte autour de sa taille. C'est à ce moment qu'elle se ressaisit. Elle recule d'un pas, s'essuie le visage avec le mouchoir qu'il lui tend et murmure un timide merci.

– Je pense que je suis arrivé au bon moment, dit Bougainville en retournant le corps inerte du bout du pied. J'ai frappé, mais il n'y avait pas de réponse. C'est là que je t'ai entendue crier. J'ai... défoncé la porte et...

Le bruit d'une explosion couvre ses dernières paroles et la maison se met à trembler. Par la fenêtre, Marie aperçoit des pierres qui volent dans la cour, roulant ensuite au pied de l'arbre, dans un nuage de poussière. Le silence revient et Marie attrape la main de Bougainville.

– C'est trop dangereux de rester ici. Descendons avant qu'un autre boulet ne frappe le toit.

Ils dévalent rapidement l'escalier et se trouvent à la cuisine lorsqu'une nouvelle explosion secoue le bâtiment. Marie n'y prête pas attention. Elle s'assoit près de la fenêtre et tente de calmer les battements de son cœur.

Elle tremble encore. Bougainville s'est accroupi devant elle et lui saisit les mains.

– Calme-toi, je suis là.

La douceur de sa voix la surprend. Il a plongé son regard dans le sien et Marie sent un malaise grandir en elle. Elle a peur qu'il ne profite de l'occasion pour lui dire qu'il regrette, qu'il veut reprendre leur relation là où ils l'ont laissée. Les mots qui suivent confirment ce qu'elle appréhendait.

– Je ne suis plus le même depuis… l'autre soir.

Marie s'éclaircit la gorge. Elle voudrait parler, mais, encore sous le choc de l'agression, elle ne trouve pas les mots. Bougainville poursuit :

– Cette rupture me fait souffrir, Marie. Je regrette tellement que…

– Marie ! Dieu soit loué, tu n'as rien !

Bougainville se redresse, bouche bée. Il a reconnu la voix de celui qui pénètre dans la pièce. Jean Rousselle se tient sur le seuil, stupéfait d'avoir vu son rival aux pieds de Marie. Il dépose du gibier sur la table et se dirige vers eux d'un pas décidé. Marie se lève.

– Tu es blessée ! s'exclame-t-il en apercevant le sang qui macule ses vêtements.

Il jette un regard menaçant à Bougainville et s'apprête à le bousculer, mais Marie intervient :

– Non, je vais bien. Rassure-toi. Ce sang n'est pas le mien. C'est celui de… à l'étage…

Saisie par un étourdissement, elle vacille. Bougainville la rattrape de justesse et la rassoit sur sa chaise. Lorsqu'il se redresse, Jean n'est qu'à quelques pouces de lui. Les deux hommes se dévisagent en silence. Puis Jean met une main sur l'épaule de Marie et ce geste frappe plus sûrement Bougainville que ne le ferait un coup de poing. Pour éviter de perdre la face, il recule d'un pas et tente une explication :

— Dans une des chambres à l'étage, il y a le corps de l'homme qui voulait…

— Comment ça, un corps ? Vous l'avez tué ?

— Je suis arrivé au bon moment. Il n'a pas eu le temps de…

— Vous l'avez tué ? répète Jean Rousselle, incrédule.

— Oui.

Bougainville se rend soudain compte de l'empressement avec lequel il a tiré. Il ne lui a fallu que quelques secondes pour charger son arme. Aucun avertissement, aucune menace. La colère était si grande en apercevant la bête qui se ruait sur Marie qu'il n'a pu que suivre son instinct. Et n'eût été l'urgence de la situation, il l'aurait même étranglé de ses propres mains. À cause de la violence de l'émotion ressentie, il n'a pas hésité et cela le bouleverse. En toute autre circonstance, ce serait un crime grave. Pour la première fois depuis des mois, il est heureux que la ville soit assiégée.

— Vous avez fait ce qu'il fallait, colonel, souffle Marie qui a recouvré ses esprits.

Bougainville craint soudain de voir son espoir s'évanouir. Brutalement conscient des dégâts qu'il a causés en rompant ses fiançailles dans un excès de colère, il décide de jouer sa dernière carte. Il sort une lettre de sa poche, la dépose sur la table et s'éloigne vers la porte.

— Je n'oublierai jamais ce que vous avez fait pour moi, lance Marie avant qu'il ne franchisse le seuil.

— Vous l'avez déjà oublié, répond Bougainville en disparaissant dans la nuit naissante.

*

L'odeur de la viande grillée embaume la cuisine et se répand dans la cour par la fenêtre ouverte. Dehors, la nuit est totale et les Anglais ont cessé leur bombardement depuis plus d'une heure. Sur la table, une bougie éclaire faiblement les tourtes disposées dans les assiettes, mais ne donne pas assez de lumière pour que Marie puisse distinguer les traits de Jean, assis devant elle. Elle sait qu'il est préoccupé, car il n'a pas dit un mot depuis le début du repas. Elle aimerait bien l'interroger sur ce qui le rend si distant, mais préfère pour le moment le laisser réfléchir dans le silence réconfortant de la cuisine.

Pour sa part, elle a le cœur léger maintenant qu'elle a eu des nouvelles de sa fille. Elle n'aurait jamais imaginé que la lettre apportée par Bougainville viendrait d'Odélie. Celle-ci savait que sa mère se morfondrait à Québec. Elle a pensé à utiliser l'armée pour faire parvenir un message au colonel, sachant bien que l'homme saurait comment la joindre.

« Quelle enfant débrouillarde! » songe-t-elle, en caressant d'un geste instinctif le papier glissé dans sa poche.

Dans sa lettre, Odélie lui raconte comment Louise l'a sortie de la maison en flammes. Elle lui parle de la famille qui a accepté de les héberger, elle, Louise et deux de ses frères. Elle lui dit qu'elle va bien, qu'elle mange à sa faim et qu'il lui tarde de la revoir. Marie ne pourrait souhaiter meilleur sort pour sa fille.

« Elle est entre bonnes mains », se dit-elle, en repensant à l'attitude responsable de sa servante qui l'a secourue.

Marie soupire de contentement. Malgré son aventure de l'après-midi, elle se sent bien. Au fond, l'homme ivre qui a pénétré chez elle n'a pas eu le temps d'accomplir grand-chose. Bougainville est intervenu à point nommé. Inutile d'imaginer ce qui serait advenu d'elle autrement. Elle est saine et sauve. Et Odélie aussi. Et Jean est là, près d'elle, même s'il n'a pas quitté cet air maussade depuis le départ de son rival.

— Où est La Mire? demande-t-elle enfin pour briser ce silence qui dure depuis trop longtemps à son goût.

— Il joue aux dés avec des compagnons, à l'abri quelque part. Probablement ivre.

Jean a répondu sans lever les yeux. Il attendait qu'elle lui pose la question, qu'elle cesse de penser à cet officier qui l'a sauvée cet après-midi. Il s'en veut. C'est lui qui aurait dû être là, à sa place, pour abattre cette brute qui voulait… C'est aussi lui qui aurait dû lui apporter la lettre de sa fille. Au moins, maintenant que Marie a remarqué l'absence de La Mire, cela signifie qu'elle est revenue à leur univers, à ce repas qu'il a chassé pour elle. Cela signifie aussi qu'elle ne pense peut-être plus au mérite de Bougainville.

Mais Jean a une autre raison pour ne pas regarder Marie en face. Il sait que, malgré la pénombre, elle serait capable de lire la culpabilité sur son visage. Car il se sent fautif de lui mentir comme il vient de le faire. Si elle le questionnait davantage, il serait bien obligé de lui avouer que c'est lui qui a fourni l'eau-de-vie avec laquelle l'Indien se soûle en ce moment. Tout cela pour l'éloigner, pour être seul avec elle. Toute la nuit. Mais cela, il n'est pas encore prêt à le lui dire.

Il sait qu'elle déteste que La Mire s'enivre. L'Indien devient alors bruyant et agressif, et cela indispose les gens autour de lui, Marie peut-être davantage que les autres, car elle n'a jamais vécu avec un homme de cet acabit. C'est pourquoi, lorsqu'il a préparé son histoire, cet après-midi, Jean a pensé que l'absence de l'Indien ivre la mettrait dans de bonnes dispositions. Ça, en plus des oiseaux qu'il lui apportait. Marie semble d'ailleurs suivre exactement le raisonnement qu'il a prévu.

— C'était délicieux! dit-elle, en laissant entendre dans sa voix le bonheur que lui procure ce repas.

Il sourit, satisfait.

— Heureux que ça t'ait plu, parce que je t'assure que ces oiseaux méritent ta considération. Cet après-midi, quand Montcalm a entendu nos coups de feu dans le bois de Sillery, il a fait marcher les troupes à partir de Beauport. Il était persuadé que les Anglais avaient réussi à descendre quelque part entre Cap-Rouge et Québec. Il paraît qu'il était furieux quand on l'a informé que c'étaient des miliciens qui chassaient. On a alors eu droit au sermon du gouverneur. Il dit qu'on a encore gaspillé la poudre.

— Mais puisqu'il ne vous nourrit pas, vous devez bien vous ravitailler vous-mêmes! s'exclame Marie.

— Je t'assure qu'on lui a dit. Plus d'une fois d'ailleurs. Mais ça n'a rien changé. Il a interdit la chasse à partir d'aujourd'hui. C'est facile de deviner qu'il y aura encore moins d'hommes dans la ville demain qu'il n'y en avait ce matin. Ce sera facile de trouver quelqu'un pour porter ta dernière lettre à la Pointe-aux-Trembles.

Jean jubile. Il aura sa revanche sur Bougainville. Il s'inquiète néanmoins du silence de Marie.

Celle-ci est loin d'être rassurée par toutes ces désertions. Pour la première fois, elle prend conscience de l'ampleur de la menace qui les guette. Des hommes désertent, les autres sont affamés. Quelle sorte d'armée est-ce donc? Décidément, plus vite elle quittera la ville, plus vite elle soulagera Jean du fardeau qu'elle représente pour lui.

– Quand crois-tu que tu pourras me conduire à l'Hôpital-Général? demande-t-elle au bout d'un moment.

Jean avale la dernière bouchée et, s'essuyant les doigts sur une serviette, il répond:

– Demain matin. Le gouverneur a fait transférer quelques hommes au camp de Montmorency, sous les ordres de M. de Repentigny. Il paraît qu'il y a trop d'hommes à la garnison de la ville. La Mire et moi faisons partie du détachement qui part à midi.

Marie acquiesce de la tête et Jean retient l'envie qu'il a de lui dire toute la vérité, d'ajouter qu'il y a d'autres raisons pour expliquer ce transfert, que l'une d'entre elles l'enrage plus particulièrement. Lors de l'inspection de la garnison, il a tout de suite compris en entendant son nom et celui de La Mire. Cette mutation est l'œuvre de Bougainville, il en mettrait sa main au feu. C'est pourquoi, cet après-midi, en l'apercevant dans la cuisine, aux pieds de Marie, il a eu envie de l'affronter. S'il ne l'a pas fait, c'est parce que la chose aurait été trop embarrassante, pour l'un comme pour l'autre. Lui aurait dû admettre le rang supérieur du colonel, son pouvoir de décider de la vie et de la mort de milliers d'hommes. Or, Jean ne l'acceptera jamais. Il est milicien et non militaire. Il préfère croire qu'il dirige son propre destin. Il est venu à Québec de son plein gré, et non pas parce qu'on l'y a forcé.

Pour sa part, une fois confronté, Bougainville aurait dû admettre qu'il s'abaisse en utilisant sa position d'officier pour éloigner son rival. Le genre de choses qu'un homme n'est jamais disposé à avouer, quelles que soient les circonstances.

Devant lui, Marie racle avec sa fourchette le fond de son assiette. Jean sait qu'il se passera beaucoup de temps avant qu'elle ne mange à sa faim à nouveau. Il décide donc de profiter de ces dispositions favorables, même s'il souhaiterait avoir un peu d'eau-de-vie pour se donner davantage de courage.

– Marie… Il faudrait qu'on parle… de nous.

Marie a levé les yeux et posé sa fourchette. Elle aussi n'attendait que ce moment de calme, après les émotions de la journée. Elle observe l'air nerveux de Jean, ses mains hésitantes, son regard qui la fixe, puis se détourne pour mieux revenir vers elle.

– Quand les Anglais seront partis, le commerce reprendra. Il manquera plein de choses essentielles. Ce sera facile de me tailler une place en ville. Et puis…

Marie sourit. Et pendant que Jean poursuit son discours, elle se souvient. Frederick d'abord, et Bougainville ensuite, tous deux avaient fait valoir leurs mérites, assurant qu'ils avaient la capacité de rendre une femme heureuse. Charles a certainement procédé de la même manière lorsqu'il a demandé sa main à son père. Mais pour la première fois, Marie se rend compte qu'elle est insensible à ces propos. Ce qui la fascine en ce moment, c'est la timidité dont Jean fait preuve en cherchant dans sa vie de quoi la convaincre de sa valeur. S'il savait à quel point ce discours n'a plus d'importance pour elle maintenant. Elle se garde bien cependant de l'interrompre, constatant avec quelle difficulté il soutient son regard.

— Tu sais à quel point j'ai pour toi des sentiments très… profonds. Tu te doutes qu'ils brûlent en moi depuis longtemps. J'avais perdu espoir, Marie. Mais en revenant à Québec, te sachant veuve de nouveau, je me suis imaginé… Dis-moi si c'est de la folie. Dis-moi si cette nuit-là, dans notre abri, ça représentait quelque chose pour toi. Ou bien dis-moi que tu m'aimes, toi aussi. Mais, bon Dieu, cesse de me regarder avec ce sourire-là, comme si tu te moquais de moi! C'est assez difficile comme ça!

Jean feint l'emportement et Marie éclate de rire, malgré elle. Elle ne voulait pas sourire. En fait, elle faisait de son mieux pour demeurer sérieuse, par respect pour ce qu'il essayait de lui dire. Mais il faut croire qu'elle joue mal la comédie.

— Je t'aime, dit-elle enfin, en plongeant son regard dans le sien.

Elle a envie d'ajouter «depuis toujours», mais Jean s'est levé de sa chaise dans un grincement de bois. Il s'approche et s'arrête tout près d'elle.

— Et tes fiançailles avec le colonel?
— Il n'y a plus de fiançailles avec le colonel.
— Tu es donc libre?
— Comme le vent. Ou presque.

Sans avertissement, Jean la soulève d'un geste emporté. Il l'embrasse, la faisant tourner avec lui dans la pièce.

– Attention, dit Marie en essayant de reprendre son équilibre. J'ai dit « ou presque ». Et puis je ne voudrais pas le perdre.

Jean s'immobilise, dépose Marie et secoue la tête, perplexe.

– « Ou presque » ? De quoi parles-tu ? Perdre quoi ?

– Ton enfant, qu'est-ce que tu crois !

– Mon...

Il est complètement abasourdi. Et Marie apprécie de voir les différentes expressions de son visage. D'abord la surprise, puis la lumière, enfin une grande joie qui lui fait la reprendre dans ses bras et l'embrasser de nouveau.

– Dans ce cas, je vais devoir rencontrer le curé Récher. Pas question d'attendre le départ des Anglais.

Marie acquiesce.

Les braises sont éteintes depuis longtemps. Un soudain coup de vent souffle la bougie et la cuisine se retrouve plongée dans l'obscurité la plus opaque. S'il restait encore une trace d'inquiétude chez Marie, elle s'est effacée sitôt la lumière disparue. Cette fois, elle n'aura pas d'excuses. Sa raison n'est pas vaincue par la fatigue ni par la peur. Ses gestes ne sont dictés que par le désir.

Elle laisse glisser ses doigts sur la chemise de Jean. Puis plus bas, entre ses jambes. Sa jupe et ses jupons tombent d'une seule pièce sur le sol. Jean la soulève et la porte, à quelques pas de lui, sur le matelas que Marie a descendu ce matin.

Brisant le silence, les bombardements reprennent. Mais ni Jean ni Marie n'y prêtent attention.

CHAPITRE VII

S ur la côte de Beauport, une centaine de soldats et
d'officiers français observent une manœuvre navale.
Quatre petites embarcations avancent sur le fleuve,
poussant devant elles deux brûlots. Ce sont de gros vaisseaux en flammes qu'on sacrifie pour essayer d'incendier
une partie de la flotte anglaise. À leur bord se trouvent
encore quelques marins qui les dirigent tant bien que
mal vers les voiliers ennemis ancrés devant l'île d'Orléans. Il leur faut plusieurs minutes pour s'en approcher
suffisamment. Lorsque la collision paraît inévitable, les
marins sautent à l'eau et sont immédiatement repêchés
par leurs escortes qui ont déjà ralenti.

Sur la rive, chacun retient son souffle.

Ce sont maintenant deux torches flottantes qui
continuent leur course en direction de l'ennemi. Sur la
berge, des sourires apparaissent, suivis d'un murmure,
puis de cris d'encouragement. Un espoir naît. Puis
s'effondre aussitôt lorsque les brûlots sont pris dans le
courant de la marée montante, juste avant d'atteindre
leurs cibles. Les marins anglais, qui ont sorti leurs per-
ches, n'ont qu'à les repousser d'un faible effort. Armes
désormais inoffensives, les navires en flammes glissent

sur l'eau en direction de la ville et deviennent inutiles, presque entièrement consumés sans avoir causé le moindre dégât.

Une rumeur s'élève de la grève où la déception est générale. La mission est un échec. Jamais les Anglais n'ont été menacés. D'ailleurs on peut apercevoir, à bord des vaisseaux les plus proches, les marins qui plaisantent en montrant la grève du doigt.

Montcalm, les joues en feu, sent qu'il est sur le point de perdre patience. C'est la deuxième fois qu'on utilise cette tactique en quelques semaines. Cette dernière tentative n'ayant pas été plus fructueuse que la précédente, il espère que le gouverneur cessera ces démonstrations grotesques de son peu de savoir-faire dans les affaires militaires. Il espère surtout qu'il le laissera enfin défendre Québec à sa manière.

Car Montcalm a analysé la vaine manœuvre de Vaudreuil. Il a compris que les volontaires reviennent beaucoup trop tôt. Comme il est impossible de les convaincre de risquer leur vie en poussant les brûlots plus longtemps, il trouve ridicule de persévérer.

«C'est une perte de temps, d'énergie et de poudre! rage-t-il intérieurement. Quand admettra-t-on que les forces dont on dispose sont trop indisciplinées pour mener à bien une attaque? Il faut obliger les Anglais à attendre jusqu'à l'automne et éviter une confrontation sur le terrain.»

Montcalm n'a cessé de le répéter et le répétera encore, mais il semble que personne ne comprenne la faiblesse de cette armée comparée à la force entraînée et bien nourrie de Wolfe, de l'autre côté du fleuve.

Avant d'exploser et de montrer son exaspération devant ses hommes, il fait demi-tour, monte sur son cheval et, sans même un regard à Vaudreuil ni à l'intendant à ses côtés, il gagne Québec au galop. Une fois en haut, sur les remparts, il fait tirer dix bombes et cent cinquante coups de canon sur la batterie anglaise, ce qui l'endommage suffisamment pour donner un répit à la ville et calmer un moment la colère du général.

*

Marie n'a jamais vu autant de gens entassés les uns sur les autres. Ils sont plus de six cents personnes à occuper chaque pied carré d'espace disponible sur le territoire de l'Hôpital-Général de Québec. Il y en a partout. Dans la maison des domestiques, dans les corridors, dans les greniers, dans l'étable, dans les hangars, dans la grange et même dans l'église! Tout est envahi par les miséreux qui ont fui la ville et par les blessés qu'on amène par dizaines chaque jour.

Dès son arrivée, il y a une semaine, Marie a compris que l'intimité est un concept qui n'existe pas dans ce refuge. Pour cette raison, elle désespère de réussir à cacher sa grossesse. La seule chose qui la réconforte, c'est que Daniel Rousselle ne semble pas s'être aperçu de ses malaises matinaux. Il concentre tous ses efforts à se mettre debout, appuyé contre le mur de la grange, et à demeurer dans cette position le plus longtemps possible, malgré la douleur.

Si l'état de sa jambe s'améliore, son caractère, lui, s'est aigri depuis que Robichaud a quitté l'hôpital, il y a quelques jours. Dans la promiscuité de son abri, c'est avec une colère non feinte qu'il grogne en permanence et houspille les enfants qui viennent jouer trop près de lui. Lorsqu'il demeurait chez elle, Marie s'était aperçue que l'homme jouait parfois la comédie pour faire enrager Louise ou taquiner Odélie. Mais maintenant, il n'y a pas de jeu dans son impatience. Il n'en peut plus d'être oisif. Et Marie n'en peut plus de souffrir ses critiques et ses sarcasmes.

D'ailleurs, elle fuit vers la rivière dès qu'elle en a l'occasion. Comme c'est le cas en ce moment. M. Rousselle s'est endormi, il y a moins d'une demi-heure, épuisé par la chaleur. Le dos appuyé sur une balle de foin, il transpirait comme s'il faisait de la fièvre. Marie a voulu le rafraîchir en lui baignant le visage, mais Daniel a grommelé quelques mots insolents même dans son sommeil. Agacée, Marie a tourné les talons et quitté son chevet. Elle s'est éloignée de la grange au pas de course, irritée d'avoir à s'occuper d'un blessé aussi malcommode.

Elle atteint la berge et se sent apaisée par le bruit de l'eau. L'endroit est devenu son havre de paix depuis qu'elle s'est aperçue que peu de gens daignaient s'y rendre par grande chaleur. C'est donc là qu'elle se réfugie chaque fois qu'elle a ses nausées quotidiennes ou simplement pour oublier la frustration de son mariage retardé.

Car Jean est bien allé voir l'abbé, avant de rejoindre son détachement en route pour le camp de Montmorency. Mais cette visite fut une telle déception que Marie enrage encore juste à y penser. Le curé leur a refusé la dispense des bans nécessaire pour un mariage rapide. Mais il y a plus vexant : il a refusé de les marier avant le départ des Anglais, arguant qu'il ne disposait pas d'un endroit propice à la célébration. C'est vrai que les bâtiments encore debout sont tous occupés, mais il ne lui aurait pas fallu un bien grand effort pour déplacer quelques personnes, le temps de la cérémonie. Jean n'était cependant pas en position d'insister. Le faire aurait mis en évidence l'irrégularité de leur situation et n'aurait fait qu'empirer les choses.

— On devra attendre qu'ils partent, a-t-il dit, en désignant du menton les voiliers à l'ancre devant l'île d'Orléans. Il ne nous mariera pas avant, j'en ai bien peur.

Marie a senti la panique la gagner. Il fallait trouver une autre solution. Jean a alors suggéré qu'ils aillent se marier dans une paroisse voisine, mais cela créait un nouveau problème : Jean devrait déserter.

— On attendra encore deux ou trois semaines, a-t-il dit pour la rassurer. Ensuite, si le curé ne veut toujours pas, on envisagera d'aller ailleurs.

Marie n'aimait pas beaucoup cette idée d'exil, car il rendrait le mariage suspect. Mais, à ce moment-là, elle ne voyait pas d'autre solution. Et elle n'en voit pas davantage aujourd'hui.

Au détour d'un rocher, elle aperçoit la route déserte. Un visage surgit soudain dans son esprit, celui d'Antoinette qu'elle n'a pas réussi à revoir depuis son arrivée à l'hôpital. Débordées par l'affluence des blessés, les religieuses refusaient en effet les visites de politesse aux malades. Mais aujourd'hui, le va-et-vient semble s'être estompé.

« Puisque tout est calme, on me laissera peut-être la visiter, espère Marie, en remontant le cours d'eau jusqu'aux écuries, dans la touffeur de cette fin de juillet. Elle me proposera peut-être une solution à laquelle je n'ai pas pensé. »

Marie marche donc avec détermination vers l'Hôpital-Général, malgré le soleil de midi, s'arrêtant par moments sous un arbre pour profiter de l'ombre. Elle se rend ainsi jusqu'à la porte principale et s'engouffre dans la fraîcheur de l'entrée.

Il lui faut un moment pour s'habituer à l'obscurité du vestibule. Elle soulève ses jupes, enjambe un vieillard, un aveugle et un invalide, tous trois allongés sur le plancher, dans le couloir. Il lui faut ainsi plusieurs minutes pour rejoindre la religieuse qui balaie l'escalier. Elle lui pose sa question, écoute la réponse et monte au deuxième étage.

En s'engageant dans la salle des femmes, une odeur de bois mouillé mêlée à celle du vinaigre la prend à la gorge et elle retient une nausée. Parce qu'elle en connaît la cause, elle exècre cette soudaine sensibilité aux effluves de toutes sortes. Il n'y a pourtant pas de quoi être dégoûtée ; la pièce est propre et, bien que surpeuplée, elle paraît relativement confortable. Les lits, séparés par des rideaux, sont entassés de chaque côté de la salle. Ils sont tous occupés, de même que chaque chaise. La lumière du jour pénètre par les larges fenêtres ouvertes. Avec elle, une brise légère, qui tiédit les corps brûlants des malades et revigore les visages épuisés des religieuses.

Marie avance lentement, scrutant les lits à la recherche des traits familiers. Ses yeux s'attardent de temps en temps sur des inconnues à qui elle adresse un sourire de sympathie. Soudain, elle reconnaît le visage blafard de Mme Trudel alitée. Marie presse le pas, indifférente à la douleur qui tenaille celle dont le bras est sectionné au-dessus du coude.

«Les bombes, sans doute», conclut-elle en s'éloignant, étonnée de constater la froideur de ses sentiments.

Malgré toute la charité chrétienne dont elle se sait habitée, Marie ne ressent aucune compassion pour cette femme. Elle ne lui a pas pardonné ni le vol de sa lettre ni les inconvénients qu'elle lui a apportés en la remettant au commandant Wolfe, puis en la mentionnant au gouverneur. Marie poursuit donc son chemin et, rendue au bout de la salle, s'inquiète. Antoinette ne se trouve dans aucun des lits.

«On m'aura mal informée», pense-t-elle, en se dirigeant vers une religieuse occupée au fond de la salle.

– Excusez-moi, ma sœur. Je cherche…

Elle ne termine pas sa phrase. Lorsque la religieuse s'est retournée, Marie a reconnu sa belle-sœur. Celle-ci lui sourit et ouvre les bras dans lesquels se réfugie la visiteuse au bord des larmes.

– Que fais-tu debout? Tu devrais être alitée! Ne fais-tu plus de fièvre?

Les questions se bousculent dans la bouche de Marie, mais Antoinette n'y répond pas tout de suite. Elle continue de serrer contre elle cette sœur qui lui a tant manqué et cherche les mots qui traduiraient ce qui lui est arrivé:

– Viens, dit-elle en éloignant doucement Marie. Allons dehors.

Elle se dirige vers une jeune novice à qui elle donne des instructions et pousse ensuite le coude de Marie en direction de l'escalier. Ce n'est qu'une fois à l'extérieur qu'elle devient plus volubile. Mais avant de donner des explications sur son rétablissement, elle a ses propres questions:

— N'étais-tu pas à la Pointe-aux-Trembles avec Odélie?

Pendant qu'elles marchent toutes les deux en bordure de la rivière, Marie évoque les aventures d'Odélie, puis raconte son périple à bord du navire du général Wolfe. Comme cela lui fait du bien de la revoir, de lui parler comme avant! Elle se tait cependant juste avant d'aborder son secret, jugeant préférable de s'informer de la santé de sa belle-sœur avant de lui parler de ses propres soucis.

— Si tu veux, je peux essayer de te trouver un lit dans l'une des ailes de l'hôpital.

— C'est gentil, mais en ce moment je m'occupe de M. Rousselle. Il est installé...

— Je sais, l'interrompt Antoinette en secouant la tête. Je suis allée le voir à la grange une fois, pour m'assurer que sa plaie ne s'était pas aggravée avec le voyage. Il a piqué une de ces colères! Je n'y remettrai pas les pieds de sitôt.

Marie sourit. Oui, c'est bien là le comportement acariâtre de l'homme, mais Marie sait qu'elle ne peut pas abandonner celui qui sera bientôt son beau-père.

— Merci pour l'offre, mais je vais quand même rester à ses côtés, décide-t-elle au bout d'un moment de réflexion. Mais dis-moi maintenant, que s'est-il passé? Quand je t'ai laissée, tu me semblais à l'agonie. Ta fièvre? Tes maux de tête? Comment tout cela a-t-il pu s'évanouir en quelques semaines?

Elles s'assoient toutes deux à l'ombre d'un gros arbre. Antoinette esquisse un sourire et serre la main de sa belle-sœur. Oui, tous ces malaises ont disparu.

— Les blessés arrivent chaque jour en grand nombre et les bras valides ne suffisent pas à tous les soigner. Je ne sais pas pourquoi, mais je me suis sentie appelée par ces femmes et ces hommes blessés ou malades. Ça s'est produit un matin où on venait d'amener une femme de Québec dont une partie du bras avait été emportée par un obus.

— Mme Trudel? interroge Marie, incrédule.

— Oui. Les bombes continuaient de tomber sur la ville, même loin des remparts. Et elle était étendue là, dans le lit à côté du mien. Son sang se répandait sur le sol et personne n'avait le temps de s'occuper d'elle, car les blessés qui arrivaient étaient trop nombreux.

Antoinette ferme les yeux et revoit les images de cette nuit sanglante où elle a retrouvé la vie qui vibrait en elle. Pour les autres.

— Je ne pouvais pas la laisser mourir à deux pas de moi. Il a suffi d'un effort. Je me suis levée et j'ai commencé à nettoyer son moignon, puis à le panser. Aucune des religieuses n'est intervenue pour m'en empêcher, elles avaient tant à faire qu'elles n'allaient pas refuser un coup de main.

Antoinette raconte alors ses premiers jours à l'hôpital. Pendant qu'elle parle, son regard se perd au loin, au-delà des montagnes. Marie se garde bien d'interrompre ce récit extraordinaire. Pour elle, il s'agit d'un miracle. Et cela la fascine et l'effraie à la fois.

«Dieu ne l'a pas laissée mourir. C'est ce qui compte, songe-t-elle en observant les traits paisibles de la religieuse. Aurait-elle enfin trouvé la paix?»

Au bout de plusieurs minutes, Antoinette se tait et pose sur Marie un regard plein de tendresse. Elle l'aime comme une sœur, mais même à une sœur elle ne pourrait confier qu'elle a souhaité mourir. Cependant, il est heureux que Dieu n'ait pas exaucé ses prières et qu'il lui ait plutôt donné une nouvelle raison de vivre.

— Il y a toujours plus souffrant que soi, dit-elle en baissant les yeux. Je n'aurais jamais dû l'oublier.

Et elle presse plus fermement les mains de Marie dans les siennes. Aujourd'hui, elle a honte. Honte de lui avoir causé autant de soucis. Honte d'avoir perdu espoir. Honte d'avoir souhaité la mort. Honte d'avoir, pendant presque une année entière, cessé de croire en Dieu. Mais Dieu, lui, ne l'a pas abandonnée.

— Je dois retourner à mes blessés maintenant, dit-elle en se levant. C'était bon de te revoir, Marie.

— Je reviendrai, si on me le permet.

Antoinette hoche la tête et s'éloigne vers l'énorme bâtiment de pierre qui lui sert désormais de salut. Le premier endroit où elle se sente vraiment chez elle.

Marie demeure sous l'arbre, à regarder la silhouette sombre disparaître derrière le mur. Elle a toujours su que l'attitude d'Antoinette cachait un mystère. Mais elle se rend compte aussi qu'elle ne la connaît pas vraiment, même si elles ont vécu ensemble les pires moments de l'hiver dernier. Elle aurait aimé être plus proche d'elle. Elle aurait dû lui prêter encore plus attention. Que de chagrin elle a pu lire dans son regard pendant toute cette année! Quel contraste avec la sérénité qui l'habite maintenant! Elle ne comprendra peut-être jamais ce qui l'a affligée à ce point, mais il est bon de constater qu'elle semble heureuse désormais.

Marie se lève et secoue les brins d'herbe collés à sa robe. Le soleil décline à l'horizon, déjà. Après un dernier coup d'œil vers le mur, à l'endroit où Antoinette a disparu, Marie ramasse ses jupes et presse le pas en direction de la grange. Elle a faim, comme toujours.

*

Vers la fin de l'avant-midi du 31 juillet, un premier coup de canon retentit au pied du sault de Montmorency. Trois navires anglais viennent de s'échouer dans le chenal, non loin de la chute et canardent de là la batterie française située en haut du cap. Leur objectif : détruire l'artillerie de l'ennemi et permettre la descente de quatre mille soldats à l'embouchure de la rivière Montmorency.

Les premiers soldats à avoir mis pied à terre s'empressent de monter l'escarpement et attaquent une redoute sur le bord de la rivière. Les hommes en poste à cet endroit se défendent jusqu'à ce qu'il ne leur reste plus de munitions. Ils enclouent alors le canon et se replient dans les bois. Les Anglais s'emparent du lieu et s'y installent, faisant face désormais à la pluie de balles des miliciens canadiens embusqués dans les environs.

À quelques centaines de pieds de là, le camp français est toujours sous le feu continu des trois navires de guerre immobilisés au pied de la chute. Derrière eux, un grand nombre de barges continuent de descendre le fleuve et s'approchent de la côte. Vers cinq heures du soir, à marée basse, les Anglais réussissent à débarquer plus de deux mille soldats. Sur les hauteurs, les batteries françaises commencent à répondre à l'attaque d'un feu nourri, retardant la progression de l'ennemi sur la grève.

Cette agression, qui a d'abord surpris les Français, tourne soudain à leur avantage. Mitraillés de toute part, plus d'une centaine d'Habits rouges se sont écroulés dans la boue. Ceux qui ont atteint la terre ferme ont tenté de monter la pente, mais plusieurs ont trouvé la mort sous les balles des Canadiens et des Indiens dissimulés derrière les arbres. Le sang creuse des rigoles qui descendent jusqu'au fleuve où l'eau, teintée durant quelques secondes de rouge, est ensuite brouillée par les remous de la chute. Les Anglais se replient aussi soudainement qu'ils ont attaqué, abandonnant trois cents morts et blessés sur la grève. Dans leur fuite, plusieurs essaient de rejoindre les barges malgré le sifflement des balles et des boulets au-dessus de leurs têtes. Quelques-uns sont touchés et se noient, faute de secours.

Les Anglais qui avaient réussi à atteindre le haut du cap sont pris de panique en voyant la retraite précipitée de leur armée. Ils abandonnent la redoute, position qui leur a pourtant coûté cher et s'enfuient dans les bois.

Jean Rousselle et d'autres Canadiens sont postés le long de la pente qui descend vers le fleuve. Ils ont chargé leurs fusils et attendent qu'arrivent les fuyards. Lorsqu'un Habit rouge est à portée, Jean épaule, vise et tire, puis recharge aussitôt. À quelques pas derrière lui, Robichaud l'imite. La Mire a disparu dans le bois à la poursuite d'un Anglais qui tentait de passer plus loin.

Plusieurs Français de l'armée régulière poursuivent également les Anglais en déroute. D'où il se trouve, Jean aperçoit un jeune officier anglais blessé au ventre qui court, tant bien que mal, dans les taillis. Des cris de guerre s'élèvent de la forêt derrière lui. Soudain, un soldat du régiment de Guyenne sort des buissons, le fusil en joue. Son sourire montre qu'il est fier de ce prisonnier gradé. Ce dernier s'effondre soudain sur le sol, épuisé. En entendant les cris féroces qui se rapprochent, le soldat de Guyenne enlève rapidement son manteau et son chapeau et en recouvre l'habit écarlate. Puis il soulève le blessé et le porte en retrait, laissant passer la horde d'Indiens en chasse, leurs ceintures chargées de chevelures sanguinolentes.

Demeuré dans l'ombre, Jean Rousselle secoue la tête. À la place du soldat, il n'aurait pas eu pitié de l'officier ennemi. Si les Indiens l'avaient vu faire, ils auraient quitté le camp sur-le-champ et seraient retournés dans leurs villages, persuadés qu'ils se battaient pour rien. Jean ne quitte pas des yeux les deux hommes qui s'éloignent, l'un soutenant l'autre comme s'ils faisaient partie de la même armée. Il hausse les épaules, fait demi-tour et rejoint Robichaud dans une clairière où La Mire est à lever sa dixième chevelure.

– En voilà au moins un qui a l'air heureux, dit-il, brusquement sujet à une insupportable nausée.

On entend encore les cris de guerre entre deux détonations. Il est plus de sept heures du soir. Les Anglais qui opéraient les canons sur les navires de guerre échoués ont abandonné leur poste après y avoir mis le feu. Ceux qui couraient encore dans les bois sont tombés aux mains des Indiens. Les autres sont repartis, probablement frustrés d'avoir perdu tant d'hommes en vain.

*

D'une fenêtre du premier étage de l'hôpital, Antoinette n'arrive pas à détacher son regard des colonnes de fumée qui s'étirent dans le ciel. Wolfe, furieux de sa défaite au sault de Montmorency, a fait brûler les campagnes des environs. Antoinette a entendu des soldats blessés qui affirmaient que c'est plus de mille fermes qui ont été détruites depuis le début du siège. C'est sans compter les centaines de maisons de Québec qui se sont effondrées ou ont été réduites en cendres.

L'odeur du feu, portée par le vent, fait tousser les blessés et les malades. Les yeux rougis d'Antoinette se posent sur le jeune officier anglais allongé sur le lit, affligé d'une fièvre intense. Antoinette secoue un éventail pour le rafraîchir et chasser les mouches qui le harcèlent.

Ce n'est pas de gaieté de cœur qu'elle s'est rendue au chevet de ce prisonnier. Bien que la charité chrétienne ordonne qu'on s'occupe de chaque homme avec la même sollicitude, Antoinette est contrariée de devoir soigner un Anglais. Et à la suite de la tentative de débarquement au sault de Montmorency, c'est au moins vingt-cinq de ses compatriotes qui ont été amenés à l'hôpital. Celui dont s'occupe Antoinette est dans un piètre état. Trois blessures, dont deux très graves qui le font gémir même la nuit. La nuque fragile, les cheveux blonds, une barbe rousse de quelques jours et des traits juvéniles : elle lui donne à peine vingt ans. « Un gamin ! » songe-t-elle, émue.

Parce qu'elle ne comprend pas sa langue, Antoinette a envoyé chercher sa belle-sœur pour traduire ce que le prisonnier a essayé de lui dire ce matin. Cependant, comme il s'est endormi, il y a quelques minutes, elle ne sait pas si elle le réveillera quand Marie arrivera.

Justement, la voilà qui franchit la porte de la salle. Quelque chose chez elle attire l'attention d'Antoinette. Quelque chose de différent. Elle l'observe attentivement.

Son visage est couvert de crasse, ses vêtements sont en lambeaux, ses cheveux, remontés dans un chignon hirsute. Ce sont là des choses normales, compte tenu des circonstances. Antoinette continue de chercher, mais ne trouve rien de spécifique, qu'une impression étrange qui se dégage de Marie. Même lorsqu'elle ne sourit pas, ses traits semblent rayonnants. Elle est maintenant tout près et hors d'haleine à cause de la fumée. Elle s'appuie sur le pied du lit pour reprendre son souffle.

– J'ai fait aussi vite que j'ai pu. Quelle chaleur! Que se passe-t-il? Tu voulais me parler?

Antoinette désigne du menton le jeune homme allongé sur le lit près de la fenêtre.

– C'est un Anglais. Je voulais que tu me traduises ce qu'il me disait, mais il s'est endormi. Veux-tu faire quelques pas dehors? Ça me ferait du bien.

Marie acquiesce et les deux femmes quittent la salle où règne un air trop lourd pour respirer librement.

La brise souffle davantage à mesure qu'elles s'éloignent de l'hôpital et Antoinette la trouverait presque agréable, si ce n'était de l'odeur de soufre qu'elle charrie depuis la rive sud. Marie a suivi sa pensée et frotte ses yeux déjà rougis.

– Avec tous ces feux, les Anglais vont finir par miner le moral des troupes. Il paraît que ce n'est plus seulement les miliciens qui désertent.

Antoinette hoche la tête.

– Je sais. Plusieurs blessés ne songent qu'à rentrer chez eux pour les récoltes.

– M. Rousselle dit qu'avec ce qui reste de notre armée, Montcalm ne pourra jamais défendre la ville. Aussi bien la rendre immédiatement. Je ne sais pas comment sont nourris les Anglais, mais ici on a encore coupé notre ration de pain…

Appuyée sur le bras de sa belle-sœur, Marie se laisse guider vers un gros orme qui borde la rivière. L'air y est plus frais. Elle s'installe dans l'herbe et Antoinette l'y rejoint à l'ombre.

– Comment va M. Rousselle?

– Bien, si ce n'était de ses ronchonnements, cet homme pourrait être un compagnon d'infortune agréable.

Elles rient ensemble pour la première fois depuis des mois. Pendant quelques minutes, le bruit de la canonnade se tait. Quelques enfants jouent, derrière le moulin. La plupart des blessés se sont endormis. On n'entend plus que le chant des oiseaux sur les branches les plus hautes. Marie ressent une grande paix. Il y a tant de jours heureux à venir, malgré cette guerre.

Cette béatitude, Antoinette la sent, elle aussi. Elle a pris la main de sa belle-sœur dans un geste de tendresse habituel, mais aussi par un besoin de complicité. Elle a envie de parler, de partager son secret avec la seule personne capable de la comprendre. Par où donc commence-t-on quand on a toujours tout gardé pour soi? Quand on n'a jamais pu se confier à qui que ce soit, comment parler de ses sentiments, de ses peurs?

Des cris et des hurlements viennent brutalement briser le silence. De la grange s'élève une fumée noire.

– Au feu! crie une femme, arrivant à bout de souffle. La grange est en feu!

Marie est sur pied en moins d'une seconde. Suivie d'Antoinette, elle s'élance vers les dépendances. Déjà, des religieuses accourent, des seaux d'eau à la main. Les gens sortent du bâtiment en toussant. Parmi eux, Marie reconnaît Daniel, soutenu par deux vieillards se déplaçant aussi difficilement que lui. Marie et Antoinette le rejoignent et, glissant chacune un bras sous ses aisselles, elles soulagent de leur fardeau ces porteurs improvisés. Puis elles mènent Daniel en retrait, plus près des murs de pierre.

– Ne vous réjouissez pas, ronchonne-t-il en essayant de se libérer. Il n'y a pas de dommages, ni à mon corps ni à ma jambe. Mais lâchez-moi donc!

Marie le laisse tomber sur le sol, imitée par Antoinette qui retient son envie de corriger cet homme ingrat. Derrière elles, l'incendie est déjà éteint.

– Plus de peur que de mal, murmure une religieuse, en sortant du bâtiment enfumé avant de regagner l'hôpital.

Les deux vieux qui soutenaient Daniel se sont adossés au mur de pierre, eux aussi. Marie s'aperçoit qu'ils rigolent en jetant dans leur direction des coups d'œil amusés.

– Qu'y a-t-il? demande-t-elle à Daniel qui semble visiblement embarrassé par l'attention qu'on lui prête.

– Rien.

– Eh, Rousselle! lance alors l'un des vieillards. Faut pas t'endormir quand tu fumes!

Daniel détourne la tête, cramoisi. Antoinette lève les yeux au ciel, soupire d'exaspération et, après un bref salut à Marie, annonce qu'elle retourne à ses patients. Restée seule avec Daniel, entourée de la foule de miséreux privés pour l'instant d'un logis, Marie s'assoit par terre, elle aussi, prenant bien soin de ne pas croiser le regard de Daniel.

– Je ne l'ai pas fait exprès, s'excuse ce dernier. Je vous attendais.

Marie tourne la tête vers lui, surprise d'entendre pour la première fois un témoignage de repentir dans la bouche de cet homme. Il ne la regarde pas et fixe plutôt le sol.

– Je fumais pour passer le temps, mais, comme vous ne reveniez pas, j'ai dû m'endormir. Il fait tellement chaud !

Marie acquiesce d'un hochement de tête. Elle se rend compte qu'elle transpire et se sent soudain très lasse, presque faible. Elle s'appuie la tête contre la pierre et ferme les yeux. Elle entend autour d'elle les gens qui commencent à regagner leur refuge d'où la fumée s'est dissipée quelque peu. Mais Marie et Daniel demeurent immobiles le long du mur, et goûtent à la paix du moment. Ils glissent rapidement dans le sommeil, à peu de distance l'un de l'autre.

*

– Si ma mère apprend ce qu'on est en train de faire, elle va me battre, c'est certain.

– La mienne va me tuer ! Mais ce n'est pas une raison pour reculer.

En s'entendant prononcer ces mots, Odélie émet un petit rire nerveux. Même si elle est morte de peur, même si elle sait que la punition sera terrible, elle n'a jamais été aussi attirée par quoi que ce soit. Et là, en rampant dans les herbes jusqu'au dernier buisson dominant la plage, elle sent grandir en elle une excitation qui la force à continuer, à aller jusqu'au bout. L'émotion qu'elle ressent n'a rien de comparable avec ce qu'elle a vécu avant. Elle tient son fusil entre ses mains et, comme la dernière fois, elle se sent tellement libre! Ce qui accentue cette sensation de liberté, c'est la fluidité de ses mouvements, nullement entravés par les jupons. Car Odélie a revêtu les vêtements qu'Olivier Lafleur lui a prêtés.

Bien que le frère de Louise ait deux ans de plus qu'elle et des épaules plus larges que les siennes, le reste de son corps porte encore l'empreinte de l'enfance. Ils sont donc environ de la même taille et la culotte du garçon lui a fait comme un gant dès qu'elle l'a enfilée. Depuis, elle n'a cessé de courir et de grimper aux arbres pour le plaisir de voir chaque geste s'accomplir exactement comme elle l'avait prévu.

À ses côtés, Olivier continue de maugréer:

– J'ai pris les dernières balles. Ce soir, il faudra en fondre d'autres si on ne veut pas que quelqu'un s'aperçoive de leur disparition.

Odélie hoche la tête et une mèche sombre lui retombe dans les yeux. Elle la repousse derrière ses oreilles d'un geste inconscient. En coupant ses cheveux d'une manière masculine, elle n'a pas pensé qu'il fallait leur laisser plus de longueur sur le devant pour qu'ils puissent demeurer dans le ruban sur sa nuque, comme ceux d'Olivier. Or maintenant qu'elle les a taillés au couteau, faute de mieux, elle doit endurer ces mèches lourdes qui balaient son visage à tout instant. Mais c'est là le moindre de ses soucis. Elle a beaucoup mieux à faire que de regretter son geste. Car, en ce moment, elle a devant elle le spectacle tant attendu.

De la colline sur laquelle se trouvent les deux enfants, on voit les premières maisons du village, dont les fermes descendent jusqu'à la plage. S'étend ensuite le fleuve jusqu'à la falaise de la côte opposée sur laquelle dominent, telles des pierres tombales, les restes incendiés de la paroisse Saint-Antoine. À travers les branches du buisson où Odélie et son ami font le guet, on aperçoit tout en bas, à trois cents pieds de la grève, une barque chargée d'Habits rouges. Ils sont une douzaine en tout, armés et tendus, prêts à bondir vers le village dès que l'embarcation touchera le sol.

– C'est le temps de charger les fusils, murmure Olivier.

Odélie obéit, sans dire un mot. En elle vient de naître une sensation nouvelle, qui s'ajoute à toutes les autres. Une chaleur émane de son ventre et se répand jusqu'à son cou, enserrant sa poitrine comme une grande main qui tenterait de se refermer sur elle. La fillette jette un regard discret de côté et découvre un garçon de douze ans, à la chevelure claire et au teint assombri par le soleil. Oui, Olivier est là, allongé tout près, juste à côté d'elle. Et il y est depuis plusieurs minutes déjà. Comme il y était chaque fois qu'ils sont venus sur ce promontoire. Mais, en ce moment, Odélie le voit différemment. Il y a dans ses gestes quelque chose d'inhabituel. Ses cuisses touchent aux siennes avec plus d'insistance. Ses épaules frôlent son bras à tout instant. Si elle étirait un peu le cou, elle pourrait sentir davantage l'odeur musquée de sa chemise. À cette idée, tout son corps est parcouru d'un frisson agréable.

– As-tu froid ? demande Olivier, sans quitter des yeux les hommes qui ont presque atteint le rivage.

Odélie secoue la tête, refusant de le regarder de nouveau. Elle ne sait pas ce qui lui arrive, mais elle a compris que la présence d'Olivier y est pour quelque chose. Elle se déplace pour éviter de l'effleurer à chaque mouvement.

– As-tu peur?

Cette fois, elle ne peut nier. Elle ne répond pas, mais inspire profondément. Elle vérifie une dernière fois que l'arme est prête à tirer. Elle sent alors la main qu'Olivier pose sur la sienne. Il la presse légèrement.

– Ne t'inquiète pas. Je suis là.

Odélie tourne la tête vers lui, impressionnée par l'assurance du garçon. Son regard intense l'enveloppe alors, telle une vague déferlante, et Odélie se sent un peu étourdie, mais étrangement en confiance, malgré le danger environnant. Elle ne dit rien, mais lui rend son étreinte.

Puis elle ferme les yeux et savoure ce moment. Olivier a laissé sa main et elle l'entend qui se redresse sur les genoux, disposant devant lui les balles et la corne à poudre pour être prêt à recharger dès qu'Odélie aura fait feu. Elle aime qu'Olivier la traite comme il le fait. Avec lui, elle n'a pas besoin de faire la délicate. Il accepte qu'elle grimpe aux arbres, qu'elle aime prendre des lièvres aux collets, qu'elle chasse comme n'importe lequel des garçons du village. Il accepte aussi qu'elle tire mieux que lui et c'est pour cette raison qu'il trouve plus efficace de recharger les armes pour qu'elle puisse se concentrer. Avec lui, Odélie peut être elle-même et cela lui plaît.

Elle soupire de contentement et fixe son attention sur les Anglais qui mettent pied à terre. La dernière fois, il n'a fallu que trois balles pour les faire déguerpir. Trois balles, qui ont fait trois blessés en moins de trois minutes. N'arrivant pas à repérer leurs agresseurs, les Anglais avaient fait demi-tour. Odélie et Olivier s'étaient réjouis de leur succès, tapis dans leur buisson, sur les hauteurs de leur promontoire. À eux deux, ils avaient réussi à repousser une nouvelle descente de l'ennemi sur la côte.

«Aujourd'hui sera un jour de gloire», songe Odélie, en pointant son fusil en direction d'un des soldats qui regarde dans sa direction.

– Vise l'officier, conseille Olivier. Ça sème la pagaille à tout coup.

Odélie cherche alors les dorures sur les uniformes, mais n'en trouve pas. C'est à ce moment qu'elle remarque qu'un deuxième soldat regarde vers leur buisson.

– Il n'y a pas d'officier. Mais on dirait qu'ils savent où nous sommes, chuchote-t-elle, soudain mal à l'aise à l'idée d'être à découvert.

– Pas d'officier? s'exclame soudain Olivier en se rapprochant. Imposs…

C'est alors qu'un troisième homme se tourne vers eux. Olivier se relève rapidement.

– C'est un piège! Il faut partir d'ici au plus vite!

Odélie se retourne, juste à temps pour apercevoir les masses sombres qui bloquent soudain le soleil. L'une d'elles s'empare d'Olivier.

– Lâchez-le! ordonne Odélie, en pointant son arme en direction des agresseurs.

Elle voudrait appuyer sur la détente pour secourir son ami, mais elle ne sait lequel viser. Un violent coup dans les reins lui fait perdre l'équilibre. Elle tombe à genoux et son fusil roule dans l'herbe. Immédiatement, deux hommes se ruent sur elle et la maintiennent fermement. Un autre homme apparaît à ses côtés. C'est l'officier qu'elle cherchait tout à l'heure.

— Ce ne sont que des enfants, lieutenant, dit celui qui retient Olivier.

— Enfants peut-être, mais ils ont blessé trois de mes hommes. Pas question de les laisser continuer à jouer aux soldats. Amenez-les à bord! Le général décidera de leur sort.

Odélie sent la panique l'envahir, mais elle ne quitte pas des yeux Olivier. Son regard calme lui redonne du courage. Ni l'un ni l'autre ne dit mot lorsqu'on les ligote et qu'on les force à descendre jusqu'à la plage où se trouve la deuxième chaloupe, celle qu'ils n'avaient pas vue arriver.

*

Quatre cents hommes! C'est tout ce que Bougainville a eu le temps d'assembler derrière lui pour s'opposer à un débarquement. Il a longé la côte depuis Cap-Rouge, suivant les mouvements des Anglais sur le fleuve. Trois jours durant, il a essayé d'anticiper leur prochaine action. Hier, ils n'étaient qu'une vingtaine à descendre à deux endroits différents. Ils n'y sont d'ailleurs restés que quelques minutes. Il n'a pas compris leur stratégie du moment, mais, ce matin, il les surveille de près. L'arme au poing, tapi dans un des boisés qui couvrent une partie du rivage, il ne les a pas quittés des yeux depuis deux heures.

Ils ne sont qu'une centaine à avoir mis pied à terre devant la Pointe-aux-Trembles et Bougainville est un homme patient, en amour comme à la guerre. Il attend, ses hommes aussi silencieux et attentifs que lui. Quand il croit le moment venu et que l'ennemi est à portée de pistolet, il donne l'ordre de faire feu.

Le bruit de détonations simultanées retentit dans la campagne. Une décharge, puis une autre, puis une autre encore. Et c'est la déroute.

Les Anglais sont refoulés, remontent dans leurs chaloupes et s'éloignent sur le fleuve en direction de la flotte qui attend au large. La plage est jonchée de soldats laissés pour morts.

Des cris de victoire s'élèvent entre les arbres. Les hommes se félicitent et quittent l'endroit où ils s'étaient embusqués, ravis de la tournure des événements. Seul Bougainville demeure sur place, perplexe. C'était trop facile. Il fait soudain demi-tour et rejoint ses troupes.

– Rassemblez les autres, ordonne-t-il. Ils vont revenir.

Ce n'est que plusieurs heures plus tard que s'effectue enfin le retour des Anglais. Mais cette fois, ils sont plus de mille, entassés à bord de chaloupes qui se rapprochent dangereusement du rivage.

Debout en bordure du bois, Bougainville les observe et réfléchit. Ils sont trop nombreux. Même s'il a réussi à rassembler quatre cents de ses hommes, ces derniers ne pourraient pas repousser un millier de soldats fonçant sur la plage.

– Ils ne doivent pas débarquer, conclut-il en se tournant vers ses hommes. Nous allons les attendre sur la crête. Il ne faut pas qu'ils atteignent la grève.

Moins de cinq minutes plus tard, tous les hommes sont installés. Bougainville a choisi une position stratégique. Quelques nuages passent devant le soleil, juste au-dessus de la crête, au-dessus des soldats dissimulés dans des taillis. L'ennemi est à portée de fusil, mais Bougainville attend. C'est quand le soleil revient qu'il donne l'ordre de tirer.

Les mille Anglais reçoivent une pluie de balles alors qu'ils sont encore dans les embarcations. Ils ne distinguent pas les tireurs à cause des rayons éblouissants du soleil de midi. Lorsque, consternés, ils finissent par rebrousser chemin vers leurs vaisseaux, ils doivent abandonner cinq cents hommes, gisant sur les galets.

Chez les Français, c'est l'euphorie. Les Indiens accourent sur le sable pour achever les blessés et lever les chevelures. Debout sur la crête, Bougainville demeure impassible. Un carnage comme celui qui se déroule sur la plage l'a déjà bouleversé, autrefois. Mais, en ce moment, son cœur est froid. Il a assouvi une vengeance personnelle à l'endroit même où son avenir a basculé. Dans sa tête, la raison qui justifie ce massacre se répète, inlassablement, comme s'égrèneraient les prières d'un chapelet. Si les Anglais n'avaient pas investi le petit village de la Pointe-aux-Trembles, il aurait encore une fiancée.

*

Il est plus de minuit, tous les réfugiés se sont regroupés devant l'Hôpital-Général. Plusieurs religieuses ont joint leurs rangs. Quelques blessés pouvant se déplacer les ont suivies. Tous ces gens assistent dans les ténèbres à une vision de l'enfer. Car d'aussi loin qu'une demi-lieue de Québec, on aperçoit l'incendie qui fait rage en basse-ville. Le ciel est sillonné du rouge des pots-à-feu et des boulets. Le bruit du bombardement gronde, tel un orage déchaîné. Il a redoublé d'intensité depuis une heure et le brasier engendré est monstrueux. Il semble que la ville entière soit la proie des flammes.

Devant l'hôpital, des enfants pleurent, d'autres gémissent, endormis dans les bras de leur mère. Des femmes atterrées secouent la tête, leurs joues mouillées de larmes silencieuses. Tout ce qu'elles possédaient vient d'être réduit en cendres. Non, l'enfer ne peut être plus horrible que ce cauchemar.

Un peu en retrait, Marie tient le bras de Daniel Rousselle qui tente de s'asseoir sur l'herbe humide. Sa jambe se porte mieux et il a pu marcher, avec l'aide de Marie, jusqu'à ce rassemblement. Lorsqu'il pose les yeux sur le feu qui illumine la nuit, il sent un frisson le parcourir. C'est le pire incendie qu'il ait vu de sa vie. Québec n'est plus que flamboiements et explosions.

Il jette un œil à Marie, debout à ses côtés. Une lueur rougeoyante baigne son visage torturé. Elle garde les yeux fermés et Daniel devine qu'elle prie pour que sa maison soit épargnée. Oubliant la frustration qui l'habite depuis qu'il est invalide, il saisit sa main. Elle est moite et froide, mais elle lui rend son étreinte. Daniel a pitié de cette femme que la guerre ne cesse d'affliger. Une soudaine vague de chaleur inonde son corps et le force à se tourner vers la ville incandescente.

Le plus grave est encore à venir, il le sait bien. C'est d'ailleurs ce qu'indique la mauvaise nouvelle parvenue à Québec, il y a quelques jours. Les forts de l'Ouest et du Sud sont tombés aux mains des Anglais. Il ne reste de la Nouvelle-France que les paroisses comprises entre Québec et Montréal. Qu'il est loin le temps de la gloire de la France! Daniel sent l'amertume le gagner et soupire.

Qu'ils sont loin ses propres jours fastes de commerçant! Ce soir, à cause de la débâcle de la colonie, l'inertie lui semble un fardeau plus lourd à porter.

Isolés dans la foule en pleine nuit, parmi les plus pauvres habitants de Québec, Daniel et Marie se soutiennent en silence, leurs pensées volant vers Jean, fils de l'un, fiancé de l'autre, qui se bat quelque part, sur un front français. Pourvu que la guerre lui évite le pire!

*

Il est six heures et demie du matin. Aucun rayon de soleil ne perce encore le feuillage des arbres lorsque environ trois cents Canadiens, Français et Indiens passent à gué la rivière Montmorency, loin en amont de la chute. La veille, un des éclaireurs a averti leur commandant, M. de Repentigny, que les Anglais construisaient de nouvelles défenses de l'autre côté du cours d'eau. Le chef a vite fait de rassembler ses hommes et se dirige maintenant avec eux vers l'ennemi. Il a deux objectifs en tête : ralentir la progression des travaux des Anglais et occuper ses propres soldats que l'attente tourmente.

La forêt est dense et, parce que la lumière tarde à y pénétrer, il est facile de s'y dissimuler. Aussi discrets que les animaux qui habitent les lieux, les hommes de M. de Repentigny avancent rapidement dans les sous-bois. En arrivant à l'orée d'une clairière, ils découvrent quatre cents soldats anglais construisant des palissades. Le commandant est sur le point de donner l'ordre de foncer sur eux lorsqu'il en aperçoit quatre cents autres qui montent la garde un peu en retrait. Changeant de tactique, M. de Repentigny fait feu sur les travailleurs, imité par ses hommes.

La première salve crée d'emblée un état de panique. Les Anglais ne distinguent pas leurs adversaires dans les broussailles. Les balles sifflent au-dessus de leurs têtes, plus d'une centaine de soldats s'effondrent aux pieds de leurs ennemis et le gros des troupes se replie vers le camp, poursuivi par les Canadiens.

Jean est le premier à remarquer un changement dans le comportement des Anglais. Après mille pas de traque, ils se retournent et recommencent à faire feu au lieu de fuir jusqu'à leur camp.

– C'est un piège! hurle-t-il en tirant sur la manche de Robichaud.

Son cri donne l'alerte, précédant les trois coups de canon dont les boulets fracassent les arbres des alentours. Deux à trois mille Anglais sortent alors d'un retranchement et font feu sur les assaillants, appuyés par leurs bouches à feu.

– Repliez-vous! ordonne M. de Repentigny.

Jean continue de courir. Son chapeau s'accroche à quelques branches et tombe sur le sol. Il se penche et le ramasse quand tout à coup une douleur lui déchire le bras. Il y porte sa main valide et, d'une pression, tente d'arrêter le sang qui se répand sur ses vêtements. Soutenu par Robichaud, il se sauve dans les bois, imitant le reste du détachement français qui enjambe sur son chemin les corps des cent cinquante Habits rouges abattus au début de l'escarmouche.

Un quart d'heure plus tard, les hommes de M. de Repentigny se regroupent avant de repasser la rivière. Satisfaits de leur matinée, ils sourient franchement et s'occupent de leurs sept blessés. Non seulement ont-ils réussi à arrêter les travaux, mais les Anglais, avec leurs propres canons, ont endommagé leurs nouvelles fortifications. Les Indiens Odawas qui s'étaient éloignés rejoignent maintenant le gros de la troupe. Ils brandissent fièrement les trente chevelures levées à l'ennemi. Jean, dont Robichaud est à panser la plaie, cherche en vain La Mire parmi eux. Il l'aperçoit finalement, seul, de l'autre côté de la rivière. Il l'a traversée sans attendre et sa démarche trahit sa frustration. Aucune nouvelle chevelure ne pend à sa ceinture.

*

— Ce n'est pas une blessure très grave.

— C'est vrai.

— Je crois que c'est une excuse pour venir à l'hôpital.

— On ne peut pas vraiment appeler cette grange un « hôpital ».

— C'est vrai.

Marie lui sourit et Jean admet que ce sourire valait, à lui seul, ce congé que lui a imposé M. de Repentigny. Arrivé, il y a moins d'une heure, il apprécie déjà la sérénité relative qui règne dans la grange. Il y a beaucoup de monde, mais pas de soldats armés, pas d'Anglais embusqués, et personne à abattre. Comme il déteste la guerre! Il ne s'y habitue tout simplement pas. Et en ce moment, le commerce lui manque, parce que celui-ci évoque des jours heureux, passés et à venir.

Il a enlevé sa chemise et s'est adossé au mur, son bras appuyé sur une bûche pour le maintenir à la verticale. Il observe Marie qui nettoie la plaie et refait le pansement, croisant son regard de temps en temps. Ses yeux sont chargés d'affection et ça le rassure de constater que ses sentiments à son égard n'ont pas tiédi. Il baisse la tête et cherche quelques rondeurs sur son ventre. Il n'en trouve pas. Pas encore.

«Plus que quelques semaines à cacher cette grossesse, songe-t-il. Les Anglais ne sauraient demeurer longtemps sur le fleuve à l'approche de l'automne. Seulement quelques semaines et...»

— Je ne comprends toujours pas pourquoi le gouverneur vous a fait transférer au sault de Montmorency, dit Marie en attachant le dernier morceau du tissu. Tous les hommes qui quittent l'hôpital sont envoyés à la garnison de la ville. Il me semble que c'est ridicule de vous envoyer ailleurs si on manque d'hommes ici.

— Il avait peut-être deviné que c'est là que Wolfe tenterait de débarquer en premier.

Jean lui ment et déteste le faire. Mais il ne s'est toujours pas résolu à lui dire la vérité au sujet de l'ingérence de Bougainville dans l'assignation des troupes. Car, malgré qu'il soit son rival, il a beaucoup de respect pour cet homme, pour ce qu'il a déjà accompli. Il se trouverait lâche de le discréditer aux yeux d'une femme sans lui laisser l'occasion de se justifier.

— Comment va mon père? demande-t-il pour changer de sujet.

— Avec un peu d'aide, il réussit à marcher. Si sa jambe a pris du mieux, ce n'est pas le cas de son mauvais caractère. Chaque fois qu'il entend parler d'un soldat guéri qui rejoint la garnison, tout le monde en est quitte pour un air bougon et une série de commentaires déplaisants.

Marie a fait exprès de parler à voix très forte, s'assurant ainsi d'être entendue par Daniel qui fume sa pipe, assis sur le sol près de la porte ouverte. Ce dernier émet d'ailleurs un grognement hargneux, sans pour autant quitter des yeux le va-et-vient des véhicules charriant les blessés.

Marie demeure un moment accroupie près de Jean, la main posée sur son épaule, seul contact convenable étant donné la promiscuité de la grange. Elle laisse ses doigts glisser et descendre jusqu'à la tache sombre sur son torse.

— Qu'est-ce que c'est? murmure-t-elle, en suivant du bout des doigts l'étrange animal tatoué sur la peau mate.

— C'est…, commence-t-il. C'est la preuve que je suis un homme.

— Est-ce que ça t'a fait mal?

— Non! ment Jean, irrité par la question.

Jamais un guerrier n'admettrait la souffrance. Mais Marie n'est pas au courant de ces coutumes indiennes. Pas plus qu'elle n'est au courant que Bougainville s'y est soumis de lui-même, chez des Indiens des Pays-d'en-Haut. Si cet usage a été maintes fois pratiqué par les Canadiens qui ont épousé des Indiennes, peu de Français ont accepté ce rituel d'adoption. Et encore moins d'officiers! C'est de là que vient le respect que Jean a pour Bougainville, de même que celui qu'éprouvent les autres Indiens que le jeune colonel a fréquentés.

— Je vais retourner voir le curé, dit-il au bout d'un long silence.

Marie lève les yeux vers lui, mais elle ne dit rien. Chaque jour, elle prie pour que cette guerre finisse, pour que les Anglais lèvent le camp et fassent voile vers leurs colonies. Elle voudrait ce mariage au plus vite pour régulariser sa situation et vivre sa grossesse dans la paix. Elle voudrait manger à sa faim. Elle voudrait avoir une maison qu'elle préparerait pour l'hiver et de l'intimité pour se blottir dans les bras de son époux, les matins frisquets. Elle voudrait qu'Odélie revienne pour qu'elle la serre contre elle. Elle voudrait que cette naissance ne lui fasse pas si peur et que leur enfant survive. Elle voudrait que Jean soit près d'elle tout ce temps, qu'il ne la quitte plus. Ah! si sa blessure avait été plus grave sans être dangereuse... Mais ce souhait lui pose un problème de conscience. Jean repartira; elle ne le voudrait pas moins courageux.

— Allons faire une promenade au bord de la rivière, dit-elle en se levant. Ce sera...

Elle ne termine pas sa phrase. Les murs de la grange basculent. Ses jambes fléchissent. Les bras de Jean la rattrapent juste à temps. Elle demeure un moment pendue à son cou, supportée par son bras valide.

— Je crois que tu devrais t'asseoir, murmure-t-il contre son oreille.

— Non, je vais mieux. Le grand air me fera du bien. On étouffe ici.

L'odeur de la crasse lui est en effet intolérable. Jean glisse son bras autour de sa taille et l'aide à franchir les quelques pieds qui les séparent de la lumière du jour. Sur le bord de la porte, Daniel s'est levé en même temps que son fils, prêt à venir au secours de Marie si Jean éprouvait de la difficulté à la soutenir. Il s'est rassis en constatant que personne n'avait besoin de lui. Il observe, silencieux, le couple qui s'éloigne vers la rivière.

Même si les effluves enfumés provenant de la ville planent encore au-dessus de l'hôpital, Marie se sent mieux dès qu'elle quitte la grange. Un vent léger souffle sur son visage et dissipe la nausée qui couvait au fond de ses entrailles. Ils atteignent les berges en évitant tout mouvement hardi à cause du soleil ardent de midi. Ils remontent ensuite de quelques centaines de pieds pour se mettre sous le couvert des arbres. L'air y est plus frais. Jean s'est adossé au tronc de l'arbre et attire Marie près de lui, la serrant dans ses bras. Il enfouit soudain son visage dans ses cheveux.

— Je t'aime, glisse-t-il à son oreille, collant sa joue plus fort contre la sienne.

— Je t'aime, répète-t-elle, en levant la tête pour laisser cours à son désir d'embrasser son amant.

*

— Déposez-la au pied du lit.

Antoinette a brisé le silence qui régnait dans la salle, sans pour autant troubler le sommeil des malades. Le soldat qui accompagne la religieuse dépose une lourde malle sur le sol, fait demi-tour sans dire un mot et s'éloigne vers la sortie. Ses pas résonnent, sourds, sur le plancher encore humide de vinaigre.

— *Thank you*, dit la voix faible du jeune Anglais.

Surprise, Antoinette s'approche de lui, pose une main sur son front et secoue la tête, l'air découragée.

— Vous ne dormiez pas? Vous devriez pourtant. Vous faites encore de la fièvre. Montrez-moi vos plaies.

Elle soulève le drap et l'homme relève lui-même sa chemise, habitué à ce rituel quotidien.

– Hum! Ça n'a pas l'air bien du tout. Il faudra faire venir le chirurgien.

Elle redescend la chemise et remonte le drap, songeant que l'état de son patient s'aggrave dangereusement avec le temps. Cependant, elle ne laisse pas paraître son inquiétude et ouvre la fenêtre. Elle commence ensuite à lui raconter les dernières nouvelles, comme elle le fait chaque jour depuis qu'elle a décidé que cet homme avait besoin d'elle, Anglais ou pas. Un vent chaud s'engouffre dans la salle et souffle sur le corps brûlant du capitaine.

– La rumeur voulant que votre armée ait pris le fort Niagara a provoqué un véritable exode à Montréal. Nous avons assisté hier au retour des bourgeoises de Québec qui avaient couru s'y réfugier au début de l'été. Nous n'avions plus de place la semaine dernière pour accueillir qui que ce soit. Nous en avons encore moins ce matin, si la chose est possible. Il semblerait que notre hôpital soit l'endroit le plus sécuritaire de toute la Nouvelle-France. On peut donc dire que vous êtes chanceux d'être ici!

Antoinette sourit, car ce monologue l'égaye. Il lui plaît de voir ce regard perplexe qui cherche à comprendre son discours, se demandant pour quelle raison une religieuse prodigue autant de soins à un ennemi. Elle s'est elle-même posé la question au début. Mais la présence qui avait d'abord suscité en elle malaise, inconfort, parfois répugnance, a fini par l'attirer. Plus elle s'occupe de l'Anglais, plus elle apaise le chagrin qui couvait encore dans son âme. Si elle avait rencontré Robert dans sa jeunesse, quand il aurait été possible qu'elle se marie, et si elle lui avait donné un fils, ce dernier aurait aujourd'hui l'âge de l'officier étendu devant elle.

Mais Antoinette garde ses réflexions pour elle et continue son bavardage anodin, aidant son patient à se soulever pour qu'elle puisse lui placer un oreiller derrière la tête.

— Vous allez encore avoir un visiteur aujourd'hui, capitaine Ochterloney. Nos pensionnaires semblent décidément apprécier votre compagnie. L'un d'entre eux m'a dit que votre conversation était la plus agréable qu'il ait entendue depuis longtemps. Il est bien dommage que je ne puisse en profiter.

En effet, Antoinette n'a pas fait revenir Marie auprès de son malade comme traductrice. Elle a accepté d'échanger avec lui par signes, et cela lui suffit maintenant. Si elle ne comprend pas sa langue, elle saisit l'essentiel : la douleur et le bien-être, l'inquiétude et le calme, qu'elle lit aisément sur les traits de son visage.

L'homme l'observe toujours avec intensité. Antoinette devine qu'il cherche dans ses mots des sons qui lui seraient familiers. Mais même s'il n'en comprend pas le sens, lui non plus, elle a remarqué que ses paroles le rassurent. Ou peut-être est-ce sa voix ? C'est vrai qu'elle revient chaque matin à son chevet, qu'elle passe une partie de ses journées à lui rappeler qu'il est encore en vie, même s'il est prisonnier. Le Français qui l'a sauvé a raconté à Antoinette comment il l'a dissimulé aux yeux des Indiens qui le poursuivaient. Elle en frémit encore en imaginant son protégé, tombé entre leurs mains.

Pour le moment, elle a une bonne nouvelle à lui annoncer. Elle retourne au pied du lit et désigne la malle déposée sur le sol.

— Votre général Wolfe a fait porter vos affaires.

– *General Wolfe?* redit le capitaine, visiblement ravi d'avoir enfin reconnu quelque chose dans la mélodie quotidienne de la religieuse.

– Oui, «votre» général Wolfe. Voulez-vous vous raser ce matin? Je peux vous apporter de l'eau chaude et…

– Raser, oui, répète-t-il, fébrile.

Antoinette s'immobilise en entendant le jeune homme s'exprimer en français.

– Tiens, tiens. On commence à me comprendre. Il faut dire que je vous parle sans arrêt. C'était inévitable que vous finissiez par me répondre un jour. Alors, vous raser, oui?

Le capitaine hoche la tête et Antoinette se dirige vers la malle qu'elle pousse sur le côté du lit.

– Vous permettez que je fouille pour y prendre votre rasoir?

Le jeune homme déchiffre le sens de ses gestes, et fait oui de la tête. Antoinette sort un premier livre qu'elle dépose sur le lit sans quitter le capitaine des yeux, craignant qu'il ne s'offusque de la voir ainsi fouiner dans ses affaires. Puis, comme ce dernier ne semble pas s'opposer à ce qu'elle vide le coffre, elle sort les autres livres, une poignée de lettres, quelques vêtements. Le jeune homme l'observe, tendant la main de temps en temps pour voir de plus près tel livre ou telle lettre. Lorsqu'elle lui présente le portrait miniature d'une jeune fille d'une quinzaine d'années, il rougit et l'approche de ses yeux pour l'admirer.

– C'est votre fiancée?

– Fiancée, oui.

Antoinette perçoit la tristesse qui envahit l'Anglais. Le regard fixé sur l'image, il examine chaque détail de ce visage de porcelaine, de cette chevelure blonde et bouclée, de ces épaules fragiles. Émue, elle revient vers lui et pose une main sur la sienne sans dire un mot. Ce geste communique plus sûrement que n'importe quelle parole la sympathie qu'elle éprouve pour lui. Ochterloney sourit et lui remet le portrait. Elle trouve enfin ce qu'elle cherchait dans la malle, puis y range tous les effets déposés sur le lit. Elle place ensuite le rasoir et le blaireau sur le bord de la table de chevet et saisit la cruche vide.

– Je vais vous chercher de l'eau chaude. Ce ne sera pas long.

Elle s'éloigne d'un pas léger, consciente d'avoir trouvé ce que toute sa vie elle a cherché, qu'elle avait reconnu, l'année précédente, mais que la guerre lui avait vite enlevé. Et maintenant, c'est cette même guerre qui le lui ramène. Cette fois, il y a dans cette affection toute chaste un mince filet de bonheur dont elle n'a plus à avoir honte.

CHAPITRE VIII

Recroquevillée contre le mur, dans le fond de la cale d'un navire anglais, Odélie se retient de pleurer. De temps en temps, elle renifle et sent, malgré la pénombre, le regard désapprobateur d'Olivier posé sur elle. L'orgueil prend alors toute la place dans son esprit.

«Si Olivier ne pleure pas, se dit-elle, je ne pleurerai pas non plus.»

Depuis qu'ils sont prisonniers, Olivier est demeuré silencieux, adossé au mur, l'ignorant comme si elle n'existait pas. Elle aimerait tellement qu'il lui adresse la parole, qu'il la rassure comme il le faisait dans le buisson, quand la tension devenait trop grande! Or, en ce moment, il semble replié sur lui-même. Cela la déçoit. Pour éviter de céder à la panique, Odélie réfléchit au moyen de se sortir de là.

Cela fait bien trois jours qu'ils sont enfermés. Quelqu'un aura alerté M. de Bougainville qui viendra certainement les chercher.

«C'est un colonel, se répète Odélie. Et il me connaît. Il ne me laissera pas pourrir ici.»

Soudain, elle aperçoit une forme sombre qui rampe le long du mur et qui approche rapidement.

Une forme oblongue dont l'extrémité, plus mince, traîne sur le sol.

— Un rat! s'exclame-t-elle en se levant à toute vitesse.

— Bien sûr qu'il y a des rats, dit Olivier d'une voix monotone. On est sur un bateau!

— Je n'aime pas les rats.

— Ben, faut pas en manger dans ce cas.

— Je ne parle pas d'en manger. Je ne les aime pas, c'est tout.

Olivier émet un grognement qu'Odélie interprète comme un rire cynique. Elle s'en veut. Elle aurait dû se taire. Maintenant, il va croire qu'elle est faible.

— Pourquoi tu dis rien? demande-t-elle tout à coup, espérant que son compagnon verra là l'occasion de s'exprimer.

— Parce que je pense. De toute façon, je n'ai rien à dire.

Odélie serre les dents. Elle n'a jamais imaginé qu'Olivier pouvait être aussi... insupportable. Elle continue de rager intérieurement pendant une bonne demi-heure, lorsque Olivier se lève et vient s'asseoir près d'elle.

— As-tu faim?

Elle fait oui de la tête. Quand on leur a apporté à manger la première fois, elle n'a pas vidé son assiette, convaincue que leurs geôliers reviendraient à l'heure du souper. Mais ils ne sont pas venus. Et puis le lendemain, la ration a été diminuée de moitié. Ce matin, elle s'est donc ruée sur la nourriture, trop affamée pour songer à en mettre de côté. Mais Olivier, lui, y a pensé. Il sort de sa chemise un bout de pain sec enroulé dans un mouchoir.

– Mange ça. C'est très mauvais, mais ça te soutiendra peut-être jusqu'à demain. La prochaine fois, il ne faut pas tout manger. Il faut en garder pour plus tard.

Odélie hoche la tête, la bouche trop pleine pour répondre. Ils demeurent ainsi longtemps, en silence, côte à côte. De temps en temps, Olivier soupire, comme s'il s'apprêtait à dire quelque chose. Mais il ne dit rien.

Lorsque la porte de leur cachot s'ouvre, deux marins pénètrent à l'intérieur. Olivier et Odélie se sont immédiatement levés, alarmés. On leur attache les poignets et ils suivent un des hommes à l'extérieur, pendant que l'autre ferme la marche.

Ils atteignent le pont et Odélie respire à fond. L'air frais du fleuve est un réel soulagement après les effluves putrides de la cale. Mais si Odélie se sent à ce point alerte, c'est parce qu'elle sait qu'on les conduit au général Wolfe. Depuis qu'ils sont montés à bord, elle n'a cessé de se demander si elle devait les informer qu'elle parle anglais. Mais elle s'est vite aperçue que de le leur cacher lui donnait un avantage. Elle peut écouter les conversations qui, autrement, n'auraient pas lieu en sa présence. C'est ainsi qu'elle a compris qu'on allait les interroger, que le général lui-même voulait s'entretenir avec eux.

Odélie regarde partout au fur et à mesure qu'ils avancent dans la nuit, sur le pont désert. Elle n'a jamais vu un si gros navire. Habituellement, chaque fois qu'elle pose le pied sur un bateau, elle devient étourdie. La sensation de flottement en elle s'accentue jusqu'à devenir intolérable et elle se retrouve à quatre pattes, vomissant dans un seau. Or, en ce moment, le vaisseau est à l'ancre et plutôt stable, c'est pourquoi son temps en prison ne l'a pas encore incommodée physiquement.

Le petit groupe s'arrête soudain devant une porte close. Le premier gardien frappe deux coups et la porte s'ouvre sur la salle du conseil du navire. On les pousse à l'intérieur. Les gardiens ont disparu et les deux enfants sont maintenant seuls avec l'officier assis à l'autre bout de la table.

— Assoyez-vous, les enfants, dit l'homme en français.

Odélie s'avance vers une chaise, mais se ravise en constatant qu'Olivier demeure debout. Elle se replace à côté de lui et prend le même air arrogant. Cependant, le général, lui, a l'air affable et leur sourit.

— Savez-vous qui je suis ? demande-t-il, visiblement amusé par l'attitude insoumise des enfants.

— Vous êtes le général Wolfe ! lance Odélie en relevant le menton. Celui qui a fait brûler le village et bombarder la ville.

Elle regrette cependant d'avoir parlé, car le coude d'Olivier s'enfonce dans ses côtes.

— Puisque vous savez qui je suis, me ferez-vous le plaisir de vous présenter également ?

Odélie ouvre la bouche, mais un bref regard à Olivier la dissuade de parler. Elle se contente encore de l'imiter. C'est à ce moment qu'elle se rend compte que le vent s'est levé. Dans son corps, elle sent un vertige qu'elle connaît bien et qu'elle déteste. Malgré son désir de paraître forte, elle doit s'avancer vers la table et prendre place sur une chaise. Ses bras, bien que liés aux poignets, sont allongés sur la nappe, comme si, dans cette position, Odélie espérait arrêter le mouvement du navire.

Olivier a dû s'apercevoir de son malaise, car il l'a rejointe. Il l'a même frôlée en passant près d'elle. Est-ce pour la rassurer? En tout cas, c'est l'effet que ce geste a sur son esprit. Elle plonge son regard dans le sien et y lit la question qui lui bourdonne dans la tête depuis un moment. Qu'est-ce qu'on fait maintenant?

Wolfe ne sourit plus. Il a même l'air impatient lorsqu'il se lève et se dirige vers eux. Il dépose alors devant Odélie une lanière de cuir tout en lui demandant:

— La perspective du fouet vous persuaderait-elle de me donner votre nom, jeune homme?

L'image qui vient à l'esprit d'Odélie n'a rien de plaisant. Elle comprend qu'il ne faut pas trop indisposer le général et que son déguisement fonctionne bien. Mais Olivier a déjà décidé qu'elle ne goûterait pas au fouet.

— Je suis Olivier Lafleur, général, fils de Maturin Lafleur, de la Pointe-aux-Trembles.

Odélie hésite encore à parler, car qu'on la prenne pour un garçon pose quand même un certain problème. Si elle ne donne pas son vrai nom, comment pourrait-on demander une rançon en échange de sa libération? Une lueur brille soudain dans ses yeux.

— Je me nomme Charles de Beauchêne. Je suis le fils de la veuve Marie de Beauchêne, de Québec. Ma mère a été enlevée par vos hommes il y a trois semaines.

Oui, Odélie est fière d'elle. Avec ce nom, sa mère comprendra qu'elle a repris ses habits de garçon pour sa propre sécurité. Elle ne lui en voudra pas.

Cependant, la réaction du général la laisse perplexe. Elle s'attendait à ce qu'il soit simplement satisfait des réponses qu'il a obtenues. Mais, en ce moment, les traits de Wolfe trahissent une jubilation qu'elle ne s'explique pas. Olivier non plus, car il a rapproché sa chaise de celle d'Odélie, comme s'il craignait que ce changement d'humeur du général ne soit de mauvais augure.

– Eh bien! Charles de Beauchêne et Olivier Lafleur. Je vous souhaite un agréable séjour à bord de mon vaisseau. Vous comprendrez que je ne peux pas vous laisser retourner à terre. Vous avez déjà blessé trois de mes hommes dont deux sont encore bien mal en point et…

– J'en aurais abattu davantage, lance Odélie avec dédain, s'ils ne s'étaient pas enfuis comme des lapins.

Wolfe a l'air de plus en plus heureux.

– Ainsi c'était toi! Je te félicite pour ton tir. Mes hommes m'ont dit que tu n'as pas perdu une seule balle.

Les yeux d'Odélie brillent de fierté, mais cela ne dure qu'un instant. Olivier lui pince le bras. Elle se tourne vers lui pour s'offusquer, mais il la regarde si sévèrement qu'elle se sent faiblir.

Le général a profité de cette distraction pour faire demi-tour et appeler un des gardiens. Lorsqu'il revient vers les enfants, son sourire s'est élargi jusqu'à paraître diabolique.

– C'était gentil de me fournir une excuse pour vous envoyer en Angleterre pour le reste de la campagne. En tant que prisonniers de guerre, cela va de soi. Vous devriez être bien traités.

Odélie devient blême. Olivier aussi. Le gardien les force alors à quitter la pièce. L'entretien est terminé. Juste avant qu'ils ne franchissent la porte, Wolfe leur lance:

– Étant donné votre mal de mer évident, je vais vous faire transférer dès demain matin sur un des vaisseaux qui s'apprêtent à redescendre le fleuve. Je vais demander à ce que vous soyez attachés à l'air libre. Ça vous évitera de vomir dans la cale pendant des jours.

Lorsque Odélie et Olivier sont de retour dans leur cellule, il leur faut longtemps pour se remettre de la décision de Wolfe. L'Angleterre. C'est tellement loin! Odélie hésite entre se mettre à pleurer et vomir son dernier repas. Elle opte pour le plus pressant et s'accroupit dans un coin de la cabine pour se soulager de sa nausée. Lorsqu'elle se relève, Olivier se tient tout près d'elle. Il lui tend son mouchoir.

– Je m'excuse. Attaquer les Anglais, c'était mon idée. Je n'aurais jamais dû t'entraîner avec moi. Maintenant, on ne reverra plus jamais Québec, ni le village, ni nos familles, ni…

Olivier ne continue pas. Le visage d'Odélie ruisselle de larmes. Il l'attire près du mur, l'assoit à ses côtés et glisse un bras derrière ses épaules. Odélie pleure longtemps cette nuit-là.

*

– Mais lâchez-moi donc! Ce bandage est devenu une véritable obsession chez vous!

– Ne soyez pas ridicule, monsieur Rousselle. Donnez-moi votre jambe! Mais cessez donc de bouger!

– Je n'ai pas besoin qu'on change mon pansement. Allez donc soigner quelqu'un d'autre!

Impassible, Marie saisit la jambe blessée d'une poigne de fer et la maintient, le temps d'attacher la dernière bande de tissu.

– Vous êtes le pire patient que j'aie jamais soigné, dit-elle entre ses dents, en déposant la jambe de Daniel Rousselle sur le sol.

– À voir comment vous travaillez, je dois bien être le seul que vous ayez jamais eu!

Insultée, Marie se lève et s'éloigne d'un pas forcé.

– Soignez-vous donc tout seul dans ce cas! lui lance-t-elle en atteignant la porte. Et ne vous plaignez surtout pas lorsque le chirurgien viendra vous chercher pour…

La lumière du jour l'éblouit complètement. En un instant, le mur de l'hôpital, les arbres, les voix des habitants s'emmêlent. Marie ne sent plus ses jambes, ni la terre battue sous ses pieds, sur laquelle elle s'effondre.

Lorsqu'elle ouvre les yeux, elle distingue à peine dans la pénombre les instruments aratoires suspendus au plafond de la grange. Elle est allongée sur la paille, en retrait de la porte. Daniel Rousselle est agenouillé à ses côtés.

– Ça va mieux, Marie?

C'est la première fois qu'il l'appelle par son prénom. La situation doit être critique. Il continue de lui parler, mais elle n'arrive pas à se concentrer sur ses paroles. Elle s'attarde uniquement à ce ton si doux et si nouveau. Se moque-t-il d'elle? Pour s'en assurer, elle se redresse, mais s'affaisse aussitôt, repoussée par les bras solides de Daniel.

– Restez allongée, Marie. Surtout, n'essayez plus de vous lever. Vous avez failli me faire mourir de peur. Mais restez donc tranquille!

– Que s'est-il passé?

Elle se rend soudain compte qu'il s'est écoulé plusieurs minutes entre leur conversation orageuse et son réveil dans cette position.

– Vous vous êtes évanouie. C'est à cause du nouveau rationnement. Un quart de livre de pain par jour n'est pas suffisant pour quelqu'un qui bouge et s'occupe des malades. Il me semble que si le magasin du Roy ne peut plus nourrir la population, le gouverneur devrait songer à rendre la ville aux Anglais. De toute façon, qu'en reste-t-il donc? Quelques ruines et une foule de gens affamés ne changeront pas le sort de cette guerre. Non, Marie! Ne bougez pas!

Elle a relevé la tête, mais la sentant trop lourde, elle la repose sur le sac rempli de foin placé sous sa nuque. Elle a fermé les yeux et son esprit divague. L'odeur du feu, la lumière rougeoyante dominant la ville. La cathédrale écroulée, le séminaire percé de part en part et le grondement incessant des canons qui lui harcèle les tympans. À quoi ressemblera sa vie après la guerre? Que restera-t-il de la maison de Charles? L'enfant qu'elle porte vivra-t-il? Et Odélie? «Que devient donc Odélie si loin, à la merci d'une descente des Anglais? Jean, où es-tu?»

Elle cherche dans les méandres de son esprit un signe pouvant la ramener à la réalité. Les bruits de la grange, les voix familières, le grincement des charrettes devant la porte. Elle s'y accroche et les trouve rassurants. Brusquement, les enfants se taisent.

Marie finit de tout remettre en place dans sa tête. Lorsqu'elle est certaine que rien de ce qui devrait être immobile ne bouge, elle ouvre enfin les yeux. Elle ne reconnaît pas cette chevelure parsemée de fils d'argent et retenue par un ruban usé. Qui est cet homme assis sur le sol à ses côtés et qui lui tourne le dos ? Elle entend sa voix, basse et posée. Il murmure quelques mots aux enfants qui se sont approchés, l'air inquiets. Elle reconnaît alors Daniel Rousselle. Son attitude est si différente qu'elle en est troublée. C'est la première fois qu'elle le voit si « soigné » et « affable » depuis Louisbourg. Il a attaché ses cheveux sur sa nuque, s'est rhabillé décemment, s'est lavé quelque peu. Combien de temps a donc duré son délire ? Daniel se retourne et, constatant que Marie a repris conscience, il lui parle doucement :

— Je vous ai trouvé un peu de pain, dit-il en lui faisant un clin d'œil. Mangez-le tout de suite avant que la personne à qui je l'ai volé ne s'en rende compte.

Il lui soulève la tête et lui en met un morceau dans la bouche. La mie est complètement sèche. Il s'agit sans doute d'une réserve que quelqu'un s'était faite et avait cachée quelque part dans la grange. Marie apprécie le sacrifice, car Daniel aurait pu garder ce pain pour lui-même. Elle avale les bouchées successives et les bienfaits de la nourriture se font sentir au bout de quelques minutes. Son estomac s'apaise, les étourdissements se font moins violents et elle peut se soulever sur les coudes.

— Merci, murmure-t-elle en évitant le regard satisfait de Daniel.

— De rien, madame. Si vous vous évanouissez de nouveau, je me porte volontaire pour être votre garde-malade. Que diriez-vous d'une promenade au grand air ? Je crois que cela vous ferait beaucoup de bien. Ici, ça commence à puer drôlement.

Marie hoche la tête et, oubliant la jambe du blessé, elle se laisse soulever et mettre debout. Elle accepte ensuite le bras qu'il lui offre et tous deux quittent la grange, profitant d'un répit dans les hostilités.

*

Il est quatre heures du matin. Dans la moiteur du jour naissant, Wolfe s'avance dans les ruines d'une paroisse incendiée. Deux soldats lui servent d'escorte, surveillant les alentours pour guetter le piège que le général redoute chaque fois qu'il met pied à terre. Une toux persistante trahit en permanence ses déplacements. Puisqu'il n'arrive pas à la guérir, il lui faut prendre ses précautions.

Le point de rendez-vous n'est d'ailleurs jamais bien loin. Ce matin, il se trouve derrière le dernier bâtiment de cette ferme abandonnée. C'est là que devrait se trouver son allié, le traître. Bien sûr, il n'est pas très fier de cette méthode, mais c'est la guerre. Et l'Angleterre est prête à tout pour la gagner.

Au détour d'un mur plus bas que les autres, il aperçoit la silhouette désormais familière. L'homme attend, lui tournant le dos, son corps entièrement dissimulé sous une grande cape noire. Wolfe fait signe à ses deux gardes de l'attendre au bord de l'eau et lui remonte jusqu'aux décombres de la maison. Il se place en retrait, derrière un amoncellement de pierres. Le traître ne veut pas qu'on puisse l'identifier. Et il croit toujours que Wolfe n'a pas découvert qui il est.

— Je suis là, dit-il pour signaler sa présence.
— Je vous attendais, général.
— Vous êtes bien ponctuel, mon ami. Votre femme et vos enfants vont bien ?

Silence. Le traître prend un moment pour répondre :

— Ils vont bien, général. Vous m'avez fait demander ?

— Oui. J'ai un message pour vous. Je le dépose ici, le long du mur.

Il se penche et glisse une lettre entre deux pierres.

— Pour qui est ce message ? demande le traître.

— Pour une dame de Québec. Marie de Beauchêne.

— La veuve de Charles ?

La voix du traître trahit son incrédulité.

— Non. Sa mère. Charles est bien trop jeune pour être marié.

— Sauf votre respect, général, je connais Marie de Beauchêne et je vous assure qu'elle n'a pas de…

Wolfe l'interrompt, irrité :

— Cela pose-t-il un problème à l'accomplissement de votre mission ?

— Mais général, il s'agit de la veuve de…

— Ça suffit, mon ami ! coupe Wolfe, exaspéré.

Il déteste que ce traître essaie de mettre en évidence sa bassesse. Oui, l'Angleterre est vraiment prête à tout pour gagner cette guerre. Même à faire chanter une veuve.

— Je vous demande simplement, poursuit-il avec plus de calme, d'apporter un message à une dame. Cela ne peut pas causer de grandes difficultés à un homme avec vos talents !

— Non, général. Vous avez raison.

— Alors, croyez-vous que vous puissiez accomplir cette mission dans un délai raisonnable ?

— Oui, général. Dois-je attendre une réponse de la part de la dame ?

– Je l'espère bien, mon ami. Je l'espère bien.

*

Les nuages s'entassent au-dessus de la forêt, telles des boules de coton dont les crêtes ocre scintillent dans le soleil couchant. Marie et Daniel ont atteint le bord de la rivière et longent la berge en silence. Daniel est plongé dans ses pensées. Il a décidé qu'il était temps qu'il reprenne sa vie en main. Chaque jour, quand le soleil baissera à l'horizon et que la chaleur se fera moins accablante, il fera une promenade. Il sait que l'inaction le torture davantage que sa jambe.

Ce soir, il aimerait profiter de ce moment loin de la grange pour parler avec Marie de ce qui le tracasse. Dès que Jean remettra les pieds à l'hôpital, Daniel exigera qu'il marie cette femme sur-le-champ. Ce n'est pas convenable de faire durer cette… situation! Mais Jean est-il au courant? C'est ce qu'il voudrait demander à Marie. Car lui, il a deviné depuis longtemps ce qui la tourmente. Il faudrait qu'il soit puceau ou bien idiot pour ne pas avoir reconnu les symptômes d'une grossesse. Les évanouissements et les nausées matinales, il les a vus chez sa femme, ainsi que chez d'autres femmes du village micmac et de Louisbourg. Et il y a ce besoin de s'isoler du reste des habitants de la grange. Habituellement, les femmes ne se cachent pas, sauf lorsqu'elles sont sans époux légitime. Dans ce cas, la famille s'empresse d'organiser des noces. C'est d'ailleurs ce qu'il fera dès qu'il mettra la main au collet de son fils.

Comment diable aborder cette question avec une femme aussi entêtée et aussi difficile que Marie de

Beauchêne? Elle serait bien capable de lui sauter au visage si elle considère qu'il l'a insultée.

« Un mariage sera facile, songe-t-il. Depuis que les dernières bombes ont atteint le faubourg Saint-Jean, le curé Récher est venu s'installer à l'hôpital lui aussi. Il y aura gros de monde à la messe! »

Cette image d'un mariage parmi tant de miséreux ne le fait sourire qu'un instant. Car ce qui est plus grave, c'est que, si ce mariage tarde, ces mêmes gueux seront impitoyables envers Marie lorsqu'ils découvriront son secret. Daniel cherche donc un sujet de conversation neutre pour briser le silence qui règne entre eux depuis qu'ils ont dépassé les bâtiments principaux de l'hôpital.

— J'ai ouï dire qu'un prisonnier, vous savez, ce capitaine des grenadiers ennemis? eh bien! il est mort, il y a quelques jours. Il paraît que...

Marie s'arrête, blêmit.

— Qu'est-ce qu'il y a? Vous le connaissiez?

Marie hoche la tête. Oui, elle le connaissait. Mais, c'était surtout Antoinette... Si depuis son arrivée à l'hôpital, sa belle-sœur avait trouvé le moyen de donner un sens à vie, elle n'avait vraiment retrouvé une joie de vivre que depuis qu'elle soignait le jeune Anglais. Lorsqu'elles se voyaient et qu'elles pouvaient s'isoler des blessés et des autres religieuses, Antoinette lui racontait les progrès que faisait le capitaine qui apprenait quelques mots de français chaque jour. Comme elle se réjouissait de le voir prendre du mieux! Et quelle doit être sa détresse maintenant!

Il faudrait qu'elle aille lui parler. Elle ne peut pas la laisser seule. Antoinette va avoir besoin d'elle, plus que jamais. Marie tente de faire demi-tour, mais Daniel continue d'avancer, forçant Marie à le suivre. Il veut réparer les dégâts que ses paroles ont causés.

– C'était un homme bien, il paraît. Son général l'appréciait au point d'avoir fait porter vingt guinées anglaises au soldat de Guyenne qui lui a sauvé la vie! Vous imaginez, une telle somme pour avoir sauvé un ennemi! Il va sans dire que le gouverneur a retourné l'argent, affirmant que le soldat n'a fait que son devoir.

Il se tait un moment, constatant l'absurdité de cette situation.

– À quoi tiendrait donc cette guerre si les soldats se mettaient à sauver la vie des ennemis pour recevoir des cadeaux? C'est tout de même dommage pour ce jeune officier. Il était bien charmant à ce qu'on dit.

Daniel a l'impression de monologuer. Il sait que Marie ne l'écoute plus depuis plusieurs minutes. Il ne parle que pour la distraire de la peine qu'il lit sur son visage. Il a pitié d'elle et cela le rend mal à l'aise. Comment pourrait-il aborder le sujet qui le préoccupe maintenant? Il n'a pas le temps de trouver une réponse à sa question, car le bruit d'une explosion le force à se jeter par terre en entraînant Marie avec lui. Le souffle de la déflagration balaie les environs et, lorsqu'il est passé, Daniel est pris de panique. Il aide Marie à se lever et l'attire sur le bord de la rivière. De là, ils aperçoivent une maison en flammes, touchée par une bombe, à moins de cinq cents pas devant l'hôpital. Le feu jaillit du toit et une colonne de fumée se mêle à l'encre du ciel à l'est.

«Ça va de mal en pis! songe-t-il en secouant la tête. Si les Anglais ont trouvé le moyen de lancer leurs bombes et leurs boulets aussi loin que l'Hôpital-Général, le dernier refuge des habitants vient de tomber. Personne ne sera plus à l'abri nulle part désormais. »

*

La lune n'est qu'un mince croissant au sud-ouest. Elle se découpe telle la lame d'une faux sur les ténèbres où sont dispersées les étoiles. De ces astres émanent les quelques filets de lumière qui permettent à l'Indien de repérer son chemin dans la forêt, entre les arbres, les rochers et les retranchements de l'ennemi. La Mire ne fait pas davantage de bruit qu'un renard à l'affût. Il avance dans le sous-bois, son corps, couvert de peintures de guerre, se fondant dans la nuit. Dans une de ses mains, un casse-tête prêt à s'abattre sur le premier Anglais qu'il rencontrera. L'autre main, appuyée de temps en temps à un tronc, lui permet de faire une pause.

« Pour mieux écouter », tente-t-il de se convaincre.

Oui, cette eau-de-vie lui a donné du courage. Le courage d'aller chercher par lui-même, directement sur la tête de ses ennemis endormis, les chevelures qui manquent à sa ceinture. Il n'aura plus honte désormais lorsqu'il traversera le camp des Français. Et les femmes le regarderont comme un homme lorsqu'il regagnera son village. Car, bientôt, les Anglais repartiront. Et lorsqu'ils seront loin, sur leurs bateaux, quels trophées restera-t-il aux guerriers qui ont déterré la hache de guerre ? Quel sang tachera leur casse-tête, prouvant la valeur de leur combat ? Non, La Mire refuse de regarder s'en aller l'ennemi sans même avoir de quoi séduire une femme ou impressionner les anciens. S'il est venu jusqu'ici, c'est pour se battre, pas pour regarder passer des bateaux sur le fleuve, comme le font les Français depuis deux mois. Oui, lui, il veut tuer.

Un craquement de bois sec s'élève dans l'obscurité. La Mire s'arrête, aux aguets. Les yeux mi-clos, il cherche la provenance du son. Il n'y a, dans la nuit, que le silence, pas même le souffle du vent à la cime des arbres. La Mire refait un pas et entend un autre craquement. Il lui faut plusieurs minutes d'immobilité pour se rendre compte que c'est son propre pied qui écrase une branche sèche tombée sur le sol. Il secoue la tête et esquisse un sourire béat.

«Comment s'appelle-t-il, déjà, le général anglais?»

Il lui semble qu'il le savait. Le général... Le général... Non, il ne doit pas avoir entendu prononcer son nom, sinon il s'en souviendrait. Mais oui, il connaît son nom. Le général... Bon. Ce général, peu importe son nom, dort en ce moment. Des hommes ont affirmé l'avoir vu se rendre à terre ce matin. Peut-être dort-il dans ce camp au bord la rivière. Quel homme il sera lorsqu'il reviendra avec sa chevelure!

«Tous les guerriers en seront jaloux», songe-t-il en bombant le torse.

Un autre bruit de bois sec s'élève dans la forêt. La Mire regarde le sol, mais ne distingue rien. Le feuillage d'un arbre lui bloque la lumière venant du ciel. Il soupire, rigole un peu, se trouvant ridicule de faire autant de bruit. C'est une chance que les Anglais soient encore à plus de trois cents pieds! Mais s'ils sont si loin, quelle est donc cette lueur, là, devant lui? On dirait un feu. Un feu de camp? Serait-il rendu si près du campement de l'ennemi? La Mire fait un autre pas, silencieux celui-là.

Eh oui! Là, derrière ces arbres, dans une petite clairière, plus de cent Habits rouges sont allongés sur le sol, loin devant des tentes où dorment certainement les officiers. Quelle chance! La Mire n'aura qu'à cueillir les chevelures des têtes tombées sous ses coups. Ils n'auront même pas le temps de se réveiller. Et personne n'en saura rien avant le petit matin, quand les officiers sortiront de leurs tentes et trouveront les corps de leurs hommes. On apprendra alors que lui, La Mire, porte à sa ceinture et autour de son cou plus de cent chevelures anglaises. Oui, cette nuit, ce sera SA nuit.

Il fait un autre pas et balaie du regard le camp anglais. Tout le monde dort. C'est trop beau! Fébrile, il lève le pied pour pénétrer dans la clairière quand, soudain, il sent un objet froid dans son dos. Il n'a pas le temps de se retourner. Quatre hommes apparaissent à ses côtés. Quatre hommes en habit rouge, les canons de leurs fusils appuyés sur son torse. Comment a-t-il pu oublier les veilleurs?

Les soldats anglais le bousculent, le forçant à serpenter entre les hommes endormis. Mais ces derniers s'éveillent les uns après les autres et une rumeur s'élève au fur et à mesure que La Mire traverse le camp. Il atteint les premières tentes, bousculé par les soldats qui prennent conscience de ce qui aurait pu leur arriver, n'eussent été ces hommes qui montaient la garde.

Partout autour de lui des voix s'exclament et La Mire ne comprend pas un mot de ce qu'on lui dit. On le mène à la dernière tente d'où sort un officier déjà habillé, probablement averti de l'arrivée du prisonnier.

L'officier s'adresse à lui dans la langue des Anglais, cette langue qu'il ne comprend pas. La Mire ne le regarde pas, honteux d'avoir été pris comme un lièvre dans un collet. Soudain, il reconnaît les mots qui sortent de la bouche de l'officier. Ce dernier lui parle en français maintenant. Et dans les mots qu'il prononce, l'Indien entend le nom qu'il cherchait depuis plus d'une heure : Wolfe. Le général Wolfe. Est-ce cet homme devant lui, qui donne des ordres ?

Deux soldats s'emparent de l'Indien, lui ligotant les mains. Ils l'entraînent vers la pente qui mène au fleuve. La Mire se retourne brusquement et revient sur ses pas, poursuivi par ses deux gardiens furieux. Ils le rattrapent et s'apprêtent à le malmener lorsque la voix de l'Indien se fait entendre pour la première fois. Il s'adresse à l'officier en micmac, lui demandant s'il se trouve vraiment devant le terrible général Wolfe. L'officier écoute sans comprendre les mots qui sortent de la bouche de l'Indien. Puis il reconnaît son nom, prononcé avec peine. Il hoche la tête en guise de réponse. La Mire sourit alors, satisfait, et se laisse emmener par ses gardiens. Quand il reviendra, il saura lequel tuer en premier. Il saura même où se trouve sa tente. Et à ce moment-là, il sera vraiment un grand guerrier.

Sur la grève, les Anglais font monter leur prisonnier à bord d'une chaloupe qu'ils poussent ensuite sur le fleuve. Ce soir, le Saint-Laurent est une nappe d'huile qui s'étend jusqu'à Québec. La Mire y distingue même le reflet des incendies qui ravagent encore la ville. Lorsque la chaloupe rejoint un des vaisseaux anglais et qu'on le force à monter à bord, La Mire résiste. Il n'a jamais mis les pieds sur un si gros bateau. Il faut qu'on le pousse à la pointe d'un fusil pour qu'il accepte de grimper à l'échelle de corde déroulée devant lui. Dès qu'il atteint le pont, une cinquantaine d'hommes l'encerclent, le dévisagent, haineux ; il soutient leurs regards sans broncher. Il n'a pas peur. Il est un guerrier. Ils peuvent le brûler vif qu'il ne poussera pas un cri. Heureusement pour lui, cela ne semble pas être le dessein des Anglais.

Ses deux gardiens le font descendre dans un escalier étroit. Avant de disparaître sous le pont, il a le temps d'apercevoir les marchandises qu'on a chargées et qui sont entassées un peu partout. C'est au niveau des canons, qu'on lui attache les bras et les jambes à un mur. Il ne peut pas voir le ciel, mais il sent l'air frais du fleuve sur son torse. Lorsqu'il est solidement attaché, un marin s'installe en retrait, chargé de garder un œil sur lui.

Il ne faut pas longtemps à La Mire pour comprendre ce qui l'attend. De nombreuses histoires racontent les enlèvements d'Indiens qui ne sont jamais revenus. L'angoisse naît au fond de lui. Assis sur le plancher de bois, le corps à peine couvert d'une couverture qu'on lui a remise pour la nuit, il écoute les bruits du navire. Certains des gémissements lui rappellent ceux de l'Hôpital-Général. On monte encore des caisses et des sacs qui heurtent de temps en temps la coque, avant de retomber sur le pont extérieur dans un grand fracas. Des ordres sont criés depuis un autre navire, causant un étrange va-et-vient. Il secoue la tête. Il doit rêver et ce qui se passe autour de lui doit faire partie de son délire.

C'est à ce moment qu'il remarque deux corps recroquevillés le long du mur, non loin de lui. Malgré la pénombre, il reconnaît l'un d'eux. Jamais il n'oubliera le visage de la gamine qui lui a tiré dessus sans trembler, visant mieux que ne l'aurait fait un guerrier. Il attend que son geôlier soit distrait, puis il étire la jambe et donne un coup de pied à l'un des enfants.

Olivier s'éveille en panique, replie ses jambes, protégeant Odélie de son corps. Mais la voix de celle-ci s'élève derrière lui, tel un murmure :

– La Mire, chuchote-t-elle. Tu es venu pour moi ?

Le gardien se tourne alors vers eux.

– Silence ! ordonne-t-il en menaçant Odélie de son fusil.

Celle-ci hoche la tête et se détourne pour dissimuler sa joie. Olivier se penche vers elle.

– Tu le connais ?

Elle fait signe que oui et Olivier écarquille les yeux, admiratif.

Tous les deux observent attentivement l'Indien couvert de peintures de guerre. C'est vrai qu'il a l'air terrifiant, surtout dans ce coin sombre du navire. C'est à ce moment qu'Odélie remarque le geste de La Mire. L'Indien penche la tête sur le côté à plusieurs reprises.

– Il veut que nous fassions semblant de dormir. Il doit avoir un plan.

– D'accord, souffle Olivier, incrédule. Je ne sais pas ce que c'est, mais il vaut mieux lui obéir si on veut qu'il nous inclue dedans. Il n'a pas l'air très tolérant.

Odélie s'allonge de nouveau, imitée par Olivier qui étale leur mince couverture sur eux. Bien que leurs poings et leurs chevilles soient toujours liés, les Anglais ont pris soin de leur laisser assez de corde pour qu'ils puissent s'étendre à même le plancher. C'est donc la tête appuyée sur les planches humides qu'ils observent les mouvements de La Mire.

Ce dernier a compris l'urgence de la situation. Non seulement le navire s'apprête à lever l'ancre, mais en plus il a à son bord la fille de Marie de Beauchêne. Il est furieux contre lui-même. On ne l'y reprendra plus à boire de l'eau-de-vie. Il lui faut beaucoup de concentration pour retrouver ses facultés et trouver un moyen d'échapper à cet avenir qu'on leur réserve.

À ce moment, une question lui traverse l'esprit :

« Que fait-on des Indiens qu'on emmène au-delà du grand océan ? »

Il secoue la tête. Il est préférable de ne pas l'imaginer, cela ne ferait qu'augmenter son angoisse et, pour le moment, il a besoin de tout son calme. Il ferme les yeux et sent l'alcool qui continue de faire son effet.

Le marin chargé de le surveiller est assis sur une chaise adossée au mur voisin. Un fusil déposé sur les cuisses, il les observe de ses yeux mi-clos. Avec la lueur provenant d'une lampe tempête suspendue non loin sur le pont, La Mire peut apercevoir les traits de son visage. C'est ainsi qu'il découvre, moins d'un quart d'heure plus tard, que le marin s'est endormi.

Un coup d'œil aux alentours le rassure. Ni Odélie ni son compagnon n'ont bougé. Il n'y a personne d'autre en vue sur ce pont. C'est le moment ou jamais de passer à l'action. La Mire se soulève, porte sa bouche à l'un de ses poignets et se met à ronger la cordelette. Lorsque celle-ci cède, il s'empresse de défaire ses trois autres liens sans quitter des yeux le gardien, immobile sur sa chaise. Puis, il se lève dans le plus grand silence. Pas même une planche ne craque sous son poids. Il se penche et ramasse sa couverture qu'il s'attache autour de la taille. Son corps réagit bien à chacun de ses mouvements. Pas d'étourdissement, pas de vision trouble. Ça veut donc dire que l'alcool s'est dissipé.

Avec son agilité retrouvée, il effleure à peine le plancher en s'approchant des enfants. Ces derniers ouvrent les yeux, mais ne bougent pas. Seul Olivier prend un air tendu en découvrant l'Indien penché au-dessus de lui. La Mire défait rapidement ses liens, puis ceux d'Odélie. La corde à la main, il se dirige vers le marin. Il ne lui faut que quelques secondes pour l'étrangler dans son sommeil. Odélie n'oubliera jamais ces yeux hagards, cette langue sortie, cette tête qui retombe mollement.

La Mire amorce alors un geste vers un des canons. Olivier le suit, mais Odélie se fige sur place, comprenant soudain la suite du plan.

— Je ne peux pas, dit-elle, en essayant d'étouffer la panique qu'elle sent grandir en elle.

La Mire s'immobilise. Il fait un signe de tête insistant, désignant le trou béant s'ouvrant devant le canon.

— Je comprends, balbutie Odélie. Mais je ne sais pas nager.

Olivier l'a rejointe, un doigt sur les lèvres pour la faire taire.

— C'est pas grave. Je vais te porter. Maintenant, tais-toi et suis-nous.

— Non ! Je ne peux pas !

À cause de la peur, sa voix est plus forte et Olivier lui met immédiatement la main sur la bouche pour imposer le silence. La Mire trouve alors la solution. Il s'approche d'Odélie et lui assène un coup de poing en pleine figure. Elle s'écroule et Olivier la rattrape avant qu'elle ne touche le sol. La Mire s'empare alors de la gamine, la hisse par le sabord et plonge avec elle dans le fleuve, imité par Olivier.

Le bruit que fait leur entrée dans les vagues donne l'alerte sur le navire. Plusieurs coups de feu sont tirés sur la surface de l'eau, visant l'endroit où flottent les couvertures de laine, celles qu'on avait données aux prisonniers. Mais les prisonniers, eux, ont disparu.

*

— Il dit que les Anglais ont fait de grandes provisions, répète Jean, en s'adressant au marquis de Montcalm à l'autre bout de la table. Il dit qu'ils se préparent à faire un grand voyage.

Jean n'arrive pas à croire les paroles qui sortent de sa bouche. Même s'il ne fait pourtant que traduire ce que La Mire veut dire au général, il ne peut réprimer le sourire qu'il sent naître sur son visage à l'idée du départ des Anglais.

Dans cette riche maison servant de quartier général à la baie de Beauport, l'état-major s'est réuni d'urgence en apprenant l'évasion d'un Indien prisonnier des Anglais. Devant Jean se trouvent tous les grands de la force française encore à Québec. Ces hommes, militaires ou civils, sont pendus à ses lèvres, attendant qu'il rapporte en français les paroles de son compagnon. En pénétrant dans la salle, voilà plus d'un quart d'heure, Jean a ressenti une certaine déception; Bougainville est absent. Il ne lui aurait pas été désagréable de se faire valoir ainsi devant lui. Mais l'absence du colonel ne l'a déçu qu'un instant. Lorsqu'il a pris connaissance des propos de La Mire, ce sentiment a fait place à une grande fierté.

– Quoi d'autre? demande le gouverneur Vaudreuil, un soupçon d'impatience dans la voix.

– Il dit que, d'après ce qu'il a vu, les Anglais sont sur le point de lever le siège.

– Comment pourrait-il savoir cela? questionne l'intendant Bigot, visiblement irrité par l'intérêt que tout le monde prête à cet Indien.

– Il dit qu'il s'est rendu compte que des bateaux descendaient le courant, passant juste à côté de celui où il était prisonnier. Il dit qu'on ne l'avait pas attaché dans la cale, mais plutôt au niveau des canons. Il a entendu les ordres qu'on a criés d'un navire à l'autre. Même s'il n'en a pas compris un mot, ces ordres ont causé beaucoup d'agitation sur le pont extérieur. Il dit aussi que les Anglais ont un grand nombre de malades, car leurs gémissements lui parvenaient aux oreilles.

Jean se tait, imitant La Mire. Ce dernier, enroulé dans une couverture, est l'objet de beaucoup d'admiration. Et pour cause, il a traversé le fleuve à la nage pour faire un rapport sur l'état des forces ennemies. Jean n'est pas convaincu que les motivations de son ami sont aussi nobles qu'on veut bien le croire, mais il est tout de même content d'être présent à ses côtés pour profiter de cette popularité.

Autour de la table, les hommes discutent encore et Jean se sent alors de trop. Il s'apprête à demander la permission de se retirer avec son compagnon lorsque la voix de La Mire s'élève au-dessus du tumulte de l'état-major. Jean se tourne vers son ami et hésite à traduire ce qu'il lui dit.

– Et alors? demande Montcalm. Que vient-il d'ajouter?

Jean soupire, résigné, et rapporte les paroles de La Mire :

— Il dit que les Anglais ont confisqué ses armes. Il croit que l'information qu'il vient de vous livrer mérite paiement. Il demande un fusil, de la poudre, des balles et un couteau.

— Rien que ça ! s'exclame l'intendant, exaspéré. Désirerait-il également...

— Assurez-vous qu'on lui remet ce qu'il a demandé, ordonne Montcalm à un soldat qui se tient près de la porte. Donnez-lui aussi une autre chemise.

Puis, se tournant vers La Mire, il ajoute :

— C'est un cadeau.

La Mire incline la tête en guise de remerciement et quitte la pièce. Ce n'est que lorsque les hommes autour de la table posent sur lui leurs regards interrogateurs que Jean se rend compte de sa disparition.

— Une dernière chose, monsieur le gouverneur, dit-il, en posant sur Vaudreuil un regard empreint de respect. La Mire a ramené avec lui deux enfants faits prisonniers lors d'un raid sur la côte. Je vous demande la permission de les escorter à l'hôpital. L'un d'eux a pris une balle pendant l'évasion et...

— Placez-les dans la charrette qui partira demain matin, l'interrompt Montcalm. Même si nos ennemis sont sur le point de quitter la région, il est préférable de ne pas dégarnir nos positions pour le moment. Rapportez-vous dès cette nuit à M. de Repentigny.

Jean hoche la tête, déçu. Il avait espéré un court moment avec Marie, mais le général en a décidé autrement. Il se retire. Dans le couloir, pendant qu'il suit le soldat en uniforme qui le conduit vers la sortie, il peut entendre les éclats de voix qui s'élèvent dans la pièce qu'il vient de quitter. La fin de la réunion s'annonce houleuse.

*

Un ciel bleu et froid domine la forêt où serpente un petit chemin de terre battue. Un vent d'automne précoce souffle au ras du sol. C'est un vent insidieux, qui fait frissonner malgré la chaleur que répand le soleil, rendant inconfortable une journée qui s'annonçait radieuse.

Un homme avance dans le sentier sans hâte, mais sans hésitation non plus. Il entend au loin le bruit des canons et des mortiers qui assaillent la ville en permanence. Comme il a hâte que tout cela soit fini!

Il a quitté le camp de Montmorency dès le lever du soleil. Il a marché pendant des heures, ressassant les inquiétudes qui surviennent à chaque mission. Il y a quelques instants, il a franchi le poste de garde de la rivière Saint-Charles. Personne n'a songé à l'arrêter ni à le fouiller. Même s'il a trahi sa patrie, même s'il continue de le faire, jour après jour, il est encore une figure respectée dans la colonie. Parce que personne ne se doute. Pas encore. Peut-être même jamais.

A-t-il seulement un remords? Non, il ne croit pas. Pas tant qu'il sera convaincu qu'il sera payé en retour. Cependant, la dernière stratégie de Wolfe le laisse perplexe. Aurait-il dû insister et lui dire que Marie de Beauchêne n'a pas de fils? Non. Après tout, il n'est payé que pour porter le message. Qu'est-ce que ça peut bien lui faire que l'Anglais se fourvoie dans son plan? Car il connaît Marie: elle ne cédera sûrement pas au chantage pour sauver un enfant qui n'est pas le sien. Ridicule.

Le traître repense à ce message, cousu dans son chapeau. Il l'a lu et a été surpris en découvrant qu'il n'était pas encodé, comme à l'habitude. Wolfe désire des informations sur le sentier qui mène de l'Anse-au-Foulon jusque sur les hauteurs d'Abraham. Ridicule. Ridicule. Comment Marie de Beauchêne pourrait-elle connaître cette partie du terrain, alors que lui n'a pas réussi à s'en approcher à cause des soldats que Montcalm y a fait poster? Oh! il y est bien passé, une fois, il y a plusieurs années, pour faire monter en douce certaines denrées qu'il avait soustraites au fret d'un navire du roi. Il se souvient combien il lui avait fallu peiner pour hisser les sacs au milieu des troncs d'arbres morts qui obstruaient le chemin. Pour cette raison, il a bien dit à Wolfe que la pente était trop abrupte pour tenter une montée avec des canons. Alors pourquoi l'Anglais insiste-t-il? Auprès d'une femme, de surcroît?

Pendant qu'il marche, le traître entend derrière lui les roues de la charrette qui apporte les blessés du camp de Montmorency. Les escarmouches sont quotidiennes, mais elles ne servent à rien, ni d'un côté ni de l'autre, si ce n'est que pour faire patienter les miliciens et les Indiens.

Au détour du sentier, il aperçoit la masse imposante de l'Hôpital-Général. Les religieuses accourent pour s'occuper des blessés.

— C'est ainsi que meurent les hommes honnêtes, soupire le traître.

Il sait que ce ne sera pas son cas. Maintenant qu'il a réussi à bien marier sa fille, il ne lui reste plus qu'à établir son fils. Bientôt, il lui achètera une charge d'officier. Ainsi, il sera toujours loin du front. Et alors, lui, le traître, pourra mourir de vieillesse, après avoir profité de toutes ses richesses. Non, la guerre ne fera pas de ravage dans sa famille. Il se l'est juré.

Le traître poursuit sa route vers l'entrée principale. Il s'arrête soudain en reconnaissant Marie de Beauchêne parmi les femmes qui entourent la charrette. Elle pleure. Il peut voir les larmes qui coulent sur ses joues, ses mains qui tremblent en prenant dans ses bras le corps fragile d'un garçon d'une dizaine d'années. Il entend même sa plainte. La voilà qui soulève l'enfant pour le porter à l'intérieur, fendant la foule de curieux qui s'est attroupée autour du véhicule.

— Que se passe-t-il? demande-t-il à un garçon qui s'éloigne lentement, la tête basse.

— C'est Odélie de Beauchêne, monsieur. Elle a reçu une balle pendant qu'on s'évadait d'un vaisseau anglais.

— Ce garçon dans les bras de Mme de Beauchêne, c'est Odélie?

— Oui, dit Olivier, en s'amusant de la surprise de l'homme.

Et, bombant le torse, il entreprend de lui raconter comment Odélie de Beauchêne, vêtue de ses vêtements à lui, a été faite prisonnière par le général Wolfe:

— J'étais là, à côté d'elle, rechargeant les fusils dès qu'elle avait tiré. Elle n'a pas perdu une balle. C'est le général anglais lui-même qui l'a dit!

Et il poursuit, relatant comment ils se sont évadés pendant la nuit, à la nage, après avoir sauté d'un navire anglais qui s'apprêtait à gagner l'Angleterre.

Le traître secoue la tête et, sans plus un regard pour le garçon ni pour l'hôpital, il fait demi-tour et prend la direction du camp de Montmorency. Le général anglais ne sera pas heureux que ce soit lui qui lui apprenne la nouvelle.

*

— Je n'aime pas ça. Je n'aime pas ça du tout.

Montcalm fait les cent pas dans la pièce lui servant de poste de commandement, dans son quartier général de Beauport. Un feu a été allumé dans la cheminée pour atténuer l'humidité de la pièce. La pluie violente qui s'abat sur la région contribue à aigrir son humeur. Ce mauvais temps causera du dégât aux retranchements, aux batteries et aux communications. Il faudra redoubler d'ardeur à l'ouvrage pour ne pas se faire dépasser par l'ennemi.

Assis derrière un bureau, un homme d'une quarantaine d'années est penché sur un carnet. Quelques bougies diffusent la lumière sur son visage où se lit l'épuisement consécutif aux longues campagnes militaires. De temps en temps, son corps est parcouru d'un frisson désagréable. Il préférerait être au lit, au chaud sous les couvertures. Mais le général ne lui a pas encore donné congé. Alors il attend, la plume levée, prêt à transcrire la suite du journal telle que dictée.

— Avez-vous terminé, Monsieur? demande-t-il au bout de quelques minutes de silence.

Cette question tire Montcalm de ses pensées. Il s'approche du bureau, tourne le carnet de manière à relire les derniers mots dont l'encre n'est pas encore sèche.

Satisfait, il replace le carnet sous les yeux de celui qui attend toujours.

– Non, non, Marcel. Je réfléchissais.

Puis, recommençant à marcher dans la pièce, il poursuit:

– Écrivez, s'il vous plaît: *Un bateau a passé sous le feu de la place en plein jour et a joint les vaisseaux qui sont au-dessus de Québec sans se ressentir des plus de deux cents coups de canon et de plusieurs bombes qui lui ont été tirées. La batterie de la pointe de Lévy a fait un grand feu sur les nôtres pendant que le bateau passait. Nous y avons perdu trois ou quatre hommes dont un officier de marine à la batterie Dauphine, à la basse-ville.*

Montcalm s'interrompt, revient au bureau et relit le texte écrit par Marcel. Il tend une main sans quitter le papier des yeux et le secrétaire y dépose sa plume pour que le général inscrive une correction. Montcalm remet le journal en position et poursuit la dictée:

– Je disais donc… *S'il plaisait aux ennemis de faire passer tous les jours un bateau avec quatre hommes devant la place, ils épuiseraient nos munitions en fort peu de temps, et quels seraient ses risques? Nos batteries ne tirent que sur l'objet qui passe et celles de l'ennemi dirigent leur feu sur les nôtres. Il serait plus prudent que nos batteries d'en haut tirassent sur celles de la pointe de Lévy, tandis que les batteries basses suivraient l'objet à la voile.*

Le général s'arrête devant une fenêtre et scrute la profondeur de la nuit. Non, il n'aime pas du tout ce va-et-vient de navires sur le fleuve. Que mijote donc Wolfe en faisant monter et descendre ses vaisseaux devant Québec? On dirait qu'il ne cherche qu'à le narguer. Montcalm est au moins rassuré par une chose. Si l'Anglais tente un quelconque débarquement entre Cap-Rouge et Québec, il sera reçu par Bougainville et ses hommes, comme il l'a été à la Pointe-aux-Trembles. D'ailleurs, Montcalm a fait parvenir deux canons supplémentaires au colonel. Il connaît bien Bougainville. Il ne se laissera pas surprendre. C'est un brillant officier.

Dans son coin, Marcel demeure silencieux. Lui non plus n'aime pas les mouvements des Anglais sur le fleuve. À l'évidence, ils vont tenter de couper les communications avec Montréal. À quelle résistance se heurteront-ils en tentant leur débarquement? Bougainville est jeune et inexpérimenté. Saura-t-il anticiper les mouvements de l'ennemi? Comme il souhaiterait être aussi confiant que le général!

– *Jusqu'à présent,* reprend Montcalm, *la poudre que nous avons consommée n'a produit aucun fruit. Ne valait-il pas mieux l'employer à tirer sur les batteries ennemies avant et après leur construction? Les deux seules fois qu'on l'a fait, ils ont été obligés de les abandonner. N'est-il pas probable que, si on avait répété cet essai, Québec serait moins maltraité et nous serions dans le même état par rapport aux munitions et peut-être aurions-nous perdu moins de monde.*

Le général s'approche du bureau et retourne le carnet une autre fois. Il relit le texte, bien conscient de se servir de son journal de campagne comme d'un exutoire pour ses frustrations. Où ailleurs pourrait-il exprimer ses sentiments sans porter préjudice à sa position de commandant des armées? Marcel est un homme sûr et discret. C'est pour ces qualités qu'il l'a choisi comme secrétaire. Saisissant la plume tendue par Marcel, le général ajoute un commentaire sous le texte. Il referme ensuite le journal, dépose la plume sur le bureau et quitte la pièce sans un mot, laissant à son secrétaire le soin d'éteindre.

Marcel place donc le carnet dans un tiroir, range la plume près de l'encrier et recule sa chaise. Il se penche pour souffler les chandelles, mais suspend son geste au dernier moment. Intrigué, il sort le journal du tiroir et l'ouvre à la dernière inscription.

À la fin de l'entrée du 6 septembre, juste sous l'écriture du secrétaire, le général a ajouté la phrase suivante :

« Nous gardions la poudre pour tirer sur les vaisseaux, et moi je dis qu'on la gardait pour les moineaux. »

Marcel sourit, range le journal et souffle les bougies.

*

La pluie tambourine sur les carreaux des grandes fenêtres dans un roulement intense, étouffant les plaintes des autres blessés installés dans la salle. Deux morceaux de pain sèchent dans une assiette posée sur la table de chevet à proximité. Sur la chaise à côté du lit d'Odélie, Marie s'est assoupie, engourdie par le ronflement de dame Nature, transie par la froide humidité de septembre, écrasée par ce ciel noirci de nuages. Elle veille sa fille depuis des jours et son corps, fourbu, n'en peut plus de demeurer aux aguets, à chercher dans les mouvements involontaires de l'enfant un signe de retour à la conscience.

Malgré ce répit forcé, le sommeil de Marie est agité. Elle imagine le coup qui a laissé une telle marque sur le visage d'Odélie. Elle évoque dans son esprit un enlèvement violent, une prison sordide. Ce sont les seuls mots qu'elle a retenus des explications du garçon qui a amené Odélie à l'hôpital. Car Marie ne l'écoutait pas. L'horrible état dans lequel se trouvait son enfant, les vêtements imbibés de sang, le corps troué d'une balle a galvanisé ses énergies. La situation est urgente! Elle a repoussé le garçon d'un geste brusque, a pris Odélie dans ses bras et l'a rapidement montée jusqu'à l'étage, pour la déposer dans le lit que venait de quitter un homme qui avait succombé à ses blessures, ignorant dans son empressement les objections des religieuses qui gardaient cette place pour les soldats.

Elle a nettoyé et pansé les deux plaies laissées par la balle qui lui avait traversé le flanc. Elle l'a ensuite lavée, tenue au chaud et, maintenant, elle n'attend plus qu'une chose: que sa fille reprenne vie. Quand ce n'est pas elle qui la veille, c'est Antoinette. Mais les jours passent et le corps d'Odélie demeure inerte dans ce lit trop grand pour elle.

Avec l'activité qui a suivi l'arrivée de sa fille à l'hôpital, Marie en a oublié son propre état, son ventre qui s'est arrondi, bien qu'il n'y ait qu'elle qui s'en aperçoive, à cause du corset serré. Elle-même a été surprise de ces rondeurs subites. Rien n'avait paru avant quatre mois lorsqu'elle avait porté Odélie. Pourquoi fallait-il donc que cet enfant à venir manifeste sa présence aussi rapidement?

— C'est de ma faute, madame, murmure une petite voix tout près d'elle.

Marie ouvre les yeux et reconnaît Olivier Lafleur qui se tient au bout du lit, une main posée sur le drap qui recouvre Odélie. Avec son visage cerné, le garçon semble tellement affligé que Marie a pitié de lui.

— Ce n'est pas toi qui lui as tiré dessus, dit-elle en lui faisant signe de s'approcher.

— Non, madame. Mais c'est moi qui l'ai encouragée à tirer sur les Anglais.

— Ce sont tes vêtements qu'elle portait en arrivant ici?

Le garçon hoche la tête.

— Oui, mais elle peut les garder, vous savez. Ma mère va...

— Je t'en ferai faire d'autres, dès que ce sera possible.

— Vous n'êtes pas fâchée?

Marie ne répond pas. Non, elle n'est pas fâchée. C'est vrai qu'elle lui en a voulu, les premiers jours, parce qu'elle n'arrivait pas à saisir ce qui s'était passé. Mais depuis, elle a eu le temps de se calmer. Et de comprendre qu'en fin de compte si Odélie s'était retrouvée dans cette situation, c'était sans doute parce qu'elle l'avait cherché. Elle n'avait pas besoin d'être conseillée pour agir. Elle n'avait qu'à trouver l'idée intéressante, le geste, nécessaire. À preuve, elle avait volé pendant tout un hiver pour approvisionner la maison. Elle l'avait fait seule, sans personne pour l'influencer.

Olivier observe maintenant le visage placide d'Odélie et Marie se rend compte qu'il lui est très attaché, en plus de se sentir coupable.

— Raconte-moi ce qui est arrivé, dit-elle, profitant de l'occasion pour lui permettre de soulager sa conscience.

Le garçon s'appuie sur le lit et, sans quitter des yeux le corps inanimé de son amie, il commence le récit de leur aventure. Et pendant qu'il parle, le regard de Marie se perd dans le lointain, au-delà de la fenêtre. Elle revoit le visage de Wolfe et se jure que jamais elle ne lui pardonnera ce qu'il s'apprêtait à faire.

*

Olivier s'est endormi, les fesses juchées sur un petit banc, le corps affaissé sur le bord du lit. Depuis qu'il s'est approché d'Odélie, le garçon a refusé de quitter son chevet. Les religieuses ont eu beau le houspiller, rien n'y a fait. Il demeure sur place, s'éloignant à peine quelques minutes par jour pour aller chercher leur ration de pain quotidienne. Comme Marie, il attend qu'Odélie revienne à elle.

Marie s'étire le cou et gémit. Elle a mal au dos, ainsi que dans tous les muscles de son corps. Dehors, la pluie a cessé et le vent semble avoir diminué d'intensité. Elle devrait en profiter pour faire quelques pas à l'extérieur. Mais elle hésite. Si Odélie s'éveille pendant son absence, elle la cherchera. Un coup d'œil à Olivier la convainc que sa fille ne sera pas seule. De toute façon, ni l'un ni l'autre ne paraissent sur le point de reprendre conscience. Marie se lève donc et se dirige vers l'escalier. Le grand air lui manque.

Avant de se rendre en bordure de la rivière, elle décide de passer par la grange pour vérifier l'état de M. Rousselle. Il y a bien trois jours qu'elle est sans nouvelle de lui. En fait, elle ne s'intéresse plus à lui depuis qu'Olivier lui a transmis son dernier message.

Le garçon avait hésité à parler en revenant de sa visite à la grange, mais Marie l'avait persuadé qu'elle ne lui en voudrait pas de lui rapporter telles quelles les paroles de l'homme. Olivier avait alors murmuré quelques mots et cela avait suffi pour que Marie comprenne la teneur du message. Daniel Rousselle lui faisait dire de se trouver un autre blessé à soigner.

Sur le coup, Marie l'avait trouvé ingrat. Mais les jours suivants, elle a fini par comprendre qu'elle l'avait peut-être jugé trop vite. Après tout, il n'avait probablement plus besoin d'elle, alors qu'Odélie requérait toute son attention.

Elle longe maintenant le mur de la grange, dont la porte est grande ouverte. Lui parviennent alors des éclats de voix, qui la font brusquement ralentir. Puis accélérer. Elle s'élance finalement et court presque en atteignant l'entrée.

Jean est là, lui tournant le dos, discutant avec son père. Marie s'arrête sur le seuil, hésitant entre la joie de l'accueillir et l'envie de lui faire des remontrances. Il y a bien un mois qu'elle ne l'a pas vu et il ne lui a fait porter aucun message. Comment est-elle censée garder espoir s'il ne lui fait pas savoir qu'il est toujours en vie ? Comme ils lui semblent loin, ces jours dans sa maison où Jean rentrait presque toutes les nuits !

Daniel s'interrompt en l'apercevant à contre-jour. Il fait un signe du menton dans sa direction et Jean se retourne. Marie oublie instantanément ses récriminations. Elle n'a qu'un désir, se jeter à son cou. Elle se retient cependant, consciente de se trouver dans la grange, au milieu d'une foule suspicieuse. Elle se dirige vers lui, s'arrêtant avant qu'il ne l'enlace.

– Quel bonheur de te voir ! dit-elle à voix basse.

Le regard de Jean se fait insistant et Marie y lit toute la réserve dont il fait preuve à son tour.

– Je n'ai que quelques minutes, dit-il enfin. Je n'en pouvais plus de rester loin. J'avais tellement envie de te parler, de te voir. Le dernier mois m'a torturé plus qu'une année entière. Comment vas-tu ?

Elle lui pardonne tout, tout de suite.

– Je vais bien, mais Odélie est toujours inconsciente. On a augmenté notre ration de pain aujourd'hui et ton père s'est organisé pour m'en trouver un peu plus tous les jours depuis deux semaines.

Jean jette un œil à Daniel qui s'éloigne avec sa démarche saccadée. Il est rassuré de savoir que son père veille sur Marie pendant son absence. Il la savait entre bonnes mains lorsqu'il l'a quittée, il y a plus d'un mois. Daniel l'a d'ailleurs tellement bien surveillée qu'il s'est aperçu de sa grossesse. C'est pour cette raison qu'il le sermonnait doucement, espérant le convaincre de devancer le mariage.

– Il faudrait qu'on parle, dit Marie, en posant instinctivement une main sur son ventre arrondi.

– Pas tout de suite. Je ne me suis arrêté que quelques minutes. Montcalm a commencé à dégarnir la gauche et il envoie les hommes de M. de Repentigny rejoindre Bougainville à Cap-Rouge.

Le visage de Marie s'obscurcit.

– Il faut faire quelque chose. Le temps passe, Jean.

– Je sais. Je serai de retour d'ici quelques jours, murmure-t-il en s'approchant de son oreille. Les Anglais sont sur le point de partir. La première chose que je ferai, en arrivant, sera de retourner voir le curé Récher. S'il le faut, je lui dévoilerai notre secret. Il comprendra alors la nécessité de nous accorder une dispense de bans et nous mariera au plus vite.

Marie hoche la tête et sent les larmes qui lui piquent les yeux, larmes de joie et de soulagement. Plus que quelques jours à attendre. Elle fixe la main de Jean qui s'approche et sa joue trouve réconfort contre la paume tiède. Cette caresse provoque en elle une vague de chaleur et elle ferme les yeux.

Un bruit à l'extérieur rompt brutalement ce moment de bien-être. Elle se retourne et aperçoit La Mire, debout sur le seuil de la grange. L'Indien dit quelques mots en micmac et Jean lui répond dans la même langue, sans quitter Marie des yeux.

— Où est Robichaud ? demande-t-elle lorsque l'Indien disparaît de nouveau.

— Il a été envoyé à la garnison de Québec. Trop vieux pour courir sur la côte en suivant les mouvements des Anglais.

Jean a pris un ton léger, mais Marie devine la gravité de la situation. C'est alors qu'elle se rend compte que Jean se retient de la prendre dans ses bras. Ses épaules frémissent, hésitant entre avancer et reculer.

— Je reviendrai, murmure-t-il enfin, en serrant plus fort les mains petites et délicates dans les siennes.

Puis il se recule d'un pas, salue son père de la tête et sort sous la pluie qui recommence à tomber. Marie se précipite à sa suite, mais il a déjà disparu en tournant le coin de la grange, courant pour rejoindre le reste de son détachement qui, lui, n'a pas fait halte à l'hôpital.

*

La pluie tombe toujours sur les rives du Saint-Laurent. Dans la nuit grise, un canot s'est laissé porter par la marée et pénètre maintenant dans l'embouchure de la rivière Chaudière. Il remonte un moment le courant avant d'accoster sur la rive est, à environ cinq cents pieds de la chute. Un homme en descend, le visage dissimulé sous un capuchon et le corps au chaud sous une cape. Il ne s'attarde pas au rugissement violent de la cataracte. Gonflés par la pluie des derniers jours, les remous font tanguer dangereusement la petite embarcation, tant et si bien que l'homme doit la hisser loin sur le rivage.

Puis il s'éloigne, pénètre dans un boisé et serpente entre les arbres. Il écoute, à l'affût d'une présence dans la pénombre. La batterie de la Pointe-de-Lévy retentit jusqu'à lui, sourde et lointaine, malgré la pluie. Il atteint son point de rendez-vous : une clairière où attendait une silhouette aussi sombre que la sienne. Il s'arrête à portée de voix :

– Général, dit-il, à peine audible.

L'autre parcourt la moitié du chemin les séparant et s'incline avec respect devant son visiteur.

– Merci d'être venu aussi rapidement, mon ami.

Le traître reconnaît la voix de Wolfe qui s'adresse à lui, comme d'habitude, dans un français irréprochable. Entendre sa langue dans la bouche du général anglais le ferait presque frémir, si la pluie ne s'en chargeait pas déjà. Car même s'il se répète que l'arrangement lui sera profitable, les doutes qui commencent à surgir en lui, de plus en plus souvent, lui rappellent l'ampleur de sa trahison.

– Je vous ai fait demander parce que j'ai encore besoin de vos compétences. Si mon plan fonctionne comme prévu, ce sera le dernier service que vous aurez à rendre.

Le traître sourit. Wolfe évite de lui parler de son échec avec Marie de Beauchêne. Cette faiblesse chez un homme comme Wolfe fait grandir en lui une assurance nouvelle. Cependant, c'est là un sentiment qu'il doit contrôler pour éviter que sa voix ne le trahisse :

— Que désirez-vous, général ?

— J'ai besoin que vous fassiez courir le bruit de l'arrivée d'un convoi pour approvisionner la ville. Il faut que tous les postes en haut de Québec soient au courant et laissent passer les bateaux qui descendront le fleuve.

— Quand devrait donc arriver ce fameux convoi, général ?

— Demain soir. Au plus tard, pendant la nuit. Vos communications sont-elles assez efficaces pour transmettre ce message en peu de temps ?

— Je connais personnellement le munitionnaire, M. Cadet. Il ne se méfiera point. Le transport par la route lui cause tellement d'ennuis qu'il sera le premier à saluer l'arrivée d'un convoi par eau. Sans compter que s'il veille lui-même au déchargement des chaloupes, il lui est aisé de se faire une réserve personnelle.

— Tant mieux ! Cette fourberie de sa part nous servira grandement.

Wolfe se met soudain à vaciller et s'appuie contre un arbre pour reprendre son équilibre.

— Vous allez bien, mon général ? demande le traître d'une voix faussement compatissante.

— Ce n'est que cette fièvre qui ne me lâche plus. Si vous n'avez pas d'autres questions, je crois que nous terminerons ici notre entretien.

Le traître s'incline pour saluer son interlocuteur. Il a déjà fait quelques pas en direction de la rivière lorsque la voix du général s'élève dans la nuit, comme une épée de Damoclès au-dessus de sa tête :

– J'allais oublier… Il me fait plaisir de vous informer, M. Du Longpré, que votre femme et votre fils sont en route pour l'Angleterre. Comme vous le savez, plusieurs officiers, las de ce siège qu'ils qualifient d'inutile, insistaient pour que nous quittions la place avant que les glaces ne prennent. Je leur ai accordé le départ de quelques navires sans importance parce que cela seyait à mon plan. Ainsi, j'ai pu faire monter votre famille à bord du premier vaisseau qui a dépassé l'île d'Orléans. Vous voyez, je continue de voir à vos intérêts.

– Merci, général.

Du Longpré continue sa route, les dents serrées, furieux de s'être fait prendre de la sorte. Maintenant que Wolfe le tient par la gorge, il ne peut plus reculer. Les dés sont jetés.

CHAPITRE IX

Dans un camp ambulant, en amont de Québec, un millier d'hommes reprennent leur routine après une nuit trop calme. La pluie a cessé tôt le matin et le vent a dispersé les derniers nuages. C'est donc un ciel d'un bleu éclatant qui domine le Saint-Laurent quand Bougainville sort de sa tente. Son air furieux est visible et aucun soldat n'ose l'approcher. Chacun suppose que cette mauvaise humeur est due à l'inactivité du *Sutherland*, imposant navire anglais, toujours immobile devant Cap-Rouge. Tout le monde se demande ce que l'ennemi est en train de préparer, car aucun vaisseau n'est monté plus haut depuis deux jours.

Cependant, ces hommes ont tort de penser que ce sont les Anglais qui préoccupent le colonel. C'est plutôt cette lettre dans sa main, quelques mots griffonnés à la hâte, qui lui brûle les doigts.

Utilisant des termes non équivoques, le munitionnaire Cadet lui demande de s'assurer que le convoi de nourriture prévu pour ce soir, au plus tard la nuit prochaine, poursuivra son chemin sur le fleuve. Il insiste, réclamant que Bougainville fasse tout ce qui est possible pour que ces provisions atteignent la ville sans encombre, sous le nez des Anglais, ancrés de l'autre côté du fleuve.

— *Si les vivres venaient par eau, cela nous épargnerait bien de la peine,* récite Bougainville avec cynisme.

Il connaît les raisons qui poussent M. Cadet à préférer recevoir les provisions dans le port. Et il y a longtemps que Bougainville a appris à fermer les yeux quand il le faut. Or, dans ce cas, ce qui l'enrage n'a rien à voir avec les malversations du munitionnaire. Ce qui le met dans cet état, c'est qu'en faisant parvenir les provisions par le fleuve, il perd l'excuse qui devait lui permettre d'éloigner Jean Rousselle de son camp.

Bougainville soupire, les dents serrées. C'est avec peine qu'il a réussi à cacher sa colère en apercevant, il y a une semaine, parmi les hommes de M. de Repentigny nouvellement placés sous ses ordres, le visage mat du Métis. Quelqu'un voulait-il donc le mortifier en lui envoyant son rival?

Comment ne pas ressentir une grande contrariété quand notre promise nous préfère un Sauvage? Parfois, la petite voix de sa conscience lui rappelle qu'il a lui-même repoussé Marie de Beauchêne. Oui, les regrets sont là, et avec eux l'envie de reprendre ce qu'il considère comme son dû.

Des gens seraient-ils au courant de cette affaire et s'amuseraient-ils à tourner le fer dans la plaie? Dans ce cas, que lui restera-t-il de sa dignité quand le siège sera fini? Comment un colonel de l'armée de sa Majesté pourrait-il faire face à la noblesse de la Nouvelle-France s'il s'est fait damer le pion par le fils d'un simple petit marchand de Louisbourg?

Ce sont toutes ces idées qui lui traversent l'esprit chaque fois qu'il aperçoit Jean Rousselle, vaquant à ses occupations, l'air heureux d'un bonheur qui ne lui appartient pas.

C'est pourquoi, en apprenant l'arrivée imminente d'un convoi, il avait d'abord ébauché l'idée de le faire passer par la route, escorté de Jean Rousselle et de son compagnon indien. Puisqu'il ne supporte plus de regarder son rival, puisque, à chaque fois qu'il le fait, l'odeur de la jalousie lui monte à la tête, il avait décidé de l'envoyer le plus loin possible.

Or, si les provisions doivent atteindre la ville par l'eau, cela signifie que Jean Rousselle devrait rester au camp. Cela, il ne pourrait le supporter.

« D'accord, décide-t-il, en écrasant la lettre du munitionnaire dans sa main. Le convoi passera par le fleuve, mais c'est Jean Rousselle qui le précédera jusqu'à l'Anse-au-Foulon. Il faut bien que quelqu'un avertisse les hommes et transmette mes ordres aux commandants de chaque camp. »

Son regard s'illumine soudain aussi clairement que le fleuve sous ses yeux.

« Si le jour se lève avant que le convoi ne parvienne au port, songe-t-il, Rousselle et La Mire seront chargés de faire parvenir les vivres à Québec par la route. Ça les tiendra occupés, le temps de préparer une dernière offensive. »

*

Après avoir longé la falaise, depuis Cap-Rouge jusqu'à Sillery, avoir dépassé la batterie de Samos, avoir annoncé dans tous les camps l'arrivée du convoi et transmis l'ordre de silence imposé par Bougainville, Jean et La Mire atteignent le camp du capitaine Vergor au soleil couchant. Situé à un peu moins d'une lieue de Québec, le poste devrait normalement être occupé par une centaine de miliciens. En ce moment, il paraît plutôt désert dans la pénombre.

«Est-ce possible qu'ils soient tous déjà endormis?» se demande Jean sur sa monture serpentant entre une douzaine de tentes aussi silencieuses que la nuit.

Suivi de La Mire, il se dirige vers un feu autour duquel se trouvent les hommes de garde, puis descend de cheval.

— Que se passe-t-il? leur demande-t-il en désignant le camp du menton. Où sont les autres?

Les gardes éclatent de rire et il faut la vigilance de l'un d'eux pour les faire taire lorsque le capitaine sort de sa tente.

— D'où venez-vous? demande Vergor en s'approchant du Métis et de son compagnon.

Jean se présente et transmet les ordres de Bougainville. Sur le coup, le capitaine paraît fort ennuyé. Après un rapide coup d'œil à ses hommes, il pose une deuxième question:

— Devez-vous repartir cette nuit?

— Non, explique Jean en s'étirant, fourbu. Nous attendrons le convoi pour faire porter les vivres en ville, advenant que les bateaux n'arrivent qu'au lever du jour.

— Parfait! s'exclame Vergor, visiblement satisfait. Descendez à l'Anse-au-Foulon. J'y ai déjà posté quelques hommes.

Jean hoche la tête, remonte en selle et s'éloigne lentement, La Mire dans son sillage, aussi réservé que d'habitude. Ils entament la pente, dépassent l'abattis qui encombre le sentier et atteignent le poste des sentinelles, cent cinquante pieds plus bas, sur le bord du fleuve.

Les trois hommes qui y veillent discutent à voix basse. Ils se taisent et s'emparent de leurs armes en entendant les pas des chevaux venant du sentier. Jean s'empresse de s'identifier, avant de transmettre les ordres de Bougainville :

— Surtout, répète-t-il pour la dixième fois de la journée, pas de « Qui vive ? » pour ne pas attirer l'attention des Anglais. On laisse passer le convoi en silence ; il nous faut ces vivres à tout prix.

Les hommes acquiescent et reprennent leur position. Jean et La Mire les rejoignent après avoir dessellé leurs montures. Assis sur leurs couvertures étendues sur les galets, ils observent un moment la rive opposée. Deux hommes échangent quelques plaisanteries sur les mouvements de la flotte anglaise. L'un d'eux offre ensuite un coup d'eau-de-vie à La Mire qui ne le refuse pas. Le silence retombe alors, aussi intense que la noirceur.

Une lune mince se lève à l'horizon et sa lueur est si faible qu'elle ne découpe même pas les contours plats de la rive sud. Dans cette nuit totale, le fleuve n'est qu'une tache sombre et inquiétante. Jean se souvient du calme qui régnait dans le camp au-dessus de la crête. Il interroge à ce sujet ses nouveaux compagnons.

— Ils sont partis aux champs, lui répond une voix rauque à sa droite. Vergor leur a permis d'aller commencer leur récolte à condition qu'ils aillent également faire un peu de travail sur sa terre à lui. De toute façon, il est inutile d'avoir cent paires d'yeux pour surveiller le fleuve en pleine nuit. Nous sommes une trentaine depuis des semaines et c'est vingt-neuf de trop tant l'ennui est grand.

Jean hausse les épaules et s'allonge sur sa couverture.

— Puisque cet endroit est si calme, dit-il en s'adressant à La Mire, je vais en profiter pour dormir un peu. Réveille-moi si tu «vois» quelque chose, ajoute-t-il, sarcastique.

Puis il ferme les yeux et s'endort.

*

Montcalm marche de long en large entre son quartier général de Beauport et la falaise qui domine le fleuve, scrutant l'obscurité pour pénétrer les desseins de l'ennemi. À ses côtés, deux de ses hommes l'imitent, cherchant un quelconque mouvement dans la masse sombre du fleuve tout en bas. Dans les arbres des environs, des corbeaux croassent et seuls leurs cris meublent la nuit.

Il y a une demi-heure, à la suite d'un coup de canon dirigé contre une redoute à Beauport, Montcalm a ordonné à tous les hommes de gagner les retranchements et de se tenir prêts à repousser une attaque de l'ennemi. À minuit et demi, tout le monde était en position, mais il ne s'est rien passé. Quelques embarcations anglaises se sont bel et bien avancées au milieu du chenal, juste en face, mais elles n'ont rien tenté d'autre. Montcalm demeure tout de même aux aguets. Il sait que Wolfe prépare un débarquement et il n'a pas l'intention de se laisser surprendre. Cependant, autre chose le préoccupe.

– Je suis inquiet, souffle-t-il à l'un de ses hommes. Si le convoi que nous attendons tombait entre ses mains, je ne sais comment nous pourrions survivre. Nous n'avons plus que deux jours de vivres.

– Vous vous faites trop de soucis, mon général. Bougainville ne laissera pas passer le convoi si la position de l'ennemi lui paraît trop dangereuse. Il enverra les provisions par la route.

– Que le Seigneur fasse que vous ayez raison, mon ami !

La batterie de la Pointe-de-Lévy déchire soudain le silence des ténèbres. Surpris et paniqués, les corbeaux s'envolent bruyamment. Ils sont des centaines à former une nuée mouvante qu'on distingue à peine dans l'obscurité. C'est ainsi que débute un autre bombardement contre les remparts de Québec. Cela accentue l'anxiété du général, qui passe ainsi toute la nuit à se morfondre et à épier les mouvements des barges anglaises du haut de la falaise.

*

Un cavalier avance dans la nuit, au pied de la colline. En entendant le premier coup de canon dirigé contre la ville, il éperonne son cheval. La rage au cœur, il grimpe la pente, dépasse le moulin à vent et fonce sur le chemin de Sainte-Foy en direction de Cap-Rouge, à moins de trois lieues de là.

Derrière lui, la lueur d'un nouvel incendie s'élève de la ville, mais Bougainville ne se retourne pas. Son dernier plan a échoué et ce rejet lui inflige une grande douleur. Il s'incline sur son cheval et, lui communiquant sa violence, il se laisse griser par le galop de l'animal.

En passant à la hauteur du camp de Vergor, il sent son pouls s'accélérer. Il n'a qu'une envie : faire un détour et aller, de son poing, casser la figure de celui qui a saboté ses plans d'avenir.

– Dieu sait que ça me ferait du bien ! soupire-t-il en poursuivant sa route, conscient qu'aucun gentilhomme ne se laisserait aller à de pareilles démonstrations.

Mais, en ce moment, devant l'ampleur de sa défaite, il n'est plus que colère et agressivité. Et plus il repense aux dernières heures, plus il sent qu'il est sur le point d'exploser.

Lorsqu'il a quitté son poste à Cap-Rouge, l'après-midi tirait à sa fin. Les navires anglais étaient toujours ancrés de l'autre côté. Bougainville ne craignait pas de mouvement de leur part, car ils n'avaient pas bougé depuis des jours, les Anglais semblant concentrer leurs efforts en aval de Québec.

Lorsqu'il a atteint l'édifice massif de l'Hôpital-Général, deux heures plus tard, il avait déjà tellement réfléchi qu'il n'y avait plus de doute dans son esprit. Ce qu'il voulait offrir à Marie valait mille fois ce que son rival avait à lui proposer. Rien ne pouvait aller de travers.

Il a cependant rencontré plusieurs obstacles avant de pouvoir se retrouver seul avec elle. Il a d'abord dû la chercher, Marie n'étant pas à la grange comme il s'y était attendu. Personne ne l'avait encore mis au courant des circonstances entourant le retour d'Odélie. Il lui a donc fallu insister pour qu'on lui apprenne que la dame se tenait près de sa petite, dans l'une des salles de l'hôpital. Lorsqu'il l'a eu enfin trouvée, affaissée sur une chaise de bois, au bord de l'épuisement, il lui a été difficile de la convaincre de l'accompagner à l'extérieur. Marie préférait demeurer au chevet de sa fille inconsciente. Il a dû lui dire qu'il était prêt à avouer ses sentiments devant tous ces gens si c'était ce qu'elle voulait. Elle a enfin consenti à le suivre, mais à contrecœur. Cela augurait déjà bien mal pour la suite des événements.

Les derniers rayons du soleil déclinaient à l'horizon et la brise était fraîche. Ils marchaient en silence, Bougainville cherchant les mots justes pour parler de ses sentiments avec celle qui les suscitait.

Il n'a finalement réussi qu'à répéter le discours qu'il avait préparé la veille, lorsqu'il avait décidé d'envoyer Jean Rousselle à l'Anse-au-Foulon. Les mots lui étaient venus alors si aisément! Davantage que lorsqu'il a essayé de les prononcer avec conviction devant Marie. Il a tout de même présenté ses arguments et mis en évidence les avantages que leur assurerait un avenir commun. Il a répété ses excuses, plaidant mieux que ne l'aurait fait un avocat. Et pourtant...

Marie de Beauchêne l'a écouté sans l'interrompre. Il jetait un œil vers elle, de temps en temps. Dans la pénombre, son visage paraissait affligé, égaré. Finalement, lorsqu'il s'est tu, elle s'est tournée vers lui et a murmuré qu'il était trop tard.

— Trop tard pourquoi? a-t-il demandé.

Mais elle n'a pas répondu et s'est éloignée vers la grange. Il n'a pas cherché à la suivre ni à la retenir. L'étau dans sa poitrine était si serré qu'il ne pouvait presque plus respirer. Il a enfourché son cheval avec célérité et s'est élancé sur la route à bride abattue, souhaitant, de toute sa vie, ne plus jamais remettre les pieds dans cet hôpital.

Mais, en ce moment, alors que scintillent devant lui les feux du camp de Cap-Rouge, un doute fait surface. Trop tard pourquoi? Où s'est-il trompé? Il a pris la peine de s'assurer que Jean Rousselle ne prendrait pas d'avance sur lui en le faisant muter à la compagnie de M. de Repentigny, au sault de Montmorency. Il a aussi insisté auprès du curé Récher pour qu'il refuse à Rousselle un mariage précipité, arguant que cette femme était sa promise et que son rival tenterait de la séduire dès qu'il aurait le dos tourné. Quel autre moyen aurait-il pu prendre pour prévenir le pire, l'irréparable?

« J'aurais dû l'épouser au mois de juin. C'est là ma plus grave erreur, admet-il en pénétrant dans son camp. On ne m'y reprendra plus. »

Deux soldats accourent pour l'accueillir et s'occuper de son cheval. En retrait, un officier attend qu'il descende de sa monture pour s'approcher.

— Le convoi est-il passé? demande Bougainville à l'homme qu'il avait laissé en charge pendant son absence.

— Non, colonel. Nous n'avons rien vu depuis votre départ.

— Des mouvements de la part des Anglais?

— Aucun.

— Bon, laissez une dizaine d'hommes en poste sur la crête pour surveiller l'arrivée du convoi pendant la nuit. Et envoyez les autres dormir dans leurs tentes. Moins ils seront à faire le guet, moins il y a de chance que l'un d'eux ne donne l'alerte.

— Oui, colonel, dit l'homme.

Tandis que ce dernier s'éloigne, Bougainville se dirige vers le bord de la falaise pour observer la nuit. Non, il n'y a pas eu de changement quant à la position des navires ennemis. Le *Sutherland* est toujours ancré devant Cap-Rouge. Bougainville fait donc demi-tour et marche vers sa tente.

Dans sa hâte de se retrouver seul, il ne remarque pas, dans les haubans du navire anglais, les deux lumières qui viennent de s'allumer, l'une au-dessus de l'autre.

*

En apercevant le signal du haut du *Sutherland*, une centaine de barges dissimulées derrière le vaisseau anglais se laissent emporter par le courant. À bord de l'une d'elles, la voix de Wolfe se fait soudain entendre. Dans un murmure, le général récite ces vers qu'il a appris il y a longtemps :

« *The boast of heraldry, the pomp of power*
And all that beauty, all that wealth e'er gave
Await alike th'inevitable hour,
The paths of glory lead but to the grave*. »

Le silence revient un moment. Puis Wolfe poursuit, ému :

– J'aimerais mieux avoir écrit ce poème que de prendre Québec demain.

---

* La vanité de l'héraldique, la pompe de la puissance
Et tout ce que la beauté, tout ce que l'opulence
Ont jamais pu donner atteignent mêmement l'heure fatale :
Les sentiments de la gloire ne mènent qu'au tombeau.
THOMAS GRAY, élégie écrite dans un cimetière de campagne.

Pas un autre mot, pas un autre bruit. Depuis Cap-Rouge, les barges descendent en direction de la ville. À leur bord, mille huit cents hommes, aussi silencieux que le fleuve, se préparent à accomplir la plus difficile manœuvre navale : accoster en un point précis, à un moment précis, sur un rivage étranger, en pleine nuit, malgré un puissant courant et sous la menace constante d'être découvert par l'ennemi et, par le fait même, anéanti.

Le ciel se couvre de nuages et les ténèbres deviennent si profondes qu'on distingue à peine la rive des flots. L'obscurité et le silence, voilà ce qui accompagnera les Anglais pendant les deux prochaines heures.

*

— Qui vive ?

Le cri déchire la nuit, tirant Jean Rousselle d'un sommeil agité. Il se redresse, tendu, et aperçoit l'ombre d'un homme debout sur le bord de la grève. Il reconnaît le bruit des rames dans l'eau. Le soldat qui veillait l'a entendu lui aussi. L'habitude l'a fait agir et, oubliant le silence exigé par Bougainville, il s'est informé de l'identité de ces embarcations. La réponse tarde à venir, puis s'élève de la masse sombre et mouvante :

— La France, dit une voix gutturale. Vive le roi !

— Quel régiment ?

— La marine. Nous apportons les provisions pour la ville. Mais parlez moins fort, les Anglais vont nous entendre.

— C'est vrai, acquiesce la sentinelle. Allez-y. Et bonne chance !

Jean garde les yeux fixés sur les silhouettes en mouvement qu'on devine à peu de distance de la rive et qui doivent maintenant dépasser le poste de l'Anse-au-Foulon. Son corps est soudain parcouru d'un frisson ; tant de bruit aurait pu donner l'alerte dans le camp ennemi. Il jette un œil à La Mire, assis à deux pas de lui, le corps crispé, presque nerveux. Le regard de l'Indien sonde les ténèbres au-dessus du fleuve. Jean l'imite, cherchant un mouvement suspect près des navires ancrés de l'autre côté. Rien ne semble bouger, mais comment en avoir la certitude dans cette obscurité ? Il constate par contre qu'on entend encore le bruit des rames. Le convoi devait être immense pour s'étirer aussi loin derrière le premier bateau.

« Tant mieux, songe-t-il. Il n'y aura jamais trop de provisions dans la ville. Surtout après des mois de privation. »

Puis il se détend. Le grésillement d'une pluie fine sur les flots le force à se mettre sous le couvert des arbres. Il s'adosse au même tronc contre lequel s'appuie La Mire, son fusil à ses côtés, et écoute le bruit des gouttes d'eau sur les feuilles au-dessus de sa tête. Il n'y a pas de vent, que l'air frais d'un matin d'automne. Jean soupire d'aise.

Avec ce ravitaillement, la ville tiendra assez longtemps pour lasser les Anglais. Dans quelques semaines, peut-être même dans quelques jours, il pourra dormir dans les bras de Marie. Lors des matins humides et frisquets comme celui-ci, il serrera son corps chaud contre le sien. Il laissera ses lèvres effleurer la rondeur de ses épaules. Sa main glissera au creux de sa taille, suivra le contour de ses hanches et se posera sur son ventre arrondi. Il respirera le parfum de ses cheveux, comme il l'a déjà fait, il y a si longtemps, pendant les nuits pluvieuses sur les bords du lac Saint-Sacrement. Il n'aura plus jamais à retenir cette envie qu'il a d'elle. Leurs ébats seront légitimes et c'est là toute la beauté du mariage. Jean se laisse griser par ces images de bonheur. Les premières lueurs du soleil apparaissent à l'est et le ciel prend une teinte bleu marine. La nuit est encore profonde, mais on distingue maintenant la silhouette aplatie de la rive sud, sur laquelle se découpent les mâts des navires anglais à l'ancre.

Un coup de feu écorche le silence. Jean s'empare de son fusil d'un geste instinctif et, comme les autres veilleurs, il se précipite sur la grève, fouillant la pénombre de ses yeux et de ses oreilles. Une deuxième détonation se fait entendre, mais là-haut, dans le camp du capitaine Vergor. Puis un cri :

– Les Anglais !

Jean et ses compagnons s'élancent vers la pente. Au même moment, des coups de feu retentissent sur le fleuve. Jean se retourne à temps pour apercevoir la nuée floue qui approche de la rive. Il lève son fusil et tire.

– Ils débarquent, lance-t-il. La Mire, cours avertir les autres ! Les Anglais nous…

Un coup de canon résonne du haut de la falaise. Les opérateurs de la batterie de Samos ont compris ce qui se passait tout en bas et canardent le fleuve pour refouler les embarcations ennemies et empêcher un débarquement. La déflagration a surpris Jean qui a levé les yeux vers la crête. Il n'y distingue que les étincelles provenant du canon. D'un coup de coude, La Mire attire son attention sur le Saint-Laurent. La lumière d'une nouvelle explosion découvre, l'espace de quelques secondes, un fleuve couvert de bateaux.

Les cinq hommes présents sur la grève font feu pour repousser les premières embarcations qui apparaissent maintenant à quelques pieds seulement de la rive. La fumée blanche s'intensifie et stagne près du sol, dissimulant les assaillants.

– Vers la ville, La Mire. Va directement à la ville et…

D'autres coups de feu éclatent. Un homme s'écroule. La Mire fonce vers le bois. Une fois à couvert, il se retourne. Les rayons du soleil levant inondent désormais le cours d'eau, dévoilant l'ampleur du débarquement. Plusieurs centaines de barges se préparent à accoster.

Jean a quitté la plage et s'apprête à le suivre dans le bois. Une balle siffle, trop près, et lui effleure la hanche. Il s'affaisse à genoux sur le sol.

– La Mire! je suis touché!

Une autre balle l'atteint à la main qu'il avait levée pour demander le secours de son ami. Un coup d'œil en arrière lui permet d'entrevoir les Habits rouges qui viennent d'atteindre la terre ferme. Il les voit qui descendent en grand nombre des bateaux enlisés dans la boue et qui déchargent leurs fusils sur la dernière sentinelle encore debout.

– Cours, La Mire, crie Jean, tu ne peux plus rien pour…

Une détonation s'est fait entendre, plus forte que les autres, juste derrière lui. Une brûlure l'a transpercé. Sur sa chemise, une tache rouge s'agrandit de seconde en seconde.

— Marie, murmure-t-il en s'écroulant le visage contre terre.

Il n'y a plus de coups de feu ni de fumée naissant des fusils encore chauds. Il n'y a que les spasmes déchirants, puis les ténèbres et un froid glacial qui l'envahissent.

La Mire n'a pas le temps de réfléchir. L'image de son ami, abattu dans les broussailles, continue de défiler devant ses yeux, au même titre que les arbres qu'il dépasse en zigzaguant. Soudain, un homme lui bloque le passage. La Mire fait feu et le corps roule vers le bas. L'Indien reprend sa course dans la pente ; il n'a pas le temps de redescendre pour chercher cette chevelure qui lui appartient. Comme il n'a pas non plus celui de recharger son fusil. Il sort plutôt son couteau tout en progressant dans le sous-bois.

Il entend les hommes qui grimpent l'escarpement par le sentier. D'autres, plus haut, repoussent l'abattis pour dégager le chemin à l'armée qui débarque. Tout à coup, un habit sombre se dresse devant lui, sorti de nulle part. La Mire lui enfonce la lame en plein cœur et l'Anglais s'effondre. Il retire alors l'arme de la poitrine de l'homme, lui enlève son chapeau et lui entaille ensuite le dessus du crâne pour arracher sa chevelure. Puis il se remet à courir, glissant la chevelure sanguinolente dans sa ceinture.

C'est à ce moment qu'il prend conscience qu'il a ralenti sa course malgré lui. Ses chevilles, trop sollicitées par la pente, commencent à lui faire mal. Au bout d'une centaine d'enjambées, il comprend qu'il n'atteindra pas la ville à temps s'il continue dans cette direction. Il pique droit vers le sommet et aperçoit les feux du camp de Vergor. Les tentes ont été arrachées et plusieurs soldats gisent sur le sol, inertes. Quelques-uns ont été faits prisonniers et les autres sont poursuivis dans les bois. La Mire ne s'y attarde pas et file à grande vitesse dès qu'il gagne le terrain plat du haut de la pente.

*

Il est cinq heures, le matin du 13 septembre 1759, lorsque Montcalm entend les premiers coups de feu et les premiers coups de canon. Son visage devient livide.

« Ils ont pris le convoi, se dit-il, en quittant son quartier général pour aller voir par lui-même. Plus que deux jours de vivres... »

La voix d'un soldat s'élève soudain derrière lui au moment où il s'avance jusqu'à la falaise pour observer la silhouette de Québec qui se découpe sur le jour naissant.

– La ville vient de faire le signal convenu, général. Il se passe quelque chose là-bas.

– Évidemment qu'il se passe quelque chose! grogne Montcalm en se tournant vers lui. Faites seller mon cheval. Je pars chez le gouverneur.

Moins d'une heure plus tard, il atteint le camp de Vaudreuil, sur le bord de la rivière Saint-Charles. À peine est-il descendu de cheval qu'on lui apprend qu'un soldat s'est présenté au camp, dès les premières lueurs de l'aube, pour annoncer que les Anglais avaient débarqué à l'Anse-au-Foulon. Le gouverneur, ne prenant pas la chose au sérieux, a simplement envoyé une centaine de miliciens reconnaître le terrain et soutenir les postes.

– Comment? demande Montcalm, sous le choc. Vaudreuil n'a pas jugé bon de me prévenir! C'est moi qui suis chargé de défendre la colonie!

Sur ces mots, il fonce vers le quartier général du gouverneur, avec la ferme intention d'en découdre avec lui. Il s'arrête soudain, frappé de stupeur.

De l'autre côté de la rivière, les soldats du régiment de Guyenne s'éloignent à grande vitesse pour rejoindre les miliciens devant la ville. La couleur de leurs uniformes se découpe sur celle des broussailles et Montcalm n'en croit pas ses yeux. Un regard aux alentours lui confirme ce qu'il appréhendait. Les tentes du régiment de Guyenne sont dressées le long de la rivière à environ trois cents pieds de lui.

– Que faisaient-ils donc encore ici? demande-t-il, en fusillant du regard les hommes autour de lui. J'ai donné des ordres, il y a deux jours, pour que ce régiment retourne camper devant la ville!

– Le gouverneur a pensé…

– Le gouverneur? coupe-t-il, sur le point d'exploser.

Se tournant vers un des officiers à ses côtés, il donne ses ordres, la mâchoire crispée, plus déterminé que jamais à reprendre le contrôle de la situation.

– Rendez-vous à Beauport et revenez avec toute la gauche de notre armée. Ne laissez là-bas que deux cents hommes pour garder le camp du sault de Montmorency. Et rejoignez-moi devant la ville!

Sans rien ajouter, il remonte en selle et file au galop vers le pont qui enjambe la rivière. La rage qui le gagne fait trembler les rênes dans ses mains.

*

La pluie tambourine sur la toile de la tente. Bougainville est assis derrière sa table, perplexe. Il a sous les yeux la lettre du gouverneur qu'on vient de lui apporter. Il en relit la fin, cherchant désespérément un indice pour éclairer sa prochaine décision.

[...] Il paraît certain que l'ennemi a débarqué à l'Anse-au-Foulon. Nous y avons déplacé bien du monde. Nous entendons encore quelques petites fusillades. M. le marquis de Montcalm vient de partir avec cent de nos hommes du gouvernement des Trois-Rivières pour renforcer nos postes. Sitôt que je saurai positivement ce dont il sera question, je vous en donnerai avis. [...]

J'ai le plaisir de vous souhaiter une bonne journée.

À sept heures moins le quart.

Vaudreuil

P.-S. Je ne doute pas que vous serez attentif aux mouvements de l'ennemi et que vous les suivrez. Je compte sur vous pour le faire.

V.

– À sept heures moins le quart, répète Bougainville, incrédule. Mais il est plus de huit heures et demie maintenant! Que se passe-t-il donc là-bas?

De Cap-Rouge, Bougainville a bien entendu la batterie de Samos qui retentissait au lever du jour. Il a même envoyé un homme aux nouvelles, mais celui-ci n'est pas encore revenu.

«Que faut-il faire?» se demande-t-il, en se levant pour faire les cent pas dans la tente.

Il hésite. S'il quitte le camp pour gagner la ville et que, pendant ce temps, les Anglais remontent le fleuve pour débarquer, il n'y aura personne pour défendre la côte. Les communications avec Montréal seront alors coupées et la colonie sera perdue. D'un autre côté, si les escarmouches de ce matin annonçaient un débarquement majeur à l'Anse-au-Foulon, les troupes sous ses ordres seraient une aide précieuse pour le général. Bougainville a avec lui le meilleur de l'armée française, en plus des grenadiers et de la cavalerie. Il pourrait prendre l'ennemi par-derrière.

« Que faire ? Mais que faire ? »

Il sort précipitamment de sa tente et, sous la fine pluie qui a rendu le sol glissant, il se rend sur la crête pour observer les bâtiments anglais de l'autre côté du fleuve. Les voiles sont toujours affalées. Les navires semblent à l'ancre et rien ne laisse deviner quelque mouvement que ce soit de leur part.

« Puisqu'il faut prendre une décision, songe-t-il, et que j'ai si peu d'informations, je ne peux me fier qu'à mon instinct. »

Alors il prend cette décision et rejoint ses officiers :

– Rassemblez vos hommes ! Nous fonçons sur Québec.

*

À neuf heures du matin, l'armée britannique est installée dans les pâturages qui couvrent les hauteurs d'Abraham. Elle s'étire sur deux rangs impénétrables, traversant le plateau, vis-à-vis de l'Anse-au-Foulon, jusqu'au chemin Sainte-Foy. Wolfe se tient sur la droite, tout près de la falaise qui se jette dans le fleuve. Il est fier de lui. Comme il l'avait deviné, il y avait bel et bien un chemin pour relier la grève à la haute-ville.

Ce chemin, il ne l'avait d'abord qu'imaginé, il y a un mois, pour justifier la présence de gardes à l'Anse-au-Foulon. Puis il avait tâté le terrain, en y débarquant les deux cents femmes qu'il avait fait enlever à la Pointe-aux-Trembles. Il les avait regardées monter sans effort jusque sur le plateau. Il en avait alors eu la certitude.

Mais pouvait-il y faire monter toute une armée? Il faut croire que oui, car c'est ce chemin que ses hommes ont pu escalader sans encombre ce matin. Il n'y avait que quelques soldats pour en défendre l'accès.

«Quelle négligence!» songe-t-il, en se réjouissant de cette faiblesse chez son ennemi.

Il jette un œil aux quelques bataillons de réserve qu'il a fait mettre sur sa gauche, pour repousser une éventuelle attaque venant de l'arrière. Il est possible que Montcalm ait fait quérir les troupes stationnées à Cap-Rouge. Elles sont nombreuses et bien armées.

«Aussi bien être prévoyant!» se dit-il.

Prévoyant, Wolfe l'est. Il a fait charger les fusils de deux balles, en plus d'avoir commandé qu'on fixe les baïonnettes, sitôt installés. À cause d'un ordre qu'il vient de donner, personne ne bouge, personne ne tire. Pas même les deux canons hissés par la marine anglaise depuis l'anse jusqu'au centre des rangs. Non, aucune décharge ne s'élève de l'armée anglaise, malgré les pertes que leur font subir les Canadiens et les Indiens embusqués dans les taillis. Pour éviter ce harcèlement incessant et meurtrier qui pourrait finir par menacer ses troupes, Wolfe donne soudain l'ordre à ses hommes de se coucher par terre. Ainsi, la ligne anglaise devient presque invisible des fortifications de Québec.

À trois mille pieds de là, devant les murs de la ville, les forces françaises se regroupent. Les derniers régiments de l'armée régulière atteignent enfin les hauteurs d'Abraham, trois heures après le début du débarquement. Plus inquiet que jamais, Montcalm continue de donner des ordres. Il est partout à la fois, mais son esprit est absorbé par ce qui se passe au loin, dans la ligne anglaise. Il sait qu'il ne doit pas laisser le temps à Wolfe de se retrancher. Force est de constater, cependant, que le général anglais est déjà bien installé. En plus d'avoir fait monter deux canons, il dispose de plus de quatre mille soldats alignés en travers du plateau.

Montcalm hésite. Il pourrait contourner son ennemi et le prendre en sandwich contre les murs de la ville. D'un côté bombardés par les canons des bastions, de l'autre, fusillés par l'armée française, nul doute que les Anglais seraient écrasés. Cette stratégie comporte cependant une grande faiblesse : les murs de Québec ne tiendraient peut-être pas devant quatre mille envahisseurs.

Montcalm soupire. Il a toujours su qu'il fallait éviter un affrontement de cette envergure, qu'il était préférable de forcer Wolfe à redescendre le fleuve avant les glaces. Il avait presque réussi. Par quel concours de circonstances l'Anglais, dont plusieurs navires ont déjà commencé à repasser l'île, a-t-il décidé de forcer une descente à l'Anse-au-Foulon ? Et par quel moyen a-t-il découvert l'accès qui l'a mené devant la ville ? Y aurait-il, comme il l'a déjà imaginé, un espion au courant des mouvements de l'armée française? Il devra y voir. Mais actuellement, il a plus urgent à faire.

Il faudrait qu'il attende Bougainville et qu'ils attaquent l'ennemi de l'avant et de l'arrière en même temps. Fusillé sur deux fronts, Wolfe n'aurait aucune chance. Cette idée lui plaît, mais Montcalm sait bien qu'il ne dispose pas du temps suffisant. S'il diffère davantage l'assaut, Wolfe sera en position de faire descendre ses hommes pour prendre le pont sur la rivière Saint-Charles, bloquant ainsi la seule retraite possible de l'armée française. Mais où se trouve donc Bougainville en ce moment?

« Est-ce possible qu'il n'entende pas ce bruit? » se demande-t-il, en laissant son regard errer sur le faubourg Saint-Jean qui disparaît presque sous l'épaisse fumée blanche provenant des coups de feu incessants.

Puis il hausse les épaules. Il ne peut plus attendre. Il est déjà tard, très tard. S'assurant que les soldats ont reçu les instructions qu'il a transmises aux officiers, il monte à cheval et s'élance au galop devant son armée.

*

Il est près de dix heures maintenant. Une clameur s'élève des rangs français. Montcalm a brandi son épée haut dans les airs et exhorte ses hommes à faire leur devoir. L'impatience est palpable. Les soldats n'attendent que son signal pour charger l'ennemi. Un roulement de tambours annonce soudain le début de la charge et, en quelques minutes, toute l'armée se met en branle, les soldats de la régulière au centre, dans leurs uniformes clairs, les Canadiens et les Indiens sur les ailes, sous le couvert des bois.

Ils avancent en rangs au pas de charge, presque à la course, en poussant des cris de guerre. Devant eux s'étend la plaine vallonnée où les pâturages cohabitent avec la forêt. Les soldats doivent bien vite dévaler une pente et l'armée se sépare en deux pour dépasser le boisé qui recouvre le haut de la butte. Lorsqu'ils atteignent l'autre côté, les hommes tentent de reformer leurs rangs, mais y arrivent difficilement. En suivant les contours du terrain accidenté, certains groupes ont pris plus de temps pour franchir le creux. D'autres ont dû sauter les clôtures qui séparent les champs des habitants. Et alors que le gros de l'armée s'approche enfin de l'ennemi, les rangs ressemblent plus à des colonnes dispersées entre les broussailles.

Les Anglais ne sont pas encore à portée de tir lorsque plusieurs détachements français s'arrêtent. Un genou par terre, les hommes du premier rang font feu. Sans attendre que la fumée se soit dispersée, le deuxième rang tire à son tour. Les formations s'égrènent davantage. Sur le sol, les Canadiens incorporés malgré eux dans l'armée régulière rechargent leurs fusils. Comme à leur habitude, ils se sont jetés par terre après avoir tiré et ce geste, inhabituel pour un militaire, sème la confusion dans les rangs.

De leur côté, les Anglais se sont relevés et leurs lignes sont droites et disciplinées. Ils attendent. Wolfe, debout sur la droite, le poignet enroulé dans une écharpe tachée de sang, s'avance devant ses hommes et donne l'ordre de tirer. Les régiments des extrémités font feu sur l'armée en approche. Leurs balles atteignent les soldats français debout dans la fumée. Les Canadiens en uniforme demeurent allongés sur le sol et tirent sur l'ennemi dans cette position.

Toujours cachés dans les boisés des miliciens continuent de fusiller les rangs ennemis. C'est en bordure de ces bois que se trouve La Mire lorsqu'il reconnaît, au centre de la ligne anglaise, la silhouette du général Wolfe, debout, non loin d'un canon, dans son uniforme écarlate et brillant. L'Anglais est la cible parfaite. La Mire se lève et s'élance vers un autre boisé, plus proche du général anglais.

Il met en joue son fusil. Malgré la fumée qui stagne autour de lui, l'homme est si visible qu'il est impossible pour l'Indien de le manquer. Son doigt presse la détente et ses épaules tressautent en entendant la décharge. Au moment même où il a tiré, les régiments anglais formant le centre de la ligne ont fait feu eux aussi, tous ensemble. Le bruit de cette détonation retentit jusqu'aux murs de la ville, tel un coup de canon.

Ce qui restait des Canadiens encore debout se jette sur le sol pour se mettre à l'abri des balles qui arrivent en sifflant au-dessus de leurs têtes. Et c'est la débandade. Les soldats français s'enfuient en panique, persuadés que ceux qui sont allongés par terre sont morts. Lorsque les balles ennemies sont passées, les Canadiens se relèvent et foncent dans les bois. De là, ils rechargent leurs armes et se remettent à tirer, couvrant la retraite de leurs camarades.

Wolfe s'est écroulé, blessé mortellement à la poitrine. La Mire a abaissé son arme, satisfait. Il sent une vague de chaleur l'envahir. C'est lui, La Mire, qui a abattu le chef ennemi. Il se redresse, s'apprête à sortir du bois pour rejoindre sa victime et s'emparer de sa chevelure, le plus prestigieux trophée de la campagne.

À peine se met-il à découvert qu'il est immédiatement tiré vers l'arrière et renversé sur le sol. Le vieux Robichaud le maintient ainsi dans les broussailles, un genou sur la poitrine et une main sur la bouche pour l'empêcher de crier. Il vient de lui sauver la vie, car les Anglais, qui ont brisé les rangs, foncent sur l'armée en déroute. Les Highlanders écossais les suivent sur le champ de bataille, achevant de leurs terribles claymores les blessés qui gisent par terre.

C'est à ce moment que Robichaud aperçoit le cheval de Montcalm qui, emporté par la mêlée, s'éloigne vers la ville. Le général est accroché à sa monture et soutenu par deux hommes en uniforme.

«Pourvu que sa blessure ne soit pas fatale», songe-t-il, le regard fixé sur les portes de la ville qu'on referme.

Il relâche La Mire qui recharge son arme aussitôt. Constatant qu'ils sont au milieu des lignes ennemies, les deux hommes s'élancent vers le faubourg Saint-Jean. Ils doivent enjamber des centaines de corps des deux camps avant d'atteindre les premières maisons. Ils s'y réfugient un moment, mais, apercevant deux bataillons anglais sortis de nulle part et qui foncent sur eux, ils prennent la fuite et se replient avec le reste de l'armée vers le pont de la rivière Saint-Charles.

Le champ de bataille appartient désormais aux Anglais.

*

Lorsque Bougainville arrive sur les hauteurs d'Abraham à la tête de neuf cents hommes, il n'y trouve que la fumée qui s'élève au-dessus des pâturages saccagés et l'odeur suffocante du soufre. Il est presque midi et, même si on entend encore quelques coups de feu ici et là, il ne reste plus un soldat en uniforme clair debout sur le plateau. À peu de distance des fortifications, les Habits rouges se regroupent déjà.

«Pourquoi Montcalm ne m'a-t-il pas attendu?» se demande-t-il, le regard perdu sur les milliers de corps qui jonchent le sol jusqu'aux pieds des murs.

Soudain, un coup de canon retentit et un boulet atterrit à quelques pas de lui. Lorsqu'un deuxième siffle juste au-dessus de sa tête, il comprend que les Anglais ont pris position et qu'ils ont bien l'intention de l'empêcher de gagner la ville.

D'où il se trouve, Bougainville aperçoit le reste de l'armée française qui se rassemble de l'autre côté de la rivière Saint-Charles. Souhaitant que ce repli ne soit que temporaire, il ordonne à ses hommes de faire demi-tour pour les rejoindre.

*

Une étrange fumée blanche s'élève en nuages plus ou moins denses devant la ville. Comme les âmes des soldats tombés sous les balles qui persisteraient à errer sur le champ de bataille, cette brume descend en filaments, serpentant entre les arbres, jusqu'à la rivière. Il est plus de midi.

Debout devant la fenêtre, au deuxième étage de l'Hôpital-Général, Marie n'arrive pas à détacher ses yeux de ce qui reste de l'armée de Montcalm. Quelques soldats poursuivis par les Anglais. Les derniers coups de canon. Les dernières fusillades. La défaite.

À ses côtés, Antoinette est plongée dans ses pensées, le visage placide, le regard dur, fixé sur les soldats qui passent devant l'hôpital pour fuir vers la rivière. Elle tient la main de sa belle-sœur et demeure muette devant le spectacle de ces champs dévastés.

— La ville ne résistera pas à un autre siège, murmure Daniel, qui les a rejointes dès qu'il a appris le début de l'engagement. Pas avec l'ennemi installé à ses portes, qui bloque le ravitaillement. Elle va se rendre, j'en ai bien peur.

Marie ne répond pas. Elle sent la main de l'homme posé sur son épaule. Un bien mince réconfort devant l'horrible perspective qu'elle commence à peine à imaginer. L'armée française défaite en quelques heures, quel sort les vainqueurs réserveront-ils aux civils? Cette inquiétude habite tout le monde, Marie l'a deviné, bien avant qu'Antoinette ne l'exprime:

— Que feront-ils de nous? dit la religieuse, sortant de sa torpeur. Vont-ils nous envoyer en France?

Daniel hausse les épaules, sans quitter des yeux le promontoire enfumé, où sont assemblés des milliers de points rouges.

— Prions pour que ces deux mois de siège n'aient pas trop abusé de leur patience, souffle-t-il, en se tournant pour quitter la petite cellule d'où ils assistaient, impuissants, à l'échec des leurs.

Marie l'a senti se retourner, mais elle remarque qu'il ne bouge plus. Un regard derrière elle suffit à lui en expliquer la raison. Debout dans l'embrasure de la porte se tiennent La Mire et Robichaud, l'air déconfits et l'œil humide. Elle n'a pas besoin de paroles. Une image horrible s'impose à elle : celle du visage livide de Jean Rousselle, étendu quelque part, sur le champ de bataille.

CHAPITRE X

L e voile qui obscurcissait la vision de Montcalm se dissipe peu à peu. La pièce est sombre. Il n'en distingue pas les murs. Quelques bougies scintillent dans l'ombre. Leurs halos lumineux éclairent lugubrement les visages accablés des hommes rassemblés autour du lit. Au loin, dans une autre pièce peut-être, des femmes récitent une prière. Montcalm l'entend, comme une rumeur sourde. Il s'inquiète soudain de son état.

– Mes blessures sont-elles graves ? demande-t-il au jeune homme penché sur ses plaies.

– Oui, mon général, souffle ce dernier, en détournant les yeux. Elles sont très graves.

– Combien d'heures ai-je encore à vivre ? Dites-moi la vérité, je vous en prie.

En prononçant ces mots, il a tendu le bras et saisit la main de celui qui évite toujours son regard. Le jeune homme se tourne enfin vers lui, décidant sans doute que, sur son lit de mort, le général mérite une réponse honnête.

– Vous ne passerez pas la nuit, monsieur.

– Tant mieux, coupe le général, avec un aplomb qui provoque des chuchotements autour du lit. Je ne verrai pas les Anglais dans Québec.

Puis il ferme les yeux. Les Anglais. Leurs uniformes écarlates apparaissent dans un nuage de fumée blanche. Où sont-ils en ce moment? Se préparent-ils à écraser la ville, maintenant qu'elle est sans défense?

Une voix familière le tire des limbes où son esprit cherche à se terrer:

— Général? J'ai besoin de vous parler.

L'inquiétude qui habite son secrétaire l'émeut. Il ouvre les yeux et ne distingue d'abord que la lumière d'une bougie près de son visage. Puis Marcel apparaît, tout près, qui tient dans la main une feuille froissée qu'il déplie de manière à ce que le général puisse la voir.

— Lisez, dit ce dernier. Lisez donc, Marcel, puisque les ténèbres semblent vouloir avoir raison de moi.

Le secrétaire s'exécute, essuyant de temps en temps les larmes qui coulent sur ses joues.

— C'est du marquis de Vaudreuil, annonce-t-il au bout d'un moment. Il demande conseil sur ce qu'il doit faire.

— Enfin…, souffle Montcalm.

Un sourire de satisfaction apparaît sur son visage, mais disparaît aussitôt, remplacé par une grimace d'amertume.

— C'est maintenant, soupire-t-il, au moment où je ne peux plus rien faire pour la colonie, qu'on daigne enfin m'écouter.

*

— Et vous, Marie, acceptez-vous de prendre pour votre légitime époux…

La voix du curé Récher est lointaine, comme venant d'outre-tombe. Elle résonne pourtant très fort dans le chœur de la petite chapelle, défiant par sa prestance les éclats de rire des trente soldats de la garde anglaise ayant élu domicile dans un local adjacent. Le curé fait mine d'ignorer ce bruit qui trouble la quiétude de rigueur pendant la sainte messe. Après avoir entendu la réponse affirmative de l'épouse, l'abbé Récher bénit l'anneau qu'un jeune garçon vient d'apporter dans une assiette. Puis Daniel Rousselle tend la main, saisit l'alliance et la glisse au doigt de Marie.

– Je vous déclare maintenant mari et femme devant Dieu et devant l'Église.

Marie se met à genoux et incline la tête, plus pour se couper de la réalité que pour se recueillir. C'est d'ailleurs ainsi qu'elle vit depuis sept jours. Aux abords de l'abîme, elle est demeurée affaissée sur sa chaise, dans la grande salle de l'hôpital, refusant de s'éloigner du lit où Odélie gît toujours, inconsciente.

Odélie, c'est tout ce qui lui reste. Odélie, et cet enfant qu'elle porte et qui ne connaîtra jamais son père. Malgré la présence d'Antoinette, à qui elle n'arrivait toujours pas à confier son secret, Marie s'est sentie seule pendant des jours, priant Dieu pour qu'il vienne la chercher, qu'il la mène auprès de Jean. Et puis, un matin, Daniel est venu la tirer de sa torpeur.

En apprenant la mort de son fils, il avait été aussi affligé qu'elle. Puis il s'était révolté contre sa grossesse. La situation lui était intolérable. Marie avait dû subir sa colère sans dire un mot. Elle-même ne regrettait pas son élan vers Jean ni l'enfant. Elle regrettait seulement la mort de celui qui devait être son époux, de celui qu'elle aimait.

Ce matin-là, après une brève mais intempestive visite chez le curé, Daniel lui a demandé de le suivre à l'extérieur. Devant son refus, il a dû insister pendant plusieurs minutes avant qu'elle n'accepte de quitter le lit de sa fille.

Au bord de la rivière, dans la brise automnale, il l'a informée de la ruse de Bougainville pour empêcher un mariage entre elle et Jean. Le soleil était haut dans le ciel. Les feuilles rougies avaient commencé à tomber et la jupe de Marie en frôlait quelques-unes, de temps en temps, dont le bruissement sec se mêlait au chuchotement de l'eau près des rochers. C'était un moment hors du temps, au-delà de la colère qu'elle était incapable d'exprimer et de la douleur qu'elle n'arrivait plus à ressentir. Un moment au bord de l'engourdissement.

La voix de Daniel lui parlait avec assurance, mais aussi avec une douceur inhabituelle chez lui. Il s'offrait. Marie le regardait sans le voir, mais elle écoutait. Il était disposé à reconnaître l'enfant qu'elle portait. En lui expliquant les conditions qu'il avait obtenues du curé, il la demandait en mariage.

Elle ne disait toujours rien. Son regard a erré un moment sur les montagnes au loin, aussi rondes que son ventre allait le devenir. Il s'est attardé sur la ville détruite, comme son propre avenir. Lorsqu'il s'est posé, enfin, sur l'homme à ses côtés, ce dernier a rougi de sa hardiesse. Marie le détaillait.

Il n'était plus très jeune. La fin de la quarantaine, peut-être. Il n'était donc pas trop vieux, malgré ses cheveux grisonnants et son air bourru. Cet air semblait d'ailleurs avoir pris du mieux, au même titre que sa blessure, puisque Daniel pouvait maintenant se déplacer d'un pas boiteux, mais régulier. Il était veuf et avait été un commerçant prospère. Parce qu'il avait fallu faire preuve d'un talent de persuasion hors du commun pour convaincre le prêtre, Marie devinait que les affaires de Daniel Rousselle reprendraient rapidement et sans difficulté. C'était aussi un homme généreux. Il était évident qu'il avait dû débourser une somme considérable pour obtenir un mariage précipité et sans publicité.

Pendant tout ce temps qu'elle prenait à réfléchir, debout, en silence, près de la rivière, Daniel, lui, observait les mouvements de l'armée anglaise dont le camp s'étendait loin devant les murs de la ville. Tout le monde savait que des négociations étaient en cours pour établir les conditions de la reddition. Et lui ne quittait pas des yeux ces hommes en rouge qui lui avaient pris son fils.

Au bout d'un long moment, Marie a parlé. Elle n'a pas répondu à la demande en mariage. L'avoir fait lui aurait semblé ingrat. Daniel s'offrait comme époux et comme père légitime. Et Marie n'était pas en position de faire la difficile. Ils savaient tous les deux que, par ce geste, il la sauvait d'une disgrâce qui aurait fait de sa vie, et de celle de ses enfants, un enfer. Il n'y avait pas de « oui » ou de « non » à donner. Il n'y avait qu'à faire honneur au sacrifice, par respect. Elle a donc simplement dit merci, avant de s'enquérir de l'heure et du lieu du mariage.

Le reste n'a été qu'un nuage ténébreux dans lequel elle a erré pendant sept interminables journées. Elle savait que les habitants jasaient, les religieuses aussi. Antoinette se faisait moins présente. Assurément, elle était toujours sous le choc occasionné par l'annonce de ce mariage que chacun qualifiait d'opportuniste et de trop hâtif. Marie ne pouvait se justifier. Elle n'en avait pas encore le courage. Elle préférait donc souffrir en silence, supportant son calvaire parce qu'elle savait qu'il allait bientôt se terminer.

« Suis-je si coupable, Seigneur ? » se demande-t-elle en silence, consciente que même lors de sa confession, il y a deux jours, elle n'a pas pu admettre son état.

Toute cette souffrance devait prendre fin ce soir, dans cette chapelle, avec comme bruit de fond les éclats de voix des soldats anglais qui s'esclaffent dans la pièce voisine, sans respect pour le culte étranger. Avec aussi les reniflements du vieux Robichaud que la cérémonie a ému au point de faire couler quelques larmes sur son visage tanné par le soleil. Marie se doute bien que ces larmes sont également pour Jean.

Et voilà le nœud, le point sensible de toute cette histoire : elle ne pourra jamais faire de deuil. Jean est mort et elle ne le pleurera pas, comme elle a pleuré Charles. Elle n'en aura pas le droit.

Elle ouvre les yeux et tourne la tête vers son époux. Daniel prie toujours, manifestant une grande piété. Elle note quelques pattes d'oie au coin de son œil, des rides inhabituelles qui trahissent l'effort que nécessite sa prière. Lorsqu'il incline la tête davantage, elle aperçoit les trois plis qui lui strient le front à la verticale, juste entre les yeux. Il partage sa douleur, en plus d'avoir la sienne propre. Elle devrait étirer le bras et prendre sa grande main dans la sienne. Mais elle n'y arrive pas. Pas maintenant. Le pourra-t-elle un jour ? Elle ne sait pas. Pour le moment, elle ne peut qu'endurer, et être reconnaissante.

Devant elle, le prêtre vient de terminer la messe.

*

— Je promets et jure devant Dieu solennellement que je serai fidèle à Sa Majesté britannique, le roi George Second, que je ne prendrai point les armes contre lui et que je ne donnerai aucun avertissement à ses ennemis qui puisse en aucune manière lui nuire.

Daniel imite les autres Canadiens réunis en cercle. Il a levé la main droite et répète après l'officier anglais, les dents serrées. Dans sa bouche, comme dans celles des autres hommes présents, ces paroles n'ont pas de réelle signification. Ce ne sont que des mots. Ce qui le dérange, par contre, c'est qu'on profite de l'occasion pour lui confisquer son arme. Et il ronchonne intérieurement :

«Un Canadien sans fusil, c'est un chien ! Pire, un esclave dépendant des autorités pour se nourrir et nourrir sa famille !»

Cette irritation est visible sur son visage, de même que sur celui de chaque homme présent. Même si tout le monde savait que les Anglais ne laisseraient pas les Canadiens aller et venir dans la ville armés comme des soldats, les principaux concernés ont quand même beaucoup de difficulté à se plier à cet article de la reddition. Cependant, comme il s'agit d'une condition imposée pour leur retour dans l'enceinte de Québec, ils doivent s'y soumettre. C'est donc à contrecœur qu'ils ont déposé leurs armes le long du mur d'enceinte.

En retrait avec les autres femmes, Marie attend que se termine le serment de fidélité et prie pour que Daniel puisse contenir sa frustration et ne s'emporte pas. Appuyée contre la charrette, elle jette un œil en direction d'Odélie. Depuis que sa fille a repris connaissance, il y a deux jours, il semble que le mauvais temps ait disparu pour faire place à une température plus douce, presque estivale. Un renouveau que Marie souhaiterait voir s'étendre jusque dans le cœur de sa fille et, surtout, dans le sien.

Avec une dizaine de blessés, Odélie est assise dans la charrette, à côté d'Olivier qu'ils ont ramené avec eux, le temps que les routes soient assez sûres pour que son père vienne le chercher. Le garçon n'a d'ailleurs pas quitté le chevet de la jeune fille depuis son réveil, s'occupant d'elle comme le ferait un chevalier servant. Cela semble d'ailleurs amuser Odélie, car elle sourit souvent. Marie a choisi d'y voir là un signe positif de sa guérison. N'ayant d'autres habits que ceux avec lesquels on l'a amenée à l'hôpital, Odélie demeure nu-tête, ses cheveux ondulant sous le vent, comme ceux de son compagnon avec qui elle discute à voix basse. À tout moment, elle s'esclaffe et lui assène un coup de coude qui le fait rigoler. Marie admire la joie de vivre de sa fille.

« Il est bon de constater que l'arrivée de Daniel dans notre famille ne l'indispose pas comme elle a indisposé Antoinette. »

Marie pense avec amertume à l'attitude distante de sa belle-sœur lorsque celle-ci est venue l'informer de sa décision de rester au cloître de l'Hôpital-Général.

— Pour toujours, a-t-elle ajouté, en baissant les yeux pour éviter de répondre aux questions que Marie aurait voulu lui poser.

«Chacun est libre de son destin», songe Marie, en reportant son attention sur les hommes qui viennent de briser leur formation. Daniel s'approche d'elle, puis, jetant un dernier regard en direction de la rangée de fusils, il fait une moue de dégoût.

– C'est fini, dit-il en arrivant à sa hauteur. On peut rentrer maintenant.

La charrette se met en branle, suivie de la foule qui pénètre dans la ville d'un pas lent, dans un silence lugubre. À l'intérieur des murs, le spectacle est désolant. Les toits défoncés, les murs effondrés ou percés, des maisons entières incendiées. Chacun avance, évitant les pierres ou les madriers répandus dans la rue, secouant la tête à tout moment en constatant l'ampleur des travaux qui seront nécessaires avant l'hiver. Et l'hiver, c'est très bientôt, personne ne peut l'oublier.

Pas une parole, pas même un mot.

Daniel et Marie s'arrêtent simultanément en atteignant la façade de leur maison. Par la fenêtre, on aperçoit le profil rouge des uniformes anglais. Cette présence inopportune exacerbe la colère de Daniel qui s'engouffre par la porte avant d'un pas rageur. Marie le laisse faire, car elle doit aider Olivier à faire descendre Odélie de la charrette. Ses pensées sont ailleurs:

«Que ferons-nous si la maison a été saisie? Où logerons-nous?»

Elle frissonne à l'idée de retourner à l'hôpital avec ces gens qui ont jugé son mariage si sévèrement. Elle sait qu'ils n'ont pas tous retrouvé une maison qui soit habitable et elle craint de revivre la promiscuité de la grange, surtout pendant l'hiver. Elle installe sa fille le long du mur et, après l'avoir confiée aux soins du garçon, elle franchit le seuil de sa maison au moment où Daniel interpelle l'officier qui descend de l'étage. Il s'adresse à lui en français, bien que Marie sache qu'il pourrait aisément s'exprimer en anglais :

— Est-il possible de connaître les raisons de votre intrusion dans ma maison, monsieur ?

L'officier a une quarantaine d'années, les cheveux foncés, le teint mat, le regard rieur des gens du sud de l'Europe. Il se tourne vers Daniel et ses yeux révèlent la confusion qui règne dans son esprit. À l'étage, deux soldats déplacent des meubles en faisant un vacarme terrible qui couvre presque la réponse de l'officier :

— Pardonnez-moi, dit-il en français. On a dû mal nous informer. Cette maison n'appartient-elle pas à Mme Marie de Beauchêne ?

— Il s'agit de mon épouse.

L'Anglais se tourne vers Marie et s'incline poliment.

— Les informations que nous avions, madame, ne mentionnaient que la présence de quatre personnes dans cette grande maison : Mme de Beauchêne, sa fille, sa belle-sœur et une servante. Veuillez nous excuser. Nous n'étions pas au courant de votre mariage.

Puis, se tournant vers Daniel, il se présente :

— Je suis le capitaine James Shirley. Monsieur ?

— Daniel Rousselle, capitaine. Ne vous formalisez pas pour cette erreur de votre part. Nous sommes mariés depuis peu.

Marie demeure muette devant le changement d'attitude de son époux. Sa colère s'est complètement évanouie. Cette soudaine soumission lui ressemble si peu qu'elle a l'impression qu'il se moque de l'Anglais. Or, en l'observant, elle remarque qu'il continue de se montrer affable et agréable avec l'officier. Quelque chose lui échappe. Résignée, elle se prépare à retourner auprès d'Odélie, mais suspend son geste en apercevant le document dans les mains du capitaine.

– Ce sont là nos instructions, monsieur Rousselle. Nous avons ordre de loger chez Mme de Beauchêne. Je ferai faire la correction en ce qui concerne le nom. À cause des dégâts qu'ont subis les maisons de la ville, chaque citoyen est tenu de loger les officiers de l'armée de Sa Majesté qui y seront assignés. Vous serez dédommagés pour les inconvénients que cela pourrait vous causer, évidemment.

– Évidemment, répète Daniel avec une amabilité qui continue de surprendre Marie. Soyez les bienvenus, messieurs. Je dois par contre vous informer que plusieurs pièces de cette magnifique demeure ont été endommagées par les bombardements. Si bien qu'il ne reste que le rez-de-chaussée qui soit habitable en ce moment. Nous allons nous retrouver à l'étroit, je le crains bien.

Le capitaine sourit, montrant du menton les matériaux déposés au pied de l'escalier.

– Ne vous inquiétez pas pour les réparations, monsieur Rousselle. Plusieurs d'entre elles ont été effectuées dès notre arrivée en ces lieux, il y a trois jours. Les autres seront terminées sous peu.

Daniel prend un air admiratif et observe un instant le va-et-vient des hommes dans la maison. Le bruit d'un marteau se fait entendre, comme s'il venait appuyer les dires de l'Anglais. Marie sent l'inquiétude grandir en elle, mais, comme Daniel paraît en confiance, elle essaie de se calmer.

— Puisque vous êtes à ce point efficace, capitaine, je ne doute pas que votre compagnie nous sera agréable.

— La vôtre de même, monsieur Rousselle.

Puis l'homme se tourne vers Marie et ajoute :

— Je crains bien, madame, que votre fille et votre belle-sœur se verront dans l'obligation de partager leur chambre avec la servante. Nous avons huit hommes à loger chez vous. D'autres pourraient se joindre à nous selon les besoins. Nous occuperons donc deux des chambres du haut ainsi que celle de votre servante près de la cuisine. Compte tenu des circonstances, j'ai bien peur que vous deviez vous accommoder des deux pièces restant à l'étage !

Marie n'en croit pas encore ses oreilles. Deux chambres ! Alors qu'il leur en aurait fallu... quatre, au moins ! Elle ouvre la bouche pour exprimer ses objections, mais Daniel a déjà repris la parole, sa grande main posée sur le bras de Marie pour la retenir :

— Ces deux pièces nous suffiront, capitaine. À condition, bien sûr, que la cuisine et la salle commune soient à la disposition de tous.

— Cela va de soi.

Les deux hommes se serrent la main et Marie s'appuie sur le mur, abasourdie. La conversation se poursuit sur d'autres sujets, mais elle en a assez entendu pour une journée. Elle traverse la maison d'un pas lent, observant les aménagements commencés par les Anglais. Lorsqu'elle atteint la cuisine, son regard s'illumine. Sur la table se trouvent plus de victuailles qu'elle n'en a vu depuis des mois.

*

Daniel dépose le bougeoir sur la commode, referme la porte et va s'asseoir sur le bord du lit. Malgré la tiédeur de la pièce, il hésite à se déshabiller. Derrière lui, à l'autre bout de la chambre, un froissement de tissu, des jupons qui frôlent un meuble. Il entend le frottement des rideaux sur la tringle. Le bruissement des lacets dans les œillets lui annonce que Marie défait son corset. Il sent l'inquiétude le gagner. Qu'est-ce qui lui a pris d'épouser cette femme? Il se le demande encore. Dans quelques minutes, une robe glissera sur le plancher. Marie sera alors en chemise.

« Dieu fasse qu'elle éteigne avant de se mettre au lit! » songe-t-il, en se défaisant de ses souliers et de ses bas.

Tout à coup, le noir envahit la pièce. Marie a soufflé la bougie. Daniel entend ses pas qui font craquer le plancher. Il sent sous lui les draps qu'on replie. Il se lève, enlève ses hauts-de-chausses, dépose ses vêtements sur la chaise et se glisse sous les couvertures en tirant sur sa chemise pour se couvrir. Allongé sur le dos, presque en équilibre sur le bord du matelas, il écoute la nuit. Il garde les yeux ouverts, attendant que sa vision s'habitue à l'obscurité. Même s'il le voulait, il serait incapable de dormir. Il sent la chaleur que le corps de Marie diffuse sous les draps. Cela suffit à le garder alerte.

« Pourvu qu'il ne fasse pas trop froid pendant la nuit, songe-t-il, en plaçant sa chemise le long de son flanc. S'il fallait qu'elle se rapproche… »

Il se trouve idiot d'avoir peur d'elle. Après tout, ses besoins masculins ne sont pas différents de ceux des autres. Et puis ils sont mariés. Mais voilà justement où se trouve la difficulté. Même s'ils sont légalement des époux, lui, il n'arrive pas à voir Marie comme une femme, comme SA femme. Dans son esprit, elle est toujours la promise de son fils et cela rend la situation intenable.

Il n'a pas voulu montrer son angoisse lorsque le capitaine Shirley leur a expliqué qu'il leur laissait deux chambres. Une pour Odélie et la servante, lorsqu'elle reviendra, et une pour lui et sa femme. En préparant ce mariage, il n'avait pas prévu cette intimité forcée. Il avait plutôt imaginé Marie et lui faisant chambre à part, mais partageant la maison, pour les apparences. Il avait cru qu'ils garderaient entre eux une distance semblable à celle qu'ils avaient observée pendant les deux dernières nuits dans la grange. Mais maintenant...

Une seule chambre. Un seul lit! Sur le coup, il avait espéré que Marie irait dormir avec sa fille. C'est probablement ce qu'elle avait pensé, elle aussi. Mais lorsqu'ils sont montés se coucher, Daniel s'est aperçu des coups d'œil indiscrets que leur jetaient les Anglais. Marie a dû les voir, car, au lieu de rejoindre sa fille dans la chambre du fond, elle s'est engouffrée dans celle-ci. Avec lui!

La présence anglaise dans la maison, même si elle a ses avantages, a décidément de nombreux inconvénients. Et celui de dormir avec sa femme, s'il n'est pas le plus grave, est tout de même assez sérieux. La voix de Marie brise la nuit, douce et posée. Elle n'est pas chargée de reproches, malgré la teneur des propos:

— Je ne comprends pas votre attitude soumise, monsieur Rousselle. Il nous est tellement pénible de loger les conquérants. Pourquoi vous abaissez-vous à leur servir ces viles flatteries?

Daniel sourit dans le noir. Si Marie n'a pas vu clair dans son jeu, il semble évident que le capitaine n'y aura vu que du feu. Il pourrait lui expliquer en détail les raisons de son comportement. Elle comprendrait peut-être… Mais elle serait aussi capable de s'y opposer. Il choisit la prudence. Pour le moment.

— En logeant chez nous, les Anglais devront nous approvisionner en bois de chauffage pour l'hiver, sinon ce sont eux qui en souffriront les premiers. Avec le peu d'argent qu'il me reste, je ne vois pas comment nous pourrions nous en procurer par nous-mêmes.

Marie se redresse. Elle place son oreiller dans une position plus confortable et s'allonge de nouveau. Daniel sait que ce sont des gestes de nervosité, des gestes qui font aussi grincer le lit. Ce bruit le trouble parce qu'il est habituellement synonyme d'intimité, mais plus encore parce qu'il est conscient que les Anglais peuvent l'entendre de l'autre pièce. Il poursuit donc son discours sans attendre, pour faire dévier ses pensées qui ne vont pas dans le sens qu'il voudrait :

— Les Anglais devront nous payer ou nous fournir de la nourriture en échange de notre corvée de logement. Leur présence est la meilleure façon de vous assurer de manger, sinon à votre faim, du moins suffisamment. Leur médecin pourra peut-être également s'occuper de votre fille.

Daniel se tait et attend les objections de Marie. Comme celles-ci ne viennent pas, il continue :

— Il ne faut pas oublier qu'ils vont réparer la maison. Sans eux, nous n'aurions pas pu acheter les matériaux nécessaires pour rendre l'étage habitable.

Encore ce silence. Un faible rayon de lune pénètre dans la chambre par l'interstice des rideaux. Une lumière blanche, pure, presque palpable, que réfléchit le miroir de la commode. Daniel se tourne de ce côté et observe le profil de Marie enveloppé par ce reflet. Elle s'est allongée à l'autre bout du lit. Ses traits sont crispés et elle regarde le plafond, inconsciente des yeux fixés sur elle. Sa chevelure se découpe comme une masse sombre sur l'oreiller et sur sa chemise blanche.

— Et puis vous devriez cesser de m'appeler « monsieur Rousselle ». Si vous continuez, vous allez rendre notre mariage suspect.

Marie ne répond pas, mais elle se tourne vers lui. Un nuage cache soudain la lune, plongeant la chambre dans une obscurité totale.

— Je me prénomme Daniel, lance-t-il au bout d'un moment.

Il se replace alors dos à Marie, dans l'espoir de se vider l'esprit, afin de pouvoir dormir.

— Merci, Daniel.

Entendre son nom prononcé avec une telle douceur accentue cette sensation qui le dérange. Il ne dit plus rien, souhaitant que Marie le croie endormi, mais, en vérité, il lui faudra plus d'une heure pour trouver le sommeil.

*

Rafraîchis par la brise de cette fin de septembre, Marie et Daniel déambulent dans la rue d'un pas lent, comme le font souvent les couples en promenade. Si Marie devient crispée chaque fois qu'ils croisent quelqu'un de sa connaissance, Daniel, lui, demeure détendu, saluant les passants, acceptant les félicitations pour son mariage récent. Il se sent déjà chez lui à Québec. Voilà bien une chose incongrue!

Car depuis qu'ils sont revenus et que la vie semble reprendre son cours, Marie se sent étrangère dans sa propre ville. Les gens ne la regardent plus de la même manière. Des airs hautains, des murmures et des silences subits surgissent à leur passage. Elle n'est pas encore certaine si c'est à cause de son mariage soudain ou parce qu'elle loge des Anglais chez elle. Dans les deux cas, elle n'est ni la seule ni la première à être dans cette situation. Cette pensée la réconforte et lui permet de soutenir les regards des bourgeois.

Mais, aujourd'hui, les gens ont autre chose en tête et cela lui donne un répit. Un attroupement s'est formé, auquel Marie se joint, au bras de Daniel. Un coup d'œil à la ronde lui permet de constater que la foule s'étend jusqu'au couvent des Ursulines. Une foule bigarrée, composée de membres du clergé, de prospères marchands, de petits commerçants, d'habitants du pays, riches et pauvres. Même si presque toute la population de la ville est réunie pour l'occasion, Marie n'a pas jugé bon d'habiller Odélie pour qu'elle les accompagne. Elle n'est pas en état de sortir et, de toute façon, Olivier veille sur elle pendant son absence. Et puis cet attroupement n'est pas une occasion de réjouissance!

Voilà que vient d'apparaître au loin la première colonne d'Habits rouges qui avancent dans la rue. Le son des tambours et des cornemuses s'accentue, se répercutant en écho entre les maisons alignées, telle une cacophonie assourdissante, presque cynique tant elle est joyeuse et funeste à la fois.

Marie observe cette démonstration de puissance le cœur froid. En tête de la parade, l'état-major britannique dont les dorures et les médailles scintillent sous le soleil. Suivent les différents régiments des vainqueurs du 13 septembre. Devant chacun, les bannières et les tambours et, devançant le régiment des Highlanders, les cornemuses dont le son strident devient à peine supportable lorsqu'elles passent à proximité.

– Je reviens dans quelques minutes, murmure Daniel à l'oreille de son épouse, avant de retirer son bras et de s'éloigner dans la foule.

Marie le suit des yeux. Elle le voit qui dépasse en boitillant un groupe de marchands et s'excuse auprès des quelques habitants qu'il a bousculés malgré lui. Il longe ensuite le cortège militaire jusqu'à l'extrémité, traverse la rue après le dernier soldat, puis disparaît dans une ruelle, derrière un bâtiment en ruine. Perplexe, Marie hausse les épaules et soupire. Ce n'est pas le premier geste incompréhensible que pose cet homme.

« Et ce ne sera sans doute pas le dernier », songe-t-elle, en revenant aux soldats qui défilent toujours dans la rue.

Elle continue de regarder cette procession qui devrait la laisser de glace, mais qui commence à la fasciner malgré elle. De temps en temps, elle reconnaît un des officiers qui logent chez elle, mais ce n'est pas cela qui retient son attention. Il lui faut bien quinze minutes pour comprendre que c'est plutôt l'ordre qui règne dans les rangs. Tout est réglé, tout est parfait. Charles aurait été impressionné.

Une ombre passe sur son visage. Charles, Frederick et maintenant Jean. Tous morts à la guerre. Tous morts pour cette guerre, qui n'est pas encore finie. On racontait hier au marché que Bougainville avait déjà atteint la rivière Saint-Charles avec la cavalerie en renfort, lorsqu'on lui a appris que la ville s'était rendue. Connaissant le colonel, Marie ne doute pas de la frustration qu'a dû lui causer cette manœuvre avortée. À l'heure qu'il est, on lui a peut-être aussi appris son mariage, ce qui aura, sans aucun doute, alimenté son dépit. Comme il doit lui en vouloir ! Mais que pouvait-elle faire d'autre ? Orgueilleux comme il est, il n'aurait jamais reconnu l'enfant qu'elle porte. Et Marie aurait été bien incapable de lui cacher sa grossesse. Sans parler que cet enfant aura sans doute quelques traits indigènes de son père. Pour le colonel, cela aurait été le comble de l'humiliation.

Pour Daniel, la chose est différente. Il reconnaît son petit-fils pour éviter qu'il soit illégitime. C'est un geste intéressé, même s'il est généreux. Daniel a eu pitié de l'enfant à naître, pas d'elle. Et ça, elle ne peut l'oublier ni lui en vouloir d'ailleurs.

Quand elle pense à Jean, Marie revoit les fosses qu'on a creusées à l'Hôpital-Général pour y déposer les Anglais morts sur le champ de bataille. Elle pense aussi aux tombes du cimetière catholique où reposent les soldats français et les Canadiens. Plus de mille corps ont été récupérés sur les hauteurs d'Abraham. Parmi eux, Daniel n'a pas été capable d'identifier son fils tant ces hommes avaient été mutilés. Avant de rejoindre l'armée de Lévis, La Mire lui avait décrit l'endroit où aurait dû se trouver la dépouille de Jean. Daniel s'y est rendu, en vain. Mortifié, il a dû conclure que son fils faisait partie de ceux qui ont été balayés ou déchiquetés par l'explosion d'une bombe, et dont on n'a trouvé que des morceaux de chair, baignant dans le sang. Comme il serait plus facile d'accepter sa mort s'il y avait un corps à enterrer!

Marie sait bien que c'est pour cette raison que Daniel a proposé ensuite de l'épouser et de reconnaître le petit être qui grandit en elle. C'est tout ce qui reste de sa descendance.

– Tenez, dit justement la voix de Daniel, arrivé derrière elle.

Marie sursaute et se retourne au moment où il dépose dans ses bras une petite boîte de bois remplie de plants de fines herbes.

– Je crois que vous saurez faire un bon usage de ces précieuses petites feuilles, dit-il simplement, en observant les dernières rangées de soldats qui passent devant eux.

– Euh… merci.

Marie essaie de sourire, mais elle est déconcertée par ce cadeau. Elle se surprend à observer l'homme de profil. En s'attardant sur ses traits, étrangement radieux, étant donné les circonstances, elle a l'impression de retrouver devant elle le prospère marchand de Louisbourg. Depuis leur mariage, et peut-être même un peu avant, Daniel Rousselle attache ses cheveux. Et dès qu'il a été installé dans la maison de la rue Saint-Louis, il a recommencé à se raser. Il soigne aussi sa tenue de sorte que Marie doit admettre qu'il paraît assez élégant quand ses vêtements sont propres, comme c'est le cas en ce moment. Elle remarque le fin ruban de soie qui retient dans une boucle ses cheveux parsemés de gris.

«Un ruban tout neuf», songe-t-elle.

Daniel incline la tête vers elle et Marie s'aperçoit que son visage est lumineux. Mal à l'aise, elle reporte son attention sur les soldats qui s'éloignent dans la rue. La parade est finie.

*

Il n'y a dans sa tête que le noir, car Odélie ne rêve pas. Elle ne rêve plus depuis des semaines, depuis cette évasion qui lui a valu une balle dans le flanc. Alors, le corps engourdi, la tête lourde, elle respire lentement, absorbée par le sommeil, simplement détachée du monde.

Elle sent une main sur son bras, reconnaît la voix qui lui parle. Elle ouvre les yeux et Olivier est là, près du lit. Il attendait. C'est la première fois qu'il la réveille. Elle n'a pas le temps de s'en inquiéter, car il prend la parole :

— Je suis venu te dire au revoir.

— Tu pars ?

Odélie sent grandir en elle une détresse nouvelle.

— Je retourne chez moi. Mon père est venu me chercher. Il a besoin de moi pour la moisson.

— Ton père est ici ?

Elle essaie de se lever pour constater par elle-même, mais la douleur qui lui traverse le corps la force à se recoucher. Elle ne peut que s'appuyer contre la tête du lit.

— Oui, il a dit à ta mère qu'elle devait se trouver une nouvelle servante. Il ne veut pas que Louise revienne en ville. C'est trop dangereux, qu'il dit. Et puis il a peur qu'elle marie un Anglais.

— Marier un Anglais ? Qui ça ?

— Des filles de Québec, je pense. Il y a eu deux mariages comme ça, la semaine passée. « Le père » dit que c'est un péché mortel, alors il ne veut pas que

Louise s'approche de la ville. Par chez nous, il y a moins de chance qu'elle en rencontre. C'est ce qu'il dit. Je pense que c'est parce qu'il veut garder un œil sur elle.

Odélie l'écoute sans l'interrompre. Elle aime bien Louise. Et elle ne voudrait pas qu'elle épouse un Anglais, c'est certain. Mais c'est dommage qu'elle ne revienne pas. Odélie sent un pincement au cœur. Olivier s'en va. Il ne reviendra pas, lui non plus. Elle va se retrouver seule avec sa mère, son nouveau beau-père et ces Anglais qui vont et viennent dans la maison. Même si Olivier continue de parler, il ne la regarde pas. Peut-être est-il triste de partir? Serait-il aussi triste qu'elle?

— Moi, je pense aussi que le père veut la convaincre de marier Bernard, le fils du voisin. Mais je la connais, ma sœur. Elle ne voudra jamais.

— Ce serait cruel de la forcer à se marier avec quelqu'un qu'elle n'aime pas.

— Oui. Je pense aussi. Mais le père dit qu'elle est à l'âge de fonder sa famille. Comme il n'y a pas d'autre parti qui lui tourne autour, il pense qu'il faut qu'elle prenne celui qui passe.

Odélie ne dit rien. Elle essaie d'imaginer Louise, devant l'autel, dégoûtée par l'homme qui se penche au-dessus d'elle pour l'embrasser. Voilà un bien terrible cauchemar!

Olivier recule soudain d'un pas. Les mains dans le dos, il se tortille, s'appuyant tantôt sur une jambe, tantôt sur l'autre, évitant de la regarder.

— Je ne veux pas que mon père décide pour moi quand le temps sera venu.

Odélie l'observe en silence. Elle comprend. Elle non plus n'aimerait pas qu'on choisisse pour elle. Puis la voix d'Olivier se fait entendre de nouveau. Une voix différente, timide et rauque à la fois.

– Quand on va être grands, veux-tu qu'on se marie?

Elle n'a pas besoin de réfléchir à la réponse. Elle sait déjà que c'est avec lui qu'elle veut vivre. Elle aime comme il la voit, comme il la traite.

– Oui, dit-elle simplement.

Olivier se tourne vers elle, visiblement heureux. Il s'apprête à parler, mais une voix d'homme tonne depuis le rez-de-chaussée et l'appelle.

– Il faut que j'y aille, dit-il en s'approchant du lit.

Il prend alors la main affaiblie dans la sienne. Odélie l'ouvre toute grande et appuie ses doigts contre ceux d'Olivier. Leurs mains sont de la même taille. Le garçon a fait le même constat.

– Je ne serai pas toujours aussi petit, dit-il enfin.

Puis il se penche rapidement au-dessus d'elle et lui vole un baiser avant de s'enfuir. Odélie demeure abasourdie, la bouche entrouverte, un léger sourire égayant son visage.

*

Dehors, il fait nuit et un vent froid d'octobre siffle dans les rues étroites, balayant contre les murs les feuilles des arbres dont quelques-unes s'élèvent jusqu'aux fenêtres. À l'intérieur, le reflet des chandelles sur la table danse joyeusement sur les carreaux. Le silence a régné autour de la table durant les premières semaines qui ont suivi le retour à la ville. Mais, depuis quelques jours, ce silence a fait place à une conversation animée et aux éclats de rire.

«Rire avec les hommes de Wolfe, songe Marie, en observant les convives autour de la table. Je n'aurais jamais cru cette chose possible, il y a quelques semaines.»

Non, personne n'aurait pu s'imaginer, il y a quelques mois, soupant à la même table que l'ennemi. Cependant, parce que les deux généraux ont perdu la vie sur le champ de bataille, il semble qu'une espèce de trêve se soit installée entre les conquis et les conquérants. Il faut dire que ces derniers font tout pour faire oublier le long siège qu'ils ont fait subir à la ville. La nourriture, même si elle est toujours rare, est plus abondante qu'avant. Les Anglais participent aussi à la reconstruction des maisons en prévision de l'hiver. Sans parler du bois qu'ils essaient de ramasser et qui ne devrait pas manquer chez Marie avec tous ces hommes dans la maison.

En fait, à regarder cette table, ce soir, on en oublierait presque l'occupation. On en oublierait presque la guerre...

Marie observe son époux installé à ses côtés, à un bout de la table en tant que propriétaire et maître de la maison. Quel homme étrange! Elle croyait le connaître, après avoir passé plusieurs semaines à son chevet lors de son arrivée en ville. Elle avait ensuite perçu une nouvelle facette de sa personnalité lorsqu'elle l'avait retrouvé dans la grange, à son retour de la Pointe-aux-Trembles, surtout lorsqu'il s'était mis à s'occuper d'elle. Et voilà maintenant qu'il ne se passe pas un jour sans qu'il la surprenne. D'abord avec ce mariage. Et ensuite... ça!

Son plaisir est si manifeste que Marie n'en revient pas. Après l'avoir entendu ronchonner contre un ennemi qu'il ne pouvait plus combattre, comment peut-il se plaire en compagnie de ces Anglais qui lui ont ravi son fils? Marie secoue la tête, incapable de se faire une opinion sur cet homme.

Cette capacité d'adaptation lui rappelle d'ailleurs Du Longpré, dont elle est sans nouvelle depuis la reddition. Lui aussi trouvait toujours le moyen de tirer le meilleur parti de chaque situation. Sans doute en ce moment fait-il voile en direction de la France dans le but d'y faire fortune.

«Espérons que sa femme s'y plaira», songe Marie en revenant à ses «invités».

Les conversations se font plus vives au fur et à mesure que se vident les bouteilles de vin. Il fait chaud et cette chaleur qui règne dans la pièce n'a rien à voir avec celle dégagée par le poêle. Elle est plutôt due à la fébrilité des convives. Mais Marie, elle, ne parle pas. Les airs avenants de Daniel l'irritent tellement qu'elle doit s'efforcer de ne pas le regarder. Elle veut bien admettre qu'ils ont besoin du loyer qui sera versé par le gouverneur Murray, mais il y a des limites à s'abaisser.

«Serait-il à ce point un homme pratique?» se demande-t-elle en lui remplissant son verre de vin.

À ce moment, Daniel se tourne vers elle, lui sourit et la remercie, avant de revenir à sa conversation avec le capitaine Shirley. Marie se calme un peu en entendant quelques mots au sujet des permis pour le commerce. Lorsque Daniel aura rétabli ses affaires, ils n'auront plus besoin des Anglais pour vivre.

Peut-être Daniel a-t-il lu dans ses pensées? Peut-être ressent-il lui aussi cette ambivalence face à ces hommes assis autour de la table? Peut-être a-t-il seulement besoin, comme elle, de quelque chose à quoi se raccrocher lorsque ce qui leur arrive prend des allures de cauchemar? Marie ne l'a pas vu étirer le bras sous la table. Et elle est surprise en sentant les doigts solides étreindre sa main qu'elle avait posée sur ses cuisses. Daniel a fait ce geste sans détourner la tête, sans même interrompre cette discussion qu'il poursuit avec le capitaine Shirley.

Ce contact la rassure, quelles que soient les raisons qui l'ont motivé. Sans réfléchir, elle pose son autre main sur celle de Daniel. Un geste spontané, chargé de sympathie. C'est alors qu'il tourne vers elle un regard pénétrant. Ce même regard qu'avait Jean lorsqu'il lui manifestait son intérêt, qu'il cherchait à comprendre qui elle était, ce qu'elle voulait, ce qu'elle ressentait. Et ce regard a l'effet d'une lame de couteau qui s'enfonce dans son cœur.

Elle retire ses mains, se verse du vin pour la troisième fois de la soirée et regarde ailleurs. N'importe où, pour essayer d'effacer les images qui lui brouillent la vue.

*

Marie entend les Anglais qui discutent en s'en allant dans la rue. La colère bout en elle depuis le déjeuner, mais elle n'en a encore rien dit. Elle ne l'a pas non plus manifestée par une parole acerbe. Non, elle a attendu que le dernier officier ait quitté la maison.

Odélie dort dans sa chambre. La maison est silencieuse. Daniel ne tardera pas à se préparer pour la messe. Assise sur le bord du lit, Marie patiente.

Des pas se font entendre dans l'escalier, irréguliers et lents. Les pas de quelqu'un qui monte les marches en claudiquant. Ils se dirigent maintenant vers la chambre. Daniel apparaît dans l'embrasure de la porte. Ignorant son air courroucé, il se dirige vers l'armoire et en sort une chemise neuve, une veste de soie et un justaucorps de laine. Il dépose les vêtements sur le lit.

— Êtes-vous fâchée? demande-t-il au bout d'un long moment.

Marie retient le premier mot qui lui vient à l'esprit: traître. Comme s'il s'inquiétait de son silence, Daniel fait le tour du lit et vient se placer devant elle. Chercherait-il la confrontation? Marie inspire et demeure calme. Elle retient le deuxième mot qui lui brûle la langue: opportuniste. Et le troisième: hypocrite. Heureusement, Daniel reprend la parole avant qu'elle ne se rende au quatrième:

— Ça vous gêne d'avoir les Anglais sous votre toit?

— Ce qui me gêne, c'est que vous avez offert au capitaine Shirley de dessiner les plans de la rivière Saint-Jean! Cette guerre n'est pas terminée, que je sache!

Daniel ne dit rien et la regarde avec un flegme inhabituel. Ce mutisme exaspère Marie qui bondit d'indignation et s'emporte:

— Vous vendez votre patrie en vous comportant de la sorte!

Elle attend une gifle, qui ne vient pas. Elle reste debout, les yeux à quelques pouces des siens, la colère exacerbée par son silence.

– Mais dites quelque chose! Justifiez votre comportement, pour l'amour du ciel! Le gouverneur Vaudreuil vous fera pendre s'il apprend que vous vendez de l'information à l'ennemi.

– Le gouverneur Vaudreuil n'est plus le gouverneur de Québec, Marie. Il s'est réfugié à Montréal. Il n'a plus de juridiction sur notre ville puisque ses troupes ne dépassent pas la Pointe-aux-Trembles. Ici, c'est avec l'Anglais qu'il faudra s'entendre à l'avenir. Nous avons le choix. Ou bien nous mourrons de faim et de froid pendant l'hiver, ou bien nous tirons profit de la situation. Je préfère la deuxième solution.

– Même s'il vous faut pour ça trahir la France?

– La France n'est plus là pour que je la trahisse. Tout le monde sait que le roi a refusé d'envoyer des troupes supplémentaires dans la colonie. Tout comme il a refusé d'y faire parvenir des vivres. Je suis un commerçant, Marie. J'ai fait des affaires avec les colonies britanniques toute ma vie. À Louisbourg ou à Québec, un marchand demeure un marchand. Si nous laissons les Anglais établir leurs boutiques dans la ville sans rien faire, quelle part aurons-nous quand la guerre sera finie?

– Quel rapport cela a-t-il avec les plans que vous vous proposez de tracer?

– Murray payera cher ces plans. Et si je veux reprendre mes affaires, il me faut une mise de fonds. J'ai tout perdu à Louisbourg et nous ne possédons que cette maison. Avec quoi suis-je censé démarrer mon commerce? En utilisant cette maison comme une auberge? Votre père aussi est commerçant, Marie. Vous savez qu'il me faut de l'argent.

– Oui, mais…

— Écoutez-moi bien, Marie. En tant que vainqueurs, les Anglais auraient pu violer et tuer comme bon leur semblait. Ils auraient pu piller toutes les maisons avant de les détruire. Ils auraient pu déporter les habitants, comme ils l'ont fait avec les Acadiens. Ils ne l'ont pas fait. Murray n'est pas un boucher.

Marie reste bouche bée, les yeux écarquillés. Elle avait bien pensé, elle aussi, à ce qui pourrait leur arriver quand les Anglais seraient maîtres de Québec. Tout le monde ne parlait que de ça dans les jours et les heures qui ont précédé la reddition. Mais il y a quelque chose de morbide à entendre Daniel énumérer froidement les horreurs qui ont plané au-dessus de leurs têtes.

Satisfait de l'effet produit par ses paroles, Daniel contourne le lit, se défait de sa vieille chemise et continue de s'habiller. Marie n'a toujours pas bougé. Elle regarde à travers la fenêtre sans voir les premiers flocons de neige, si minuscules, qui virevoltent et fondent au sol.

— Je trouve que vous avez la mémoire bien courte, lance-t-elle finalement en quittant la pièce. On dirait que vous avez déjà oublié que ce sont *ces* Anglais qui ont tué votre fils.

Cette deuxième phrase résonne longtemps dans les oreilles de Daniel. Et elle avive la blessure, bien sûr, mais elle apporte aussi une grande satisfaction.

*

Odélie regarde le plafond. Comme le temps est long quand on le passe à regarder par la fenêtre la nature qui se transforme! Car Odélie n'a rien d'autre à faire. Et personne à qui parler. Sa mère vient bien la voir plusieurs fois par jour, mais c'est la seule visite qu'elle reçoit. Dans la maison, il n'y a plus de livres. Sa mère lui a dit qu'il n'y en avait pas davantage dans la ville, alors Odélie n'a aucun moyen de se divertir. Si Louise était là, elle aurait certainement une histoire à lui raconter. Si Olivier était là, il lui parlerait encore de la terre qu'il aura, de la forêt dans laquelle il ira bientôt chasser, de la maison dans laquelle ils élèveront leurs enfants. Mais Olivier n'est pas là. Ni Louise. Ni personne d'autre que ces Anglais dont elle préfère ignorer la présence dans la maison.

«Comment faisait donc ma tante pour passer autant de temps seule dans son lit?» se demande-t-elle.

Odélie essaie de se rappeler les distractions que pouvait bien avoir Antoinette, mais elle ne se souvient d'aucune. Elle se promet toutefois que, lorsqu'il y aura quelqu'un de blessé ou de malade dans la maison, elle tâchera de s'en occuper davantage, ne serait-ce que pour lui tenir compagnie. Car les jours n'en finissent plus quand on n'a rien à faire!

Elle poursuit donc la seule activité qu'elle a pu trouver: épier les mouvements et les conversations. Elle le faisait déjà, bien avant de fuir vers la Pointe-aux-Trembles. Mais c'était par nécessité, parce qu'elle avait peur. Maintenant, plus rien ne l'effraie. Elle a prouvé sa valeur à plusieurs reprises, personne ne viendra plus l'embêter. C'est ce que lui a dit Olivier lorsqu'elle a repris conscience la première fois. Et elle l'a cru, parce qu'Olivier ne lui mentirait jamais.

Ce matin, dans la maison, il y a les bruits familiers. Sa mère s'affaire avec ses chaudrons dans la cuisine. Son beau-père se livre à un étrange va-et-vient, boitant dans l'escalier, discutant avec les Anglais, quittant la maison pour revenir quelques heures plus tard. Il y a aussi les voix des Anglais, et leurs discussions au sujet des filles de Québec qui la dégoûtent. Le père de Louise avait raison de garder sa fille avec lui. Les officiers semblent trouver les Françaises bien de leur goût. Elle ne comprend pas toujours tous les mots, mais il lui semble que ce n'est pas convenable de parler ainsi des gens.

Un bruit inhabituel la tire de ses réflexions, un bruit qu'elle n'a pas entendu depuis longtemps. On frappe à la porte, en bas. Ce n'est pas Marie ni M. Rousselle qui s'attarderait à le faire. Ni les Anglais qui agissent dans cette maison comme si c'était la leur.

Odélie reconnaît les pas de sa mère dans la salle commune. Elle ouvre, dit quelques mots et referme. Et c'est tout. Elle ne parle pas davantage au visiteur. Elle ne quitte pas le seuil non plus.

« Qu'est-ce qu'elle attend, debout dans l'entrée ? » se demande la fillette.

Comme pour répondre à sa question, Marie fait quelques pas et monte dans l'escalier. Odélie sent l'anxiété qui la gagne. Elle ne sait pas ce qui se passe, mais elle devine que, pour une fois, elle sera intégrée aux événements.

La porte de sa chambre s'ouvre sur sa mère. Celle-ci porte un paquet dans ses bras.

– On vient d'apporter ça pour toi, dit-elle simplement en le déposant sur le lit.

Odélie s'empresse de l'ouvrir. Elle reconnaît aussitôt la boîte de pastels qu'elle avait achetée avec sa mère pour Antoinette. Une lettre a été glissée à l'intérieur. Fébrile, elle déplie le papier pendant que sa mère s'éloigne.

Hôpital-Général, 25 octobre 59

Ma chère Odélie,

Voilà maintenant des semaines que tu es partie et j'étais sans nouvelles jusqu'à ce matin. M. Rousselle avait affaire à la mère supérieure et j'en ai profité pour m'enquérir de ton état. Il me dit que tu vas bien, j'en suis rassurée. Ce n'est qu'après son départ que j'ai pensé te faire ce cadeau. Tu m'avais offert ces pastels lorsque j'étais malade. Je crois qu'ils te reviennent à présent. Ici, il y a tant à faire avec tous ces blessés. Je profite donc du départ d'un soldat anglais vers la ville pour te les faire porter.

Dis à ta mère que je vais bien et que je lui souhaite beaucoup de bonheur avec son mari. Dis-lui aussi que je n'ai pas compris son choix, mais que je le respecte.

Aimez-moi, toutes les deux, comme je vous aime.

Votre très dévouée,
Antoinette

Odélie replie délicatement la lettre, le sourire aux lèvres. C'est *sa* lettre. Comme ce sont *ses* pastels maintenant. Elle observe les couleurs dans la boîte et remarque, juste en dessous, bien emballée, une main de papier. Sa tante a pensé à tout.

Un peu fatiguée par l'émotion, elle dépose son précieux cadeau sur la table de chevet et se recouche, se demandant quel sera son premier dessin.

CHAPITRE XI

– Monsieur Rousselle! Vous tombez à point. J'ai justement besoin de vos conseils.

Daniel pénètre dans la grande pièce servant de bureau au gouverneur général. S'il y a eu, jadis, une quelconque décoration en ces lieux, elle a fait place à des murs nus, à un ameublement minimaliste et à une absence de chaleur qui le fait frissonner. Il songe un moment à garder son capot de laine, mais se ravise, de peur d'indisposer son hôte. Il tend son manteau et son chapeau au soldat posté à côté de la porte.

– Assoyez-vous. J'ai à vous parler.

La voix du gouverneur est enthousiaste et cela le fait sourire. Murray adore s'exprimer en français et ce détail ne cesse d'accentuer la familiarité qui s'est établie entre les deux hommes dès leur première rencontre. Utiliser la langue du vaincu pour s'adresser à lui est le signe d'un tempérament conciliant. Et Murray est un homme conciliant, spontané dans ses amitiés et dans ses commandements. Daniel a pu rapidement le constater en travaillant pour lui. C'est aussi un homme soigné et sûr de lui, peut-être à cause de son âge.

– Auriez-vous quelques problèmes de chauffage, gouverneur? interroge Daniel, parcouru d'un nouveau frisson.

– Quelques… Oui. En fait, il est regrettable d'avoir mis le feu à tant de bon bois… Il est regrettable également que la flotte ait quitté Québec la semaine dernière avant d'avoir terminé de bûcher les quatre mille cordes promises. Je comprends que l'amiral Saunders devait partir avant les glaces, mais il nous a laissés dans une situation bien précaire, j'en ai peur.

– Je peux essayer de vous en procurer…

– Laissez cela, monsieur Rousselle. J'ai embauché des Canadiens qui iront avec mes hommes sur l'île d'Orléans pour tenter de nous ravitailler dans ce domaine.

– Vous comptez vous chauffer avec du bois vert? Vous savez que nos hivers sont…

– Je sais, l'interrompt Murray. Je sais, mon ami. Mais ce n'est pas pour discuter de la qualité du bois de chauffage ou de la rigueur de vos hivers que je vous ai fait venir aujourd'hui.

Daniel pose sur le gouverneur un regard interrogateur, l'invitant à poursuivre. Il est toujours mal à l'aise de constater à quel point il est facile de discuter avec cet homme. Peut-être est-ce parce qu'ils ont environ le même âge et une expérience de vie assez vaste, bien que différente. Peut-être est-ce aussi parce que Daniel connaît bien les hommes de pouvoir. Il se souvient du gouverneur Drucourt, à Louisbourg. Comme il était facile de deviner ce qu'il fallait lui offrir pour qu'on le laisse mener son commerce à sa guise! Avec Murray, les choses ne sont pas tellement différentes, à ce détail près que l'homme est conscient de ce qui se passe autour de lui. Du moins le pense-t-il.

— Je voudrais vous parler de ce talent que vous avez pour… «faire des affaires», comme on dit ici. J'ai besoin d'un homme de confiance pour approvisionner la garnison de Québec. Vous semblez avoir beaucoup de… de «moyens» et connaître beaucoup de gens. Vous êtes efficace, si j'en juge la rapidité avec laquelle vous nous avez trouvé des chandelles en grande quantité. Sans parler de ces plans que vous avez faits de la rivière Saint-John.

Murray se tait et observe l'effet de ces flatteries. Daniel s'en aperçoit rapidement et décide d'agir comme s'y attend son interlocuteur. Il bombe le torse et fait mine d'apprécier le compliment. Cela incite le gouverneur à poursuivre dans cette direction:

— Vous savez, plusieurs de mes hommes ont navigué sur ce cours d'eau. Ils m'assurent que vos plans sont incontestables. Cette précision est toute à votre honneur, monsieur Rousselle.

— Merci, mais… monsieur le gouverneur, je vous ai déjà avoué que je travaille pour de l'argent. Si vous n'aviez pas payé ces plans, je ne les aurais pas dessinés.

— Ah, monsieur Rousselle! C'est justement ce que j'aime chez vous. Je sais que je peux compter sur vous. Tant que je vous paye, évidemment. Et j'ai bien l'intention de continuer à vous payer, ne vous inquiétez pas. La fiabilité, c'est une qualité rare de nos jours. Je dois de plus avouer que vous êtes un homme convaincant. Vous êtes exactement celui dont j'ai besoin.

Daniel s'efforce de ne pas trop sourire. Il est bien content d'avoir réussi à gagner la confiance du gouverneur, mais préfère rester prudent. Une nouvelle amitié est un lien qui se brise si facilement! Il observe son hôte qui, assis derrière son bureau, fouille un moment dans ses papiers. Lorsqu'il trouve la feuille qu'il cherchait, il la lui tend. Daniel en prend connaissance rapidement. Il s'agit d'une liste de denrées, en quantité suffisante pour nourrir tous les soldats de la garnison de Québec. Une commande extraordinaire pour un commerçant comme lui. Il demeure interdit, ne sachant s'il comprend bien où veut en venir le gouverneur.

– Je ne peux pas envoyer mes hommes chez les habitants pour réquisitionner la nourriture, explique Murray. Cela ne ferait qu'aggraver une situation déjà délicate et mettrait en péril l'équilibre précaire qui s'est établi entre les Canadiens et les soldats de Sa Majesté. Vous êtes probablement au courant que j'ai fait pendre un de mes hommes la semaine dernière, justement pour avoir tenté de s'emparer par la force des biens d'un habitant. Je considère ce geste comme un vol et je n'ai pas l'intention de donner quelque raison que ce soit aux Canadiens de se plaindre de mon gouvernement. Je veux un gouvernement juste, modéré et équitable.

Murray se tait, se lève et se rend à la fenêtre. Dehors, la nuit tombe rapidement et les quelques flocons du matin ont fait place à une fine pluie d'automne, une pluie froide qui remplit l'air d'humidité. Murray a l'impression que tous ses os grelottent, malgré la laine dont il est vêtu. «Dire que l'hiver reste à venir», soupire-t-il. Mais même avec ce désagrément, il commence à aimer ce pays. Et ses habitants. Comme ce Daniel Rousselle! Quand on a compris que ces gens ont faim, il est facile d'agir pour ne pas se les mettre à dos. Il ne faut surtout pas imiter le gouvernement français et forcer les habitants à remettre leur grain.

Il se tourne vers son invité qui, toujours silencieux, parcourt des yeux la liste qu'il vient de lui remettre. Oui, l'homme n'est peut-être pas plus digne de confiance qu'un autre, mais il est capable. Il a d'ailleurs mené sa petite enquête sur lui et les résultats lui ont semblé satisfaisants.

Daniel Rousselle aurait épousé dernièrement la veuve d'un officier anglais. Des hommes ont même rapporté que cette femme était la promise de son propre fils, mort sur le champ de bataille. Pour Murray, ce détail trahit une faiblesse qui est aussi un gage de sûreté. Si Rousselle s'est empressé de marier sa future bru, c'est que le deuil de son fils ne doit pas être bien douloureux. Ni pour lui ni pour la femme en question… Et dans ce cas, le ressentiment face à l'ennemi ne peut qu'être… inexistant. Ou presque.

— J'ai besoin de vous pour me servir d'intermédiaire, lance-t-il enfin. J'ai de quoi payer les habitants, mais j'ai besoin de quelqu'un pour les convaincre de nous vendre leurs produits. Je ne veux pas être obligé de les prendre de force. Si vous voyez ce que je veux dire.

— Parfaitement, monsieur le gouverneur.

— J'ai réquisitionné le collège des Jésuites pour qu'il serve d'entrepôt militaire. C'est l'endroit le plus propre que j'ai pu trouver. Je vous demanderais de vous charger de nous procurer les provisions qui sont mentionnées sur cette liste et de les y porter. Une partie de ces denrées est destinée aux ursulines, ainsi qu'à l'Hôpital-Général et à l'Hôtel-Dieu. J'ai besoin d'un homme de confiance pour distribuer ces vivres de façon… judicieuse.

— Vous pouvez compter sur moi, gouverneur. J'aurai besoin d'une charrette pour transporter ces provisions. Je n'en possède pas.

— Je vais avertir Cramahé, mon secrétaire. Vous lui demanderez les choses dont vous pourriez avoir besoin pour cette… commission.

Daniel acquiesce et relit la liste attentivement. En plus de la nourriture, la liste contient d'autres objets qui rendent le déplacement délicat.

— Vous demandez du savon, du cuir et d'autres chandelles. Le règlement que vous avez mis en place interdit de sortir ces articles de la ville. Il est possible que je ne puisse obtenir du grain qu'en faisant du troc avec les habitants les plus éloignés. Disons que le précédent gouvernement leur a appris à ne pas faire confiance à des promesses de paiement. Ils préfèrent les biens tangibles.

— Je vous donnerai suffisamment de livres anglaises afin que vous puissiez payer ces gens en espèces sonnantes et trébuchantes. Mais je comprends votre point de vue. Cramahé vous préparera un passeport pour vous permettre de circuler avec cette marchandise. Autre chose ?

— Je dois vous préciser que cette tâche prendra beaucoup de temps. À cause de la quantité demandée. Ce sera encore plus long si vos hommes doivent fouiller ma charrette à chaque fois que je passe les portes. Sans parler que je devrai faire plusieurs aller-retour. Et cela pendant des semaines. Pouvez-vous ajouter sur le passeport une mention pour éviter ces ralentissements ?

— Monsieur Rousselle, dit Murray en secouant la tête. Je ne crois pas que ces fouilles répétées vous ralentiront. J'admets que cela vous causera un certain désagrément, mais, compte tenu des circonstances, vous conviendrez que je ne puis relâcher la sécurité dans Québec. Même pour vous accommoder, même si vous travaillez pour moi. La tension est extrême. Je suis sur le point de faire pendre les Canadiens qui inciteront mes soldats à déserter. Imaginez un moment qu'on vole votre sauf-conduit! Dieu sait ce qu'on pourrait faire avec un tel document.

— Vous avez raison! s'exclame Daniel. Je n'avais pas imaginé qu'on puisse utiliser un tel passeport pour commettre un méfait. Vue sous cet angle, votre décision est des plus sages, gouverneur. Veuillez m'excuser.

— Ne vous excusez pas, mon cher Rousselle. Je sais que ces contraintes sont lourdes pour la population. Croyez-moi, je préférerais ne pas devoir y recourir.

Constatant que la nuit est totale, il ouvre les bras et montre la porte à son invité.

— Mais je vous retiens bien tard, mon ami. Votre épouse doit s'inquiéter de cette absence prolongée. Je vais vous faire reconduire.

— Pas la peine. Ma femme fait préparer les repas fort tard à cause de nos locataires. De plus, notre maison se trouve à quelques pas d'ici.

— Comme vous voudrez. D'ailleurs, on m'a dit grand bien de votre maison. Le capitaine Shirley ne cesse de me vanter les douceurs de la cuisine qu'on y sert.

— Je transmettrai ces compliments à Marie.

— Faites donc. Dites-lui aussi que je n'attends que l'arrivée de ces provisions pour faire préparer un banquet auquel vous serez bien sûr conviés.

Daniel le remercie et s'éloigne vers la sortie en claudiquant. Ses pas résonnent, irréguliers et lents, sur le plancher du couloir. Murray se rend compte qu'il frémit en regardant Daniel Rousselle marcher. Une balle à la jambe. Ç'aurait pu être lui.

Daniel quitte le château Saint-Louis, une lumière à la main, comme l'exige le règlement lorsqu'il faut circuler de nuit. Il longe les maisons de la rue Saint-Louis. Une blessure le fait souffrir, mais il ne s'agit pas de celle causée par la balle d'un Anglais. Il avance lentement, se retournant de temps en temps pour s'assurer de ne pas être suivi. Puis, un peu avant d'arriver chez lui, il bifurque et prend une ruelle à droite. Dès lors, sa lanterne s'éteint et il disparaît dans la nuit.

*

Odélie est assise par terre dans un coin de sa chambre. L'image qu'elle aperçoit de sa fenêtre la fascine. Le gros orme, presque dénudé de ses feuilles, s'élève de la cour et étire ses branches vers le ciel de chaque côté du tronc gris. Cet arbre évoque de nombreux souvenirs dans l'esprit d'Odélie. Des souvenirs heureux, pour la plupart. C'est pourquoi elle en a fait son premier modèle.

Les pastels s'activent sous ses doigts, tirant des traits, emplissant des vides. Elle est si concentrée qu'il lui faut un moment pour remarquer le bourdonnement qui provient du couloir. Elle prête alors attention et y discerne des paroles qui, bien qu'indistinctes, piquent sa curiosité. La maison est silencieuse et Odélie s'habitue rapidement. Elle reconnaît enfin les voix de deux des officiers anglais.

Lorsque des pas se font entendre en direction de sa chambre, Odélie sent la panique la gagner. On frappe.

Terrifiée à l'idée de se retrouver seule avec ces hommes, elle ne répond pas, même lorsque la voix demande s'il y a quelqu'un. La porte s'ouvre. De l'autre côté, l'homme a sans doute jeté un œil vers le lit et, le voyant désert, n'a pas jugé bon de vérifier le reste de la pièce. La porte se referme. Odélie n'a pas bougé. Elle est demeurée dans un coin de sa chambre, dissimulée derrière la commode. Elle a les yeux ronds et les oreilles à l'affût du moindre bruit.

Les voix ont repris. Ils sont deux. Peut-être trois. Ils discutent en anglais. Et Odélie écoute. Ce qu'elle entend lui donne froid dans le dos. Certains bruits dominent les voix et elle devine que les officiers sont en train de s'habiller. Elle reconnaît le son de l'épée qu'on sort de son fourreau avant de l'y remettre. Puis les bottes s'éloignent dans le couloir et descendent l'escalier. Elle écoute encore. Le plancher grince de nouveau dans la pièce voisine. Il faut plusieurs minutes pour que le dernier homme rejoigne ses compagnons au pied de l'escalier.

Dans son coin, Odélie est angoissée. Les Anglais s'apprêtent à procéder à plusieurs arrestations dans la ville, car des citoyens sont soupçonnés d'aider l'armée française. Elle a reconnu le nom du père Lemoine. Évidemment qu'il aide l'armée française! Il faut défendre sa patrie, pour l'amour de Dieu! Mais que faire maintenant qu'elle dispose de cette information? Elle voudrait prévenir le jésuite de ce qui l'attend. Il est à peine plus de quatre heures; les portes de la ville sont encore ouvertes. Il n'est donc pas impossible de fuir. Mais est-elle capable de marcher jusqu'au collège? Surtout, peut-elle y aller toute seule, juste avant la tombée de la nuit?

C'est un bien grand risque. Si seulement sa mère ne s'était pas débarrassée des vêtements d'Olivier! Si seulement elle avait encore son fusil!

Sa mère. Elle aurait pu l'aider, mais elle a quitté la maison, il y a une heure, pour aller faire des courses. Odélie pense soudain à son beau-père. Il pourrait peut-être la conseiller. Elle se lève, s'habille le plus simplement possible et avance dans le couloir. La douleur ne se fait pas trop vive pour l'empêcher de marcher. Elle s'engage dans l'escalier, s'arrêtant à chaque marche à cause d'une raideur dans les jambes. Rendue au rez-de-chaussée, elle appelle, mais il n'y a personne d'autre dans la maison. Et le temps presse! Il faut agir avant que les Anglais n'arrêtent le père Lemoine.

Odélie traverse la salle commune et sort. Elle regarde à droite, puis à gauche. Il y a bien quelques passants, mais aucun visage connu. Puisque l'homme doit être arrêté ce soir, la décision à prendre n'est pas bien difficile. Elle s'élance dans la rue, du pas le plus rapide que son état lui permette.

Le ciel dégagé du début de l'après-midi a fait place à un couvert de nuages qui se dirigent vers l'ouest. Même si le soleil n'a pas encore atteint l'horizon, la pénombre glisse rapidement sur Québec. Quand Odélie s'aperçoit de la noirceur qui grandit, il est trop tard pour reculer. Elle tourne le coin de la rue et fonce dans quelque chose de si solide qu'elle rebondit et tombe sur le sol. Elle reconnaît la voix de l'homme qui lui tend la main.

— Monsieur Rousselle! lance-t-elle, en retenant l'envie de se jeter dans ses bras. Je vous ai cherché partout.

Daniel aide sa fille à se mettre debout et la gronde doucement en la poussant vers la rue Saint-Louis.

– Il ne faut pas sortir toute seule, Odélie, pas dans ton état. Et puis il fait presque nuit.

– Je sais, mais…

– Pas de mais. Vite, rentrons avant qu'une patrouille ne nous arrête parce que…

– Nous ne pouvons pas rentrer, monsieur Rousselle. Pas avant d'avoir prévenu le père Lemoine. Les Anglais vont l'arrêter ce soir. Je les ai entendus. Ils disent que le jésuite participe à la guerre. On ne peut pas laisser les Anglais l'arrêter. Ils vont le pendre !

Odélie a parlé à voix basse, mais si pressée que les mots se bousculaient dans sa bouche. L'idée qu'on puisse pendre un membre du clergé lui est insupportable. Lorsqu'elle en a terminé avec son explication, elle peut lire une grande inquiétude sur le visage de son beau-père. Malgré la pénombre, l'homme lui paraît blême comme la mort.

– Comment as-tu eu ces informations ? demande-t-il au bout d'un moment.

Odélie lui décrit ce qui s'est passé dans sa chambre et il paraît alors soulagé. Il fait demi-tour pour reprendre la direction du collège des Jésuites en tenant Odélie par la main.

– Où allons-nous ?

– Le prévenir de ce qui l'attend, si la chose est encore possible. Et cacher les…

– Cacher quoi ?

Daniel Rousselle ne répond pas et presse le pas. Odélie le suit sans comprendre. Elle est soulagée d'avoir trouvé en lui un allié.

– Cacher quoi, monsieur Rousselle ? répète-t-elle au bout d'un moment.

– Cesse de m'appeler «monsieur Rousselle». Ça rend la situation trop suspecte. Tu es…

Daniel ne termine pas sa phrase. Il vient d'atteindre le bout de la rue et, en tournant, il a aperçu les soldats en uniforme qui sortaient le père Lemoine du collège, à la lueur d'une torche. L'homme gémit et ne cesse de clamer son innocence.

– Non! hurle Odélie dans un vain espoir d'interrompre l'arrestation.

Daniel agrippe sa fille et lui met la main sur la bouche pour la faire taire. Mais il est trop tard. Les soldats qui malmenaient le jésuite quelques minutes plus tôt se dirigent vers eux. Daniel serre Odélie dans ses bras en s'éloignant le plus vite possible. Odélie s'étouffe en sanglots, imaginant sans effort le visage livide du père Lemoine lorsqu'il sera pendu.

– Arrêtez-vous, monsieur! ordonne un des soldats en s'approchant à grands pas.

Daniel s'exécute et attend que le rejoignent les soldats en habit rouge. C'est seulement à ce moment qu'il remarque que la nuit est totale. Il doit être près de cinq heures.

– Vous ne pouvez pas vous promener dans la ville sans lumière, monsieur. Veuillez nous suivre, s'il vous plaît.

– Ma fille est blessée. Nous nous rendions chez le médecin. Nous avons été surpris par la noirceur. Veuillez-nous pardonner. Pouvez-vous nous escorter? Il fait si nuit maintenant que je n'arriverai pas à trouver le chemin.

L'improvisation de Daniel surprend autant le soldat qu'Odélie. Celle-ci, toujours en larmes, n'a cependant pas de difficulté à entrer dans le jeu. Tout le monde sait que Murray fait fouetter les habitants surpris dans la ville sans lumière.

— Pa… pa… ça fait mal… je t'en prie… pa… pa…

L'Anglais observe un moment la jeune fille. Odélie comprend qu'il a pitié d'elle et ses plaintes deviennent plus intenses. Lorsque l'homme tend la main pour essuyer les larmes sur les joues d'Odélie, Daniel soupire de soulagement malgré lui. Ce détail alerte le soldat qui fait immédiatement signe à ses compagnons.

— Emmenez-les chez le gouverneur, ordonne-t-il froidement.

Daniel proteste. Odélie hurle presque en comprenant ce qui attend son beau-père. Mais rien ne fait changer d'idée les soldats. On les arrête et les conduit de force chez le gouverneur, l'un derrière l'autre, devant le père Lemoine qui clame toujours son innocence.

*

— Je vous crois, laisse tomber Murray, après avoir écouté le mensonge de Daniel.

Ce dernier se tient devant le bureau, les poings liés devant lui, l'air abattu. Il ne montre pas d'arrogance ni même cette assurance si coutumière. Le gouverneur est perplexe.

— Vous comprendrez, dit-il, que je ne peux laisser passer un geste comme celui-ci. Surtout en ce moment de tension extrême. Je sais que des navires français vont tenter de passer devant Québec. Je sais qu'ils veulent se rendre en France pour demander du secours. Je sais aussi que plusieurs citoyens ont prévu faire une diversion pour les aider. Mes hommes sont harcelés par des tireurs embusqués dès qu'ils s'éloignent de la ville. Et ce jésuite que nous avons arrêté avait fait cacher par son valet un baril de poudre, en plus d'un tonneau de quinze mille cartouches. C'est là une quantité incroyable de munitions dans une ville désarmée!

Murray se tait. Il observe la réaction de Daniel. Ce dernier tâche de montrer plus d'inquiétude pour la santé d'Odélie, sous les soins du médecin dans la pièce adjacente, que pour les propos du gouverneur.

— Le jésuite prétend que cette poudre était là depuis le siège, poursuit Murray. Mais voyez-vous, monsieur Rousselle, si cette poudre avait été cachée sous terre il y a quatre ou six semaines, elle aurait été endommagée par la température humide de la fin de septembre et par la forte gelée à la fin d'octobre. Non, non, mon ami. Vos concitoyens prévoyaient un coup d'éclat dans la ville, je le sais trop bien.

Le gouverneur s'est levé et fait quelques pas dans son bureau. Il est visiblement très contrarié par la tournure des événements.

— J'ai fait dresser des barricades et des postes de garde à chaque entrée de la ville, dans la moindre route, la moindre ruelle. Je fais fouiller tout ce qui pénètre et sort de la ville. Je fais patrouiller mes hommes nuit et jour. Et je fais surveiller les agitateurs. Le Canadien que j'ai fait pendre mardi dernier devait servir d'exemple. Mais il semble que ce geste n'était pas suffisant. Quand les habitants comprendront-ils qu'ils ont tout à gagner à déposer les armes et à vivre en paix chez eux?

Murray feindrait-il le déchirement que Daniel peut lire sur son visage? Peut-être. Peut-être pas. Tout le monde sait qu'il aime les Canadiens et que leur acharnement à se battre pour la France l'excède. Mais Daniel est hésitant face à ces dernières confidences. Chercherait-il à l'éprouver ? à se servir de lui pour convaincre les résistants ? Se pourrait-il qu'il soit au courant de ses activités ?

Si la situation n'était pas à ce point critique, Daniel le questionnerait davantage. Il chercherait une explication à ce comportement. Or, en ce moment, il ne peut se préoccuper que de son propre sort. Car c'est lui qui subira la punition, à moins que Murray ne décide d'agir autrement, de se montrer clément. Au nom de l'amitié, peut-être ?

— Vous savez à quel point notre amitié fait des jaloux, poursuit Murray, détruisant ainsi le dernier espoir de Daniel. Il ne se passe pas un jour sans qu'un marchand des colonies m'en fasse le reproche. On m'accuse de favoriser votre commerce au détriment du leur. Je sais que c'est faux. Vous le savez aussi. Ils le savent également. Mais votre succès en affaires ne les réjouit guère. Si je laisse passer votre promenade nocturne, vos concurrents verront là une partialité à décrier. Ils seraient bien capables d'écrire à Londres pour la dénoncer. Mon ami, je vous assure que vous m'avez placé ce soir dans une bien difficile position.

Murray secoue la tête et Daniel comprend ce qui l'attend. Les deux gardes sont revenus et s'emparent de lui, sans ménagement. Il ne résiste pas et les suit vers la sortie. On le mène à la prison, il le sait. Il va y passer la nuit, et demain matin…

La voix du gouverneur lui parvient, distante et affligée, juste avant qu'il ne franchisse la porte :

— J'aurais tout donné pour ne jamais avoir à ordonner un tel châtiment, mon ami.

*

Son corps se cabre vers l'avant, se colle au poteau, se tord de douleur. Le fouet claque de nouveau. La chair se fend, le sang coule jusque sur ses reins. Daniel attend avec terreur le prochain coup. Il tire sur ses poignets, liés de l'autre côté du poteau. Et s'il pouvait fuir ? En vain. Une autre fois, la lanière de cuir siffle près de ses oreilles avant de s'abattre sur son dos nu. Combien de coups cela fait-il ? Cent ? Deux cents ? Il ne se souvient plus. Il ne compte plus. À quoi cela servirait-il de compter les milliers d'aiguilles qui s'enfoncent en même temps le long d'une ligne droite, striant son dos de part en part ? Combien de lames découpent ces rayures, les unes après les autres, marquant ses flancs d'un morbide dessin ?

Il sent qu'il est sur le point de s'évanouir. Il sait pourtant qu'il ne doit pas. Il perçoit la foule autour de lui et il apprécie son silence. Il s'en réjouit presque.

Pour la cause.

C'est un des leurs qu'on flagelle ainsi. Un de ceux qui, par malchance, ont été surpris sans lumière la nuit. Ce châtiment de Murray ne fera qu'accentuer la tension qui régnait déjà dans la ville. Car celui qu'on corrige avec violence, c'est non seulement celui qui approvisionne l'armée britannique en denrées de base, mais aussi celui qui fait pénétrer dans la ville, au plaisir de plusieurs, divers biens si difficiles à trouver. Non, Daniel Rousselle ne doit pas perdre conscience devant tous ces gens. Son orgueil le lui interdit.

Pour la cause.

Son corps se tord, il appréhende chaque coup davantage que le précédent, car le cuir s'insère dans la chair fendue. Lorsque, enfin, le bourreau cesse son labeur, deux soldats qu'il ne voit pas le détachent et le mènent à sa famille qui a assisté à la punition depuis la première rangée.

Il sent les bras de Marie qui le soutiennent. Il aperçoit la couverture de laine qu'Odélie pose délicatement sur ses épaules pour le protéger du froid piquant. Il titube, davantage encore que d'habitude, poussé vers une charrette dans laquelle on le hisse avec difficulté. Odélie s'assoit à ses côtés et lui prend la main qu'elle mouille de ses larmes. Il entend Marie qui s'installe sur la banquette derrière lui. Le véhicule se met en branle.

Il roule sur les rues cahoteuses de la haute-ville en direction de la rue Saint-Louis. Ce trajet, pourtant très court, est le plus long que Daniel ait parcouru de sa vie. Chaque inégalité du pavé propulse son corps contre le montant de la charrette, déchirant davantage quelques-unes des centaines de lésions qui lui couvrent le dos.

Il ne sait pas comment il a réussi à monter l'escalier pour se rendre à la chambre, mais il est conscient qu'on le couche sur le ventre. On a enlevé la couverture, la pièce semble si froide maintenant. Une petite main lui caresse les cheveux, les repoussant vers son visage. Une autre, plus grande, tamponne doucement le bas de son dos et remonte lentement. Lorsqu'elle effleure une arête de chair, il sent ses muscles se tendre. Il gémit. Mais les mains qui s'occupent de lui sont habiles et touchent rarement aux plaies vives. Soudain, il reconnaît l'odeur. Une odeur douceâtre synonyme de souffrance et d'apaisement. Les doigts délicats qui étendent le baume sur sa peau le font tressaillir. Puis il sombre enfin. Pendant quelques minutes, quelques heures peut-être, s'il est chanceux, il pourra abandonner son corps mortifié.

*

Marie ferme les yeux et secoue la tête, prise d'une vague de pitié pour l'homme allongé devant elle. Elle comprend Odélie qui s'est sentie étourdie à la vue des blessures. Marie a dû l'envoyer au lit, non sans lui avoir d'abord promis de l'avertir lorsque Daniel s'éveillerait.

Puisque les Anglais ne sont pas encore rentrés, il règne dans la maison un calme inhabituel, mais de circonstance. Elle effleure du bout des doigts la peau brûlante de Daniel. Ce dernier frémit, mais ne dit rien. Peut-être s'est-il évanoui ? Tant mieux. Il souffrira moins ainsi. Elle observe les entailles laissées par le fouet. Il s'en remettra, mais les cicatrices resteront, c'est certain. Marie secoue la tête, toujours incrédule face à ce qui s'est passé.

Pourquoi un homme qui collabore avec les Anglais depuis le début de l'occupation aurait-il été surpris, en pleine noirceur et sans fanal, allant avertir un résistant français ? Comment expliquer ce geste ?

Elle finit d'étendre le baume sur les plaies et s'essuie les doigts sur son tablier en s'éloignant vers la fenêtre. Dans la rue, les gens vont et viennent, comme à l'accoutumée. Une petite neige fine tombe silencieusement, laissant des points blancs sur les manteaux des passants. Elle ne fond pas en atteignant le sol, elle applique plutôt sur les pavés une mince couche immaculée. Si ce n'était de Daniel couché sur les draps, on pourrait oublier la guerre, encore une fois.

La guerre. Comme elle en est lasse! S'il fallait qu'il arrive quelque chose à Daniel, que ferait-elle? Un autre deuil? Combien d'épreuves Dieu va-t-il encore lui envoyer? Elle n'en peut plus. Elle s'appuie sur le rebord de la fenêtre, la tête contre le mur, ferme les yeux et laisse sortir le trop-plein qu'elle retient depuis longtemps. Ses sanglots silencieux semblent intarissables. Sa main caresse doucement son ventre qui s'est arrondi. Ce geste apaise un peu son tourment et elle se détend. Un gémissement derrière elle empêche toutefois la somnolence de la gagner complètement.

— Marie? murmure faiblement Daniel en essayant de se redresser.

— Je suis là.

Elle s'est approchée du lit et repousse doucement le bras de Daniel pour l'empêcher de se lever.

— Marie, souffle-t-il à nouveau. J'ai besoin de toi.

*

Il ne reste que trois cents pieds. Après, Marie ne pourra plus faire demi-tour sans paraître suspecte. Son cœur bat plus vite. Les gardiens s'approchent de la charrette. Elle s'arrête, pose les rênes sur ses cuisses et tend le passeport de Daniel au soldat qui se trouve le plus près.

— Mon mari est malade, dit-elle pour expliquer sa présence. Il ne peut pas aller chercher la commande qu'il a fait préparer chez un habitant de Saint-Michel. J'y vais à sa place.

L'homme lit le document et consulte son compagnon avant de se retourner et d'observer la dame assise sur le banc de la charrette. Pour éviter que cette inspection s'éternise, Marie répète la phrase qui devrait lui ouvrir le passage. Elle prie pour que Daniel ait eu raison.

– Le gouverneur Murray attend ce chargement de savon pour ce soir. Vous comprenez, mon mari ne voudrait surtout pas qu'un retard lui fasse perdre ce contrat avec le gouverneur.

Un sourire apparaît sur le visage des gardes. L'un d'eux s'éloigne vers l'arrière de la charrette, grimpe à bord et soulève les couvertures de drap servant à protéger la cargaison des intempéries éventuelles. Lorsqu'il revient à son compagnon, il incline la tête en signe d'approbation :

– Allez-y, lance-t-il en direction de Marie. Assurez-vous de repasser par cette porte en revenant. Vous mettrez quelques livres de savon de côté pour nous.

– Comme vous voudrez.

Marie a répondu en faisant claquer les rênes sur le dos du cheval. L'animal hennit et s'engage sous la voûte de pierres de la porte Saint-Jean. La tension se relâche. Marie se retient toutefois de montrer son soulagement à cause de la proximité des soldats. Daniel avait raison. Même si ces hommes n'ont pas l'habitude de voir passer la charrette du marchand, ils n'ont pas voulu rater l'occasion de se procurer un bien aussi rare que le savon. Daniel lui a même dit savoir à qui ces hommes comptaient l'offrir, les filles de leur logeuse étant plutôt avenantes, à ce qu'il paraît. Décidément, cet homme n'a pas fini de l'étonner.

Elle n'a pas encore franchi la porte que la voix autoritaire d'un des gardes s'élève derrière elle, la faisant sursauter :

– Attendez !

Les mots retentissent en écho sur la pierre et dans l'esprit de Marie. Elle immobilise le véhicule et ne respire plus, les doigts crispés sur les lanières de cuir. Elle entend les pas du garde qui se dirigent vers elle. Lorsque l'homme apparaît à ses côtés, Marie sait qu'elle est blême.

– Vous oubliez votre passeport, dit-il en le lui tendant.

Elle le remercie, dépose le document sur le banc et fait claquer les rênes de nouveau. La charrette s'éloigne dans un bruit rapide de sabots.

Marie longe le chemin de Sainte-Foy, se répétant mentalement les instructions de Daniel. Tout droit en sortant de la ville. Ensuite, la première route vers le sud en direction de la paroisse Saint-Michel, où se trouve la ferme d'Antoine Bergeron.

Il est tôt et le soleil est toujours bas à l'horizon. Elle doit plisser les yeux, éblouie par la mince couche de neige tombée la veille. Elle bouge ses doigts gourds dans ses gants. Le vent lui brûle les joues et siffle dans ses oreilles, sous son bonnet. Il traverse également son épais manteau de laine. Mais ce ne sont là que des inconforts mineurs si elle les compare aux blessures de Daniel. Elle se dit quand même qu'il vaudrait mieux atteindre la ferme de Bergeron avant d'être complètement frigorifiée. Elle force donc la cadence du cheval.

Il lui tarde de se débarrasser de cette mission pour retourner au chevet de son époux. C'est vrai qu'Odélie s'est levée pour s'occuper de lui, mais sa propre blessure l'empêche d'être efficace. De plus, à cause de sa petite taille, elle ne peut pas aider un homme à se lever. Oui, plus vite Marie s'acquittera de son message à Bergeron, plus vite elle rentrera chez elle et plus vite l'habitant transmettra l'information à son tour. Daniel lui a bien expliqué que la vie de centaines d'hommes dépend de la rapidité avec laquelle l'armée française sera informée. Marie repense à la situation et frémit. S'il fallait qu'on découvre le but de sa mission, elle serait bonne pour le fouet, elle aussi, si ce n'est la potence !

Car ce qu'elle doit communiquer, ce sont les renseignements que Daniel a obtenus du gouverneur. Murray a mis la main sur les munitions et sur le baril de poudre. Il sera donc impossible aux résistants de créer la diversion prévue pour occuper les troupes anglaises, pendant que les navires du capitaine Kanon passeront sous le Cap-aux-Diamants pour se rendre en France chercher de l'aide. De plus, tous les accès à la ville étant fermés depuis hier, il sera impossible de faire pénétrer d'autres hommes à l'intérieur des fortifications. Si elle n'avait pas en sa possession son précieux sauf-conduit, elle non plus ne pourrait pas rentrer dans la ville à son retour.

Ainsi s'explique le comportement étrange de Daniel, qui a finalement dû tout révéler à Marie parce qu'il était cloué à son lit. Il ne pactisait pas avec l'Anglais. Il glanait plutôt des informations qu'il transmettait ensuite à l'armée française lorsqu'il faisait les commissions de Murray. Avec un sauf-conduit signé de la main du gouverneur, il ne pouvait trouver meilleur moyen de franchir les lignes ennemies sans être inquiété. Marie n'en revient pas. Il ne lui avait rien dit.

N'avait-il pas confiance en elle? Peut-être pas... Mais elle doit admettre qu'il était plus prudent de garder le silence sur ces activités illicites. Car ce n'est pas le fouet, mais la corde qui l'aurait attendu, advenant que la chose se fût ébruitée.

Non, en fait, Daniel n'avait pas vraiment le choix de la tenir à l'écart. Mais maintenant qu'elle est impliquée, il ne lui reste qu'un problème : il n'y a pas de commande de savon. Elle a menti au garde pour passer la porte, et il faudra encore mentir pour son retour en ville. Daniel lui a suggéré de dire que la commande n'était pas prête ou que la fermière avait augmenté ses prix. Mais cela ne la rassure pas tellement.

La silhouette de la ferme d'Antoine Bergeron se découpe sur le blanc immaculé des champs. Marie soupire, soulagée. Il est temps d'accomplir sa mission.

*

Les Anglais sont déjà rentrés et discutent à voix basse dans leurs chambres. Dehors, il fait nuit et une forte pluie tombe sur la région, ce qui fera fondre la neige qui couvrait le sol. Marie est assise sur la chaise devant sa commode. À la lueur d'une bougie, elle observe son visage dans le miroir. Elle a beau se regarder attentivement, elle ne se reconnaît pas. A-t-elle vieilli? Non, elle ne croit pas, au contraire ses traits sont moins tirés, plus lumineux aussi. De plus, elle a de nouvelles rondeurs, dans le visage comme partout ailleurs, à cause de cet enfant qui prend de plus en plus de place dans son ventre.

Il n'y a pas que physiquement qu'elle se transforme. Elle a l'impression d'être une autre femme, même dans sa tête. Est-elle vraiment celle qui a fait le trajet jusqu'à Saint-Michel aujourd'hui? cette femme engagée, qui a consciemment agi par dévouement à la cause des Français, risquant sa vie pour les avertir? Pour l'instant, ce comportement ne lui ressemble pas. Il s'agirait plutôt d'une espèce d'insouciance digne d'Odélie. Mais Marie n'est pas comme sa fille. Elle n'a pas son imagination ni sa capacité à foncer, tête baissée. Non, Marie ne se reconnaît pas.

Aujourd'hui, pour la première fois depuis des mois, le deuil de Jean se fait moins cuisant, moins douloureux aussi. Car elle a été capable d'admirer l'homme qui est devenu son époux. Aujourd'hui, elle a oublié ses regrets, son chagrin, pour regarder Daniel Rousselle tel qu'il est, tel qu'il s'est enfin dévoilé: un résistant fidèle à la France. Elle n'a plus honte d'être sa femme. Et maintenant qu'elle a accompli la mission qu'il lui avait confiée, elle a l'impression que leurs actions seront peut-être déterminantes pour l'avenir. Oui, Marie doit constater que pour une femme qui en avait assez de la guerre, elle y prend désormais une part dangereusement active. Qui plus est, elle y a presque pris plaisir, comme au moment de rentrer en ville, à la fin de l'après-midi. Tous ses muscles étaient tendus, son cœur, fébrile, en approchant de la porte Saint-Jean. Avec quel bonheur a-t-elle alors découvert que la garde avait été changée! Pas de mensonges à inventer. Quel soulagement! Elle n'a eu qu'à tendre son passeport et franchir l'enceinte. Elle jubilait en constatant que Daniel avait pensé à tout.

Elle se tourne vers lui et l'observe. Il a l'air tendu, allongé à plat ventre sur le lit, écrasé par la fièvre. À le voir ainsi affligé, qui devinerait qu'il est toujours aussi actif, malgré son supplice? Un coup de canon retentit, fendant la nuit, annonçant le couvre-feu. Parce qu'elle en a l'habitude, Marie ne sursaute pas. Mais Daniel, qui devait guetter son retour avec anxiété, s'agite sous la couverture.

Elle s'approche du lit et prend la main qui pend sur le côté.

– C'est fait, dit-elle. Le message devrait s'être rendu à l'heure qu'il est.

En entendant sa voix, Daniel se soulève sur les coudes. Dès qu'il aperçoit son sourire, il s'effondre sur l'oreiller, à bout de forces. Cette journée a été tellement longue! Il s'attendait à tout moment à ce qu'on frappe à la porte pour venir le chercher, parce que Marie aurait été arrêtée. Et la voilà qui se tient tout près de lui, saine et sauve. Comme il est soulagé! S'il avait fallu qu'elle soit arrêtée, il ne se le serait jamais pardonné.

*

Il est presque minuit. La pluie a cessé et l'obscurité règne sur la ville. Depuis dix heures, tous les citoyens ont éteint leurs lumières, comme l'impose le règlement. La ville est plongée dans les ténèbres.

Daniel est au lit, mais il ne dort pas. Ses blessures encore vives ne lui permettent pas de s'étendre sur le dos, alors il s'est tourné sur le côté et surveille la fenêtre, à l'affût d'un reflet, d'une lueur, d'un éclat furtif. De n'importe quoi. Il attend. Et il prie aussi, avec une ferveur inhabituelle. Car c'est ce soir que se jouera peut-être le sort de la colonie. Sa participation ne se résume qu'à une oraison. Quelle déception!

Pourtant, tout était préparé. Il se demande ce qui a bien pu se passer. Qui les a trahis? Un passant malheureux qui aura aperçu un va-et-vient anormal près du collège des Jésuites? Qui sait? Murray a relâché le père Lemoine, mais, la poudre et les cartouches étant saisies, pas moyen de faire sauter le dépôt de munitions pour occuper les Anglais, pendant que *Le Machault* et son escorte passeront devant Québec. Dieu sait que ces navires doivent se rendre à bon port! C'est toute la Nouvelle-France qui tombera s'ils échouent. L'armée française ne réussira pas à repousser les Anglais l'été prochain si elle ne reçoit pas de renforts de France. Alors Daniel prie pour que la mère patrie ne les abandonne pas.

Lorsque les premiers tirs de mortier se font entendre, Daniel ne sourcille pas. Réveillée par le bruit, Marie s'assoit dans le lit. Elle écoute, elle aussi, le bombardement sur le fleuve. Malgré l'obscurité, elle trouve la main de Daniel qu'elle serre dans la sienne. Elle prie avec lui, il le sait.

On frappe à la porte de leur chambre. La silhouette d'Odélie apparaît dans l'embrasure.

– Que se passe-t-il? demande-t-elle, en se blottissant dans les bras de sa mère, effrayée.

– C'est le capitaine Kanon, répond Daniel. Son navire, *Le Machault,* va essayer de passer devant Québec. S'il réussit et atteint la France, nous aurons peut-être des renforts au printemps.

Daniel a parlé d'une voix grave et forte. Il sait que la maison est vide, car tous les soldats et tous les officiers anglais devaient passer la nuit dans les casernes et sur les remparts, malgré la pluie, malgré le froid.

Lorsque les coups de canon cessent, la tension retombe.

– Ça n'a pas duré très longtemps, dit Daniel, en se retournant à plat ventre pour dormir. Ça veut dire qu'ils sont passés.

CHAPITRE XII

Le feu de l'âtre crépite, répandant avec sa lumière une chaleur bienvenue en cette fin de décembre. La neige a enseveli la ville, éclaircissant la nuit et isolant les maisons du froid mordant de l'hiver. Assise dans un fauteuil près du foyer, Marie pousse l'aiguille dans un morceau du tissu qui formera un vêtement pour l'enfant qui gonfle son ventre davantage chaque jour et qui surprendra beaucoup de gens en naissant plus tôt que prévu.

Odélie est assise en face d'elle, dans l'autre fauteuil. Elle tricote avec dextérité pour compléter la layette de quelques chandails chauds. Installé à la table, Daniel fabrique un berceau. Il y travaille presque tous les soirs, si bien que l'ouvrage avance rapidement.

Le capitaine Shirley cherche également à faire sa part. Il ne se passe pas une semaine sans que lui ou un de ses hommes offre jouets, dentelles, couvertures finement brodées et autres objets pratiques et parfois assez coûteux. Marie se sent mal à l'aise d'accepter ces cadeaux, mais Daniel n'y trouve rien à redire. Et pour cause! Il lui arrive de partager une bouteille de whisky avec l'officier! Marie sait que ce n'est là qu'une façade.

Même si elle ne les approuve pas, elle commence à comprendre les méthodes peu orthodoxes de son époux. Cependant, elle doit admettre qu'il agit comme bon nombre de Canadiens et fait équipe avec les Anglais pour affronter l'hiver. Une fois les réparations et les reconstructions terminées, plusieurs d'entre eux ont partagé les corvées de bois. À cause de la température extrême, la région vit une sorte d'accalmie dans les hostilités. Tout le monde sait que le pire est encore à venir, en ce qui concerne l'hiver, comme en ce qui concerne la guerre. Cette entraide devient donc une étrange nécessité.

Lors de ces soirées froides où, installé près du feu, chacun est plongé dans ses pensées, Marie se rend compte que Jean lui manque. Elle ne peut penser à son ventre sans revoir son visage, sans ressentir la douleur que lui a causée sa mort. Dans ces moments-là, elle se replie sur elle-même, songeant à l'enfant qu'elle attend avec impatience, mais dont elle craint également la venue. Elle a tellement souffert en mettant au monde Odélie. Cette fois sera-t-elle aussi douloureuse ? Et si elle mourait, qu'adviendrait-il de sa fille ? Elle a peur. Et si le bébé venait au monde mort-né ? Et s'il était malade ? Ou difforme ? Et si elle n'avait pas assez de lait pour le nourrir ? Et si... Marie soupire ; elle se sent terriblement lasse.

– C'est mauvais pour une femme enceinte de se faire du mauvais sang.

La voix de Daniel a tranché le calme de la pièce comme un couperet. Marie se tourne vers lui et leurs regards se croisent. Il lui sourit, compatissant, mais Marie perçoit un certain défaitisme dans son attitude. Elle observe un moment le berceau qui prend forme sous ses doigts. Daniel n'est pas qu'un simple commerçant, elle le constate chaque jour. Elle détaille chaque trait de son visage, se demandant lesquels elle pourra reconnaître chez l'enfant qu'elle porte. Lesquels seront de Jean?

Elle sent son cœur se refermer et devenir, à l'image de la ville, froid et couvert de neige.

*

En ce début de février 1760, de grands froids sévissent sur Québec, raréfiant les tempêtes de neige. Dans la maison du gouverneur, un feu intense crépite dans la cheminée. Sur une table basse, une théière laisse s'échapper des effluves alléchants. La pièce est peu éclairée; on épargne les chandelles. Réchauffés tant par le foyer que par le thé fumant dans leurs tasses, deux hommes discutent, installés dans des fauteuils luxueux et confortables. Des liens étranges les unissent: méfiance, doute, mais aussi une appréciation mutuelle de ce qu'aurait pu être leur amitié, n'eussent été les circonstances.

Daniel fume en écoutant le gouverneur lui raconter ses soucis quotidiens. Quatre mois se sont écoulés depuis son arrestation et sa punition publique. Depuis longtemps déjà, il n'y pense plus. Chacun doit faire ce qu'il a à faire. Lui, il a désobéi au règlement de la ville parce qu'il avait une mission à accomplir. Il a agi comme un patriote. Et Murray a agi comme un gouverneur, sanctionnant un délit. Daniel n'éprouve donc pas de rancœur contre son interlocuteur.

Les braises incandescentes du tabac dans sa pipe diffusent une lueur orangée sur son visage, accentuant les ombres récentes qui creusent ses joues. Ce soir, Daniel se sent vieux. Il lui semble être pris entre l'arbre et l'écorce, et le poids de sa conscience l'afflige. La ville est encore aux Anglais. Il n'a toujours aucune nouvelle de l'armée française. Et il y a cet enfant qui naîtra bientôt! Deux mois d'avance! Les gens vont jaser. Tout le monde saura qu'il a été conçu avant le mariage. Au moins, ne sera-t-il pas bâtard! Pourvu que les traits indigènes de Jean ne soient pas trop évidents.

— À quoi songez-vous, mon ami? interroge Murray sans quitter les flammes des yeux.

Daniel est pris au dépourvu et bredouille une réponse qu'il voudrait convaincante:

— Je pensais au nom que je donnerai à mon fils, si c'est bien un garçon que porte Marie.

— Votre fils… Oui. On m'a dit que votre femme attendait un heureux événement. Alors, quel nom avez-vous choisi?

Il n'a pas le temps de réfléchir, puisqu'il devait justement être en train de le faire. Un seul mot lui vient à l'esprit:

— François. C'était le nom de mon père.

— François Rousselle. Hum…

— Qu'y a-t-il, monsieur?

— Je vous souhaite que ce soit un garçon. J'aime bien le côté français de ce nom. François. C'est une manière de vous rappeler vos origines, n'est-ce pas?

— Peut-être…

Daniel est songeur. Il n'avait pas vu les choses sous cet angle. Décidément, François est vraiment le nom approprié. Son esprit divague un moment, avant d'être ramené à la réalité par une autre question du gouverneur:

— Avez-vous trouvé les provisions que je vous ai demandées, il y a quelques semaines?

— Non, gouverneur. Voyez-vous, l'armée française a réquisitionné tout ce qu'il y avait de bétail dans les environs. Les habitants en sont rendus à manger du blé bouilli.

— Hum… Quand je pense que l'automne dernier, Wolfe a fait abattre un troupeau entier à l'est de la rivière Montmorency. Cette viande qu'il a fait répandre dans les champs, à la barbe de Montcalm, aurait pu nourrir notre garnison pendant tout l'hiver. Quelle inconscience!

— Quelle inconscience, en effet! répète Daniel à voix si basse que Murray doit tendre l'oreille.

Le gouverneur scrute alors le visage de son invité et cherche le sens de cette dernière phrase. Puis il secoue la tête. Les Canadiens ont de bien bonnes raisons de haïr Wolfe. Et il ne peut qu'être d'accord avec eux. Mais Wolfe, ce n'est pas toute l'armée anglaise. C'était un homme arrogant, présomptueux et téméraire. Tout le contraire de sa propre personne. Non, il n'aimait pas Wolfe de son vivant et ne l'apprécie pas davantage maintenant qu'il est mort. On dit qu'aux échecs le gagnant est celui qui commet l'avant-dernière erreur. Murray est convaincu qu'on peut également appliquer cette théorie à la bataille de l'été dernier. N'eussent été les précédentes erreurs de Wolfe, l'armée anglaise ne souffrirait pas de la faim, comme c'est le cas en ce moment.

— Mes hommes sont malades, lance-t-il finalement, en plantant son regard dans celui de Daniel Rousselle. Ils ont besoin de légumes et de viande fraîche.

— Le scorbut?

Murray hoche la tête. Daniel a deviné depuis longtemps ce qui ronge les soldats. Ils ont maigri, sont épuisés malgré le ralentissement de leurs activités. De plus, la moindre blessure saigne abondamment.

– Vous pouvez leur faire boire une potion à base d'épinette. C'est ce que font les Sauvages pendant les derniers mois d'hiver.

Daniel regrette cette réponse trop hâtive. S'il s'était tu, peut-être que les Anglais se seraient préparés à rentrer chez eux, excédés par la rigueur de l'hiver canadien. Oui, maintenant, les mots lui brûlent la langue. Mais le regard du gouverneur s'est éclairci, s'est illuminé même, provoquant chez le commerçant ce sentiment d'ambivalence qu'il déteste tant. Un conseil judicieux, un sourire franc, une poignée de main, une accolade : tout ce qui fait que deux hommes manifestent leur amitié. Et pourtant ils sont ennemis…

– Je sais que vous n'avez pas quitté la ville ces jours derniers, mais êtes-vous au courant que des patrouilles ont été massacrées entre la Pointe-de-Lévy et Saint-Nicolas ?

Daniel secoue la tête, se demandant où veut en venir le gouverneur. Bien sûr qu'il est au courant. Murray espère-t-il qu'il admettra son implication dans cette affaire ? Heureusement, l'homme poursuit, évitant à Daniel de se trahir :

– Un service en attire un autre, mon cher Rousselle. Souvenez-vous-en.

Murray observe maintenant les flammes qui dansent dans l'âtre. Lorsqu'il reprend, c'est d'une voix neutre, distante :

— En guise de représailles, j'ai donné l'ordre de faire brûler toutes les fermes entre les rivières Chaudière et Etchemin. Je déteste le faire, mais il est nécessaire que les Canadiens cessent de prendre part à cette guerre. Seules les maisons où l'habitant sera présent seront épargnées, comme preuve de ma bonne foi.

Murray se tait et Daniel reste muet, stupéfait. Pour la première fois, le gouverneur lui annonce sa prochaine manœuvre militaire, le plaçant, lui, un simple informateur, dans une position idéale. S'il avertissait ses alliés, il serait possible de prendre les Anglais par deux fronts, les anéantissant entre les deux rivières. Mais s'il envoie un message aux Français, Murray comprendra qu'il l'a trahi à plusieurs reprises depuis le début de l'occupation et que c'est à cause de lui si les patrouilles britanniques tombent sans cesse dans des embuscades. Est-ce un test? une sorte de piège dans lequel Murray espère qu'il tombera à pieds joints, pour l'arrêter et lui éviter de nuire alors que s'amorcera bientôt une nouvelle campagne? Daniel choisit d'être prudent.

— Je n'y ai point de famille, gouverneur. Ma femme non plus, fort heureusement. Je vous remercie de votre sollicitude. Vous savez, nous avons beaucoup à faire en ce moment pour préparer la venue de l'enfant. Ce qui se passe de l'autre côté du fleuve, nous ne pouvons nous permettre de nous y attarder.

Le message est clair. Daniel Rousselle n'utilisera pas cette information. Cette idée le remplit encore d'amertume lorsqu'il quitte enfin la maison du gouverneur. Il n'a alors que quelques pas à faire pour rentrer chez lui et gagner le lit de sa femme. Quelques pas qu'il aurait voulus plus longs, pour lui permettre de faire le tour de sa conscience. Combien d'habitants verront leurs biens détruits par son silence?

Daniel remonte le col de son capot de laine et enfonce son chapeau sur sa tête. Une lanterne à la main, malgré le froid vif, le vent violent et l'humidité qui lui glace le sang, il passe tout droit devant chez lui.

*

Comme si le soleil du printemps tentait une percée avant la fin de l'hiver, il darde ses rayons sur les glaçons suspendus au toit des maisons. Un petit vent frisquet ne cesse de s'engouffrer sous le manteau de Daniel, lui rappelant qu'il est encore au mois de mars et le forçant à presser le pas. Au fur et à mesure qu'il s'approche de la maison du tonnelier, un bourdonnement de voix s'accentue. C'est que le tonnelier Grandbois est aussi cabaretier.

Lorsqu'il franchit la porte du *Sabot d'argent*, une bouffée de chaleur lui souffle au visage l'odeur du bon vin. Des voix aiguës, d'autres graves, des cris, des rires, des oh! et des ah! un joyeux violon, quelques paroles agressives, d'autres amicales, et les éclats de la vaisselle qui s'entrechoque, tous ces bruits l'assaillent en même temps qu'il referme derrière lui. Encore ébloui par les reflets du soleil sur la neige, il lui faut un moment pour distinguer les silhouettes. Il enlève son capot de laine et son chapeau, les suspend au premier crochet qu'il voit. Il écarquille ensuite les yeux, cherchant dans cette pénombre qui s'éclaircit les hommes avec qui il a rendez-vous. Il se dirige alors vers une table où deux habitants jouent aux dés. Leur pipe à la main, ils lèvent la tête en l'apercevant.

423

– Rousselle! Quelle surprise! Tu boiras bien un coup avec nous?

Sans attendre la réponse, un des hommes commande du vin à la tenancière qui zigzague entre les tables. Daniel apprécie ce geste qui protégera cette rencontre des oreilles et des yeux indiscrets.

Il s'assoit sur la chaise qu'il vient d'approcher et soupire. Comme il aime se retrouver en compagnie de Canadiens et de ne pas avoir à faire semblant de trouver ses interlocuteurs charmants! Il en a assez de toujours retenir les émotions qui le tourmentent.

En ce moment, il sent un certain bien-être s'emparer de lui, un sentiment inhabituel. Il a le goût de parler, de rire, de jurer s'il le faut, mais de laisser sortir cette tension qui l'habite depuis des mois.

Se fondant au tumulte qui règne dans le cabaret, les trois hommes entament une discussion amicale. Ils échangent des nouvelles, parlent du dur hiver qui se termine, du beau temps qui s'en vient, des semences qui ne sont pas en grande quantité. En fait, ils attendent que la femme de Grandbois leur apporte leur vin. Lorsque celle-ci s'approche de la table, Daniel l'interroge:

– Où est ton mari, Josèphe?

– En arrière! ronchonne la femme. Il m'a dit qu'il finissait un tonneau et qu'ensuite il viendrait me donner un coup de main. Ben, il vient pas! Et il est presque midi. Il va falloir servir à manger et Gaston, mon petit dernier, est trop malade pour m'aider. La fièvre, encore!

– Peux-tu demander à Grandbois de venir nous voir? On a à lui parler.

– Comme ça, c'est vrai ce qu'on raconte! s'exclame la femme, retenant à peine l'excitation qui la gagne.

– De quoi tu parles ?

Daniel a posé la question de manière insouciante, convaincu que les ragots de la ville ne seront d'aucun intérêt. De plus, il sait qu'il faut être poli avec ces gens si on veut obtenir leur coopération. C'est pourquoi il s'étouffe avec sa gorgée de vin en entendant la réponse de Josèphe Grandbois :

– On dit que les nôtres sont sur le point de reprendre la ville.

Daniel essuie de son mouchoir le liquide qu'il vient de cracher sur la table. Il secoue la tête, l'air incrédule, et tousse une autre fois pour se ressaisir. Ses compagnons n'ont pas meilleure mine. Livides et atterrés par ce qu'ils viennent d'entendre, ils sont incapables de prononcer un mot. Daniel ose le premier poser la question qui leur brûle les lèvres à tous les trois :

– Où as-tu entendu ça, Josèphe ?

– Ben ici ! Qu'est-ce que tu penses ? Un homme en boisson, ça parle… ça parle !

– Qui ? Qui t'a dit ça ?

La voix de Daniel trahit l'inquiétude qui le gagne. Personne dans la ville n'est au courant de ce projet. Personne ne peut l'imaginer puisque Lévis a choisi une stratégie imprévisible. Au lieu d'attendre les renforts de France, ce qui inévitablement signifierait aussi des renforts pour les Anglais, le commandant des troupes françaises a décidé d'attaquer la ville avant l'ouverture de la navigation sur le fleuve. Mais tout ça, Josèphe Grandbois ne peut le savoir. Lévis compte sur l'effet de surprise. Pour la réussite du plan, tous les hommes au courant ont promis de garder le secret. Il est inconcevable que Lévis puisse être trahi à un moment aussi

crucial. Daniel appréhende donc la réponse de la tenancière :

— C'est un déserteur qui racontait ça, hier, à Brindamour et Jolicœur. Il ne s'est pas interrompu parce que
je venais leur servir à boire. Il faut dire qu'il buvait
comme s'il n'avait pas de fond, cet homme-là. Pire que
les deux ivrognes à qui il racontait son histoire. Alors
j'ai tout entendu, même que…

— L'as-tu répété à quelqu'un d'autre ? coupe Daniel,
sa grande main empoignant l'avant-bras de Josèphe.

— Non, non, dit celle-ci en essayant de se dégager.
J'ai pas encore eu le temps. Il y a tellement de monde,
ce matin. Vous êtes les premiers avec qui je prends le
temps de jaser.

— Où se trouve le déserteur ?

— On lui a loué une chambre, à l'étage.

Daniel s'est levé et cherche parmi les hommes écrasés contre le bar ou affalés sur les tables les silhouettes
toujours ivres de Brindamour et de Jolicœur. Il les reconnaît au fond, occupés à une partie de cartes. Daniel
n'a qu'à jeter un œil à ses deux acolytes. Pas une parole,
pas un mot. Mais le message est clair. Les joueurs de dés
hochent la tête en silence, se lèvent et se dirigent vers les
ivrognes. De quelques mots très « convaincants », ils les
entraînent vers une porte qui donne dans la cour. Brindamour et Jolicœur ne se laissent pas faire. Malgré leur
état d'ébriété avancé, ils protestent bruyamment, mais
cela n'attire l'attention de personne. On est habitué à
cette forme de règlement de compte et, de toute façon,
les bruits environnants dominent leurs cris.

Lorsque leurs voix s'évanouissent complètement et
que les quatre hommes ont disparu dans une dépen-

dance, Josèphe Grandbois comprend le sérieux de la situation. Elle s'assoit pour la première fois de la matinée, les jambes chancelantes sous ses jupons.

— Doux Jésus ! Qu'est-ce qui se passe ?

— Rien, Josèphe. Et tu n'as rien entendu ni rien vu. Ni hier ni ce matin. D'accord ?

— Comme vous voudrez, monsieur Rousselle.

— Maintenant, va me chercher ton mari.

La femme hoche la tête, sans quitter des yeux la porte par où sont sortis de force les deux ivrognes. Elle se lève, traverse la pièce, indifférente aux cris des hommes qui la hèlent pour de nouvelles consommations. Elle disparaît derrière l'escalier.

Plusieurs minutes plus tard, dans le brouhaha qui remplit toujours la place avant l'heure du repas, Nicolas Grandbois pénètre dans son cabaret. C'est un grand homme costaud, dont les airs de bon vivant dissimulent aisément son engagement pour la cause. Il s'essuie les mains sur son tablier, salue au passage ses clients réguliers et vient s'asseoir à la table de Daniel, après avoir ordonné à sa femme de leur apporter à boire.

Comme avec ses deux premiers compagnons, Daniel discute à voix forte de l'hiver passé, du printemps à venir et des semences qui manquent cruellement. Puis, en baissant la voix, il glisse à son hôte la raison de sa présence :

— Il nous faut de l'eau-de-vie.

— Combien ?

— Assez pour sept mille hommes.

— Tant que ça ! Où est-ce qu'il... Non, je ne veux pas le savoir. Moins j'en sais, moins je... Mais je t'assure que ce sera une victoire si... Comme ça, à défaut de manger, ils vont boire. C'est mieux que rien ! De combien de temps est-ce que je dispose ?

— Deux semaines. Après ça, la livraison sera plus… difficile.

Grandbois soupire. Deux semaines pour trouver autant d'eau-de-vie ! Ce ne sera pas une mince affaire. Il secoue la tête, se désolant de la situation.

— Même si je réussis à t'en trouver, j'ai personne pour livrer. Mon plus vieux est malade. Encore la…

— La fièvre, l'interrompt Daniel. Je sais, ta femme nous l'a dit tout à l'heure. Ça te prend quoi ?

— Ben, j'imagine que je dois livrer ça à Sainte-Foy ?

— Oui. Et il va falloir passer devant l'église. Les Anglais s'y sont installés pour contrôler les avenues vers Québec, paraît-il. Il ne faudrait pas attirer trop l'attention.

— Bon. Ça me prend un gamin entre neuf et douze ans. Pas plus vieux, ça serait trop suspect parce qu'il pourrait être forcé de prendre les armes. Il se fera passer pour un de mes fils. Je fournis souvent l'auberge de la mère Vanier. D'habitude, c'est Gaston qui fait le trajet.

Daniel sourit. Il a exactement la personne qu'il lui faut. Mais il faudra se faire persuasif pour que Marie ne s'y objecte pas.

— D'accord, dit-il après un moment de silence. Il sera ici, à midi, dans deux…

Un fracas l'empêche de finir sa phrase : la porte s'est ouverte brutalement et un détachement d'une douzaine de soldats anglais fait irruption dans le cabaret. Grandbois a sursauté à cause du vacarme. Plus intrigué que furieux, il se lève et se dirige vers le groupe, comme le ferait n'importe quel propriétaire d'établissement respectable.

— Je vous demande pardon, messieurs, mais on n'entre pas ici comme dans une caserne!

— Nous cherchons un Français.

— Ma taverne en est pleine! Lequel voulez-vous?

Le caporal n'apprécie pas l'humour de Grandbois. Il lui jette un regard méprisant avant de scruter la salle, plongée dans le silence depuis l'entrée fracassante des Habits rouges. Derrière son comptoir, Josèphe Grandbois semble sur le point de s'évanouir tant elle a peur.

— Nous sommes à la recherche d'un certain Charland. Un déserteur de l'armée française. On nous a dit qu'il loge chez vous.

Le caporal a prononcé ces mots, le regard fixé sur Daniel, comme s'il cherchait à l'identifier.

— Je lui ai loué une chambre à l'étage, lance Grandbois, en montrant l'escalier et en se plaçant entre Daniel et l'Anglais pour détourner l'attention de ce dernier.

D'un geste, le caporal envoie ses hommes fouiller la maison. Puis il fait un pas de côté, en direction de Daniel. Ce dernier est toujours attablé devant les dés.

— Il me semble que je vous connais, dit l'Anglais.

Daniel regarde son interlocuteur droit dans les yeux. Oui, lui aussi l'a reconnu. C'est l'homme qui l'a arrêté, l'automne précédent, parce qu'il n'a pas cru son histoire de médecin, malgré les larmes d'Odélie. À cause de lui, il a reçu cent coups de fouet. «Un homme dangereux», pense Daniel. Il ouvre la bouche, mais n'a pas le temps de dire quoi que ce soit; Grandbois a déjà pris la parole:

— Ce monsieur est celui qui approvisionne votre armée, caporal. C'est grâce à lui que vous avez mangé cet hiver. Il me passait justement la dernière commande du gouverneur Murray : cent barriques d'eau-de-vie pour la garnison. N'est-ce pas là un homme d'affaires efficace et précieux ?

Le caporal hoche la tête, mais n'affiche pas le sourire espéré par Grandbois. À la place, il fait encore un pas en direction de Daniel, pour le voir de plus près. Lorsque des bruits de course se font entendre dans l'escalier, le caporal se retourne et interroge les hommes qui reviennent de l'étage.

– *He's gone, sir. His clothes are on the floor and the window was wide open. He must have heard us.*

La colère se lit sur le visage du caporal. Des vêtements sur le sol, une fenêtre ouverte. Oui, le déserteur les a peut-être entendus arriver. Dans ce cas…

– Fouillez les environs. Fouillez la ville s'il le faut. Un homme, en chemise, dehors à ce temps-ci de l'année, ça devrait être facile à trouver.

Les soldats quittent le cabaret, suivis du caporal qui a déjà oublié les inquiétudes provoquées par la présence de Daniel Rousselle. Ce dernier est demeuré calmement à sa place. Il a pris les deux dés dans sa main, les agite et les lance sur la table : douze. Il sourit. Oui, il y a là-haut des vêtements sur le sol et une fenêtre ouverte. Cependant…

Un déserteur, d'habitude, ça essaie de se faire oublier. Celui-ci sombrera simplement dans l'oubli encore plus que les autres.

*

– Les ursulines ont repris leurs pensionnaires depuis le début de mars, lance Marie, en reposant sur la table sa tasse de café à l'eau-de-vie, encore pleine à ras bord.

Elle a parlé comme s'il s'agissait d'un fait anodin. En vérité, elle tendait une perche à Daniel, qu'il n'a d'ailleurs pas saisie! Il se tient toujours à la fenêtre, observant les allées et venues des gens dans la rue.

— C'est très bien, marmonne-t-il sans détourner les yeux.

La salle commune est vide. Comme le reste de la maison d'ailleurs. Seul le bruit du bois qui crépite dans le foyer comble le silence. Marie a pris soin d'envoyer sa fille chez un marchand de tissu. Si elle l'a chargée d'une commission, c'était pour avoir du temps avec Daniel. Parce qu'elle a à lui parler. Et le voilà qui semble plus préoccupé par les étrangers qui circulent dans Québec que par ce qu'elle a à lui dire. Elle soupire bruyamment pour attirer son attention. En vain. Il ne bronche pas. Elle juge alors qu'elle a assez perdu de temps à préparer le terrain. Elle annonce la nouvelle pour laquelle elle a pris tant de précautions :

— J'ai inscrit Odélie comme externe chez les religieuses.

Il faut un moment pour que l'information fasse son chemin jusqu'au cerveau de Daniel. Lorsqu'il se retourne, il a l'air inquiet. Il s'éloigne de la fenêtre et vient s'asseoir devant sa femme, à l'endroit même où il s'installe lorsqu'ils jouent ensemble aux échecs. Et comme aux échecs, Daniel commence par sonder son adversaire, vérifiant s'il a bien compris ce qui se passe dans sa propre maison.

— On est en mars. C'est un peu tôt pour prévoir ce qui arrivera en septembre, ne trouves-tu pas? On ne sait même pas ce que Lévis veut…

– Elle commence lundi prochain, l'interrompt Marie d'une voix ferme, en regardant son époux dans les yeux.

La réaction ne tarde pas. Il secoue la tête et se relève.

– Il n'en est pas question, lance-t-il avec autorité. De toute façon, tu lui as enseigné tout ce qu'elle doit savoir.

Cette dernière phrase choque Marie davantage que le refus.

– Je ne sais pas tout ce qu'elle doit savoir! Et puis avec les Anglais sous notre toit, je n'ai plus assez de temps à lui consacrer.

Daniel s'est avancé vers elle et prie intérieurement pour que son attitude intransigeante suffise à imposer sa décision :

– Puisque tu as autant de travail, affirme-t-il, elle doit rester ici pour t'aider.

– Elle doit aller à l'école.

La voix de Marie est calme. Pas une pointe d'impatience, pas une trace de colère. Que la ferme intention d'arriver à ses fins.

– Elle sait déjà lire, écrire et compter, proteste Daniel, à court d'arguments. C'est déjà bien trop pour une fille. Et c'est plus que suffisant pour élever des enfants.

– Elle ira à l'école, répète Marie, faisant fi du raisonnement de son époux, qu'elle trouve ridicule.

– Ce n'est pas nécessaire. De toute façon, j'ai besoin d'elle.

Daniel a prononcé cette dernière phase en tournant le dos à sa femme, comme si la discussion était close.

Mais Marie devine soudain ce à quoi il fait allusion et la panique naît dans son esprit. Si, elle, elle peut participer à la résistance et risquer sa vie, elle refuse de risquer celle de sa fille.

– J'ai déjà failli perdre Odélie deux fois à cause des Anglais. Elle n'est pas un soldat et il est hors de question qu'elle fasse partie de ton prochain plan. Ma fille n'est pas un pion qu'on peut sacrifier pour la cause!

Elle n'a pas crié, mais sa voix était plus forte que d'habitude, affichant une obstination que Daniel lui connaît bien. Il a tourné la tête et la regarde maintenant droit dans les yeux, cherchant un indice, une faiblesse à exploiter, en vain. Marie a raison. Cependant…

– J'ai besoin d'elle, répète-t-il encore, en se tournant de nouveau vers la rue.

– Ne peux-tu pas y aller toi-même? Moi, peut-être?

– Non, dit-il en hochant la tête.

Marie se radoucit en percevant une inquiétude nouvelle dans sa voix, comme une note de désespoir. Elle vient se placer à côté de lui. Elle sent le bras qu'il glisse autour de sa taille. Il la presse ensuite contre lui, mais aussi contre le mur et vient appuyer sa grande main sur son ventre proéminent. Soudain mal à l'aise, elle se demande où il veut en venir avec ce geste d'intimité inaccoutumé. Soulevant le menton, il lui fait signe de regarder dans la rue. Sa voix se fait douce, tout près de son oreille:

– Qu'est-ce qui ne va pas dans ce paysage?

Marie observe les passants, les voitures arrêtées. Un cheval hennit. Un habitant fume sa pipe, appuyé contre le mur d'une maison. Trois hommes sortent d'une demeure voisine. Odélie vient de tourner le coin et s'engage dans la rue Saint-Louis, un panier chargé à la main. Marie revient à cet homme qui attend en fumant. Ou plutôt non. Il ne fume pas, aucune fumée ne sort de sa pipe. Elle fait part de sa découverte à Daniel qui acquiesce.

– Je le connais. De loin. C'est un Anglais, déguisé en habitant. Et il observe notre maison depuis quatre jours.

Marie ne dit rien, mais frissonne à l'idée d'être espionnée, encore une fois. Elle pose sa main sur celle de Daniel, l'étreint un moment. Ainsi donc, il est toujours aussi actif. Elle s'en doutait. Elle en est secrètement fière, mais que sa maison soit surveillée lui donne la chair de poule. Elle comprend maintenant son attitude inflexible. Ce n'est pas le moment de reculer. Pas maintenant que le printemps arrive, et, avec lui, peut-être les renforts de France.

Elle s'écarte de Daniel et revient à la table. Elle ramasse alors la vaisselle et s'éloigne vers la cuisine, d'où sa voix s'élève :

– Elle ira une seule fois. Après ça, c'est l'école, que tu le veuilles ou non.

Daniel hoche la tête, sans quitter des yeux l'homme de la rue. Odélie le dépasse, mais l'espion ne lui prête pas attention. Daniel sourit. Si c'est lui qu'on surveille de si près, sa fille sera donc libre d'agir.

*

– Je ne veux pas aller au couvent !

La mine renfrognée d'Odélie ferait presque sourire Marie, si les circonstances n'étaient pas si graves. Assise sur le bord du lit de sa mère, elle est si obstinée dans son idée qu'elle en a les joues empourprées. Malgré la porte close, les bruits du rez-de-chaussée annoncent que les Anglais sont rentrés. Se guidant dans son miroir, Marie insère une dernière pince à cheveux dans son chignon, vérifie que son bonnet est solidement attaché et se tourne vers sa fille.

— Tu iras pourtant, tranche-t-elle, en s'assurant d'un regard sévère qu'Odélie comprend bien qui décide dans cette maison. Et tu commences la semaine prochaine.

— Mais puisque papa dit que la France a envoyé des renforts, je pourrais…

— Si tu ne t'étais pas servie de ton fusil pour attaquer les Anglais, tu n'aurais pas pris cette balle. C'est dangereux, Odélie, ne le vois-tu pas?

— Je n'ai pas peur! lance Odélie, les yeux brillants de fierté.

— Je sais. Mais moi, oui.

Le regard d'Odélie s'obscurcit. Elle enrage chaque fois que sa mère lui impose sa volonté. Malgré le fait qu'elle lui répète que c'est pour son bien, jamais Odélie n'a pensé que c'était parce qu'elle avait peur pour elle. Elle baisse la tête et pose les yeux sur le ventre proéminent de sa mère. Puis sur la chaise qui grince sous son poids.

— Tu dois t'instruire, Odélie.

La voix de Marie est maternelle, douce et ferme à la fois. Elle ne détache pas son regard de sa fille, elle comprend son impatience. Mais elle, comprend-elle où est son intérêt?

— Ton père a «une» mission à te confier. Je l'ai permise, à condition que tu ailles à l'école.

Odélie bondit sur ses pieds et s'élance au cou de sa mère. Celle-ci vacille et la chaise craque, cette fois, menaçante.

– Une mission? Pour moi? Oh! Merci, maman!

– Ne me remercie pas. S'il t'arrive quoi que ce soit pendant ce «voyage», ne viens pas te plaindre. Je ne te défendrai pas!

Odélie embrasse sa mère, bien consciente que cet avertissement est un mensonge.

*

21 avril 1760. Enfin une belle journée de printemps! Le soleil se fait chaud sur les visages et la neige, bien qu'encore très présente, laisse deviner par endroits la verdure de la terre et le gris des pavés. L'eau ruisselle au milieu de la Côte-de-la-Fabrique. Odélie marche d'un pas rapide, évitant les trous d'eau qu'elle sait très profonds. Dans ses bras, un panier répand l'odeur agréable du pain chaud qu'elle vient d'acheter. Lorsqu'elle traverse la place du marché, elle remarque la foule qui s'est rassemblée devant la cathédrale. Elle s'y joint, curieuse de connaître le contenu de la nouvelle ordonnance du gouverneur Murray. Quelqu'un lit à voix forte, pour ceux qui ne savent pas lire. Odélie n'entend que des bribes et ces paroles sont une grande déception, malgré l'apparence réjouissante de leur contenu.

– ... l'ennemi se prépare à nous attaquer... tous doivent quitter la ville avec leurs familles et leurs effets et attendre d'autres ordres avant de revenir.

Un murmure parcourt la foule. Odélie feint de réagir, comme les habitants, figés sur place, hésitant entre l'inquiétude de la bataille à venir et le bonheur de savoir qu'on ne les a pas abandonnés. Pour sa part, elle a deviné depuis longtemps ce qui se tramait dans l'armée française.

Il y a trois semaines, en livrant les barriques d'eau-de-vie à la barbe des Anglais, il aurait fallu qu'elle soit idiote pour ne pas comprendre. On lui en disait peu, mais c'était évident que cet alcool allait servir à donner du courage aux soldats. Lorsque les Anglais l'ont arrêtée pour contrôler son identité et s'enquérir de l'objet de sa visite à Sainte-Foy, Odélie n'a même pas eu peur. Son père lui avait donné des vêtements de garçon et elle avait appris par cœur ce qu'elle devait dire aux soldats. La tension lui nouait l'estomac, mais la fébrilité habitait son esprit.

À l'auberge de la mère Vanier, deux hommes ont déchargé la charrette sans un mot, pendant qu'elle observait les clients de l'auberge. Parmi eux, certains avaient un air trop respectable, même habillés en habitants. Leurs mains et leurs visages étaient trop clairs, trop lisses, trop propres. Elle a compris qu'il s'agissait d'officiers français, probablement venus récupérer les barriques. Elle n'a rien dit, mais son cœur se réjouissait. Elle servait la France, elle aussi, comme eux. En rentrant chez elle, elle a ressenti une grande satisfaction, un immense bien-être. Elle avait réussi. Pour la cause!

Or là, au moment où l'armée s'apprête à reprendre la ville, elle ne va plus pouvoir être utile. Le gouverneur les envoie au loin, tant pour leur éviter des malheurs que pour les empêcher de nuire à la défense de la ville. Sans attendre que la foule se disperse, Odélie traverse la place et file vers la rue Saint-Louis pour annoncer la nouvelle à sa famille. Dans sa tête, une question résonne, comme les cloches de l'église toutes proches : où iront-ils ?

*

Assise dans la cuisine, devant l'âtre, Marie ferme les yeux et écoute les pas de Daniel à l'étage.

« C'est pour bientôt, songe-t-elle, en posant une main sur son ventre rond. Et nous allons demeurer ici à attendre que les événements arrivent, comme Dieu souhaite qu'ils se produisent. »

Marie est déchirée entre le départ de Daniel et cette naissance qui ne saurait tarder. Évidemment, dans ces conditions, il n'est pas question de faire la route jusqu'à la Pointe-aux-Trembles. Le voyage serait à lui seul suffisant pour déclencher les contractions. Mais il n'est pas non plus acceptable de se rendre à l'Hôpital-Général. Ça mettrait en évidence le fait que cet enfant naît deux mois avant terme. Non, Marie a décidé de rester chez elle, malgré les risques.

« S'il n'y a pas d'incendie pour incommoder Odélie, elle pourra peut-être m'aider, pense-t-elle, en regardant sa fille qui dessine, installée à la table de la cuisine. Pourvu que tout se passe normalement ! »

Comme si le bébé pouvait sentir ses émotions, il donne de furieux coups de pied.

— Tu es trop pressé, le gronde-t-elle doucement, en pressant la paume de sa main contre le renflement.

C'est alors tout son ventre qui se durcit dans une contraction indolore. Deux jours, peut-être trois, et ces durcissements seront synonymes de souffrance. Entre la perspective de l'accouchement et le souvenir de Jean, ce n'est plus ce dernier qui provoque le plus d'angoisse. Car elle a fait son deuil, même si elle n'a pas pu pleurer comme elle aurait voulu. Jean n'est plus là et la vie continue. Et sa vie à elle est avec Daniel maintenant.

Des pas résonnent dans l'escalier, puis des éclats de voix, des instructions. Marie reconnaît le ton mielleux de Daniel avec les officiers anglais. Un bruit de meuble qu'on déplace. Ensuite un fracas de bûches qu'on lâche sur le sol. Daniel a tenu parole.

Tout ce tumulte indique qu'il transforme la chambre du fond pour qu'elle puisse y résider durant son absence. Bien sûr, il n'a pas informé les Anglais de son départ, mais leur a expliqué que cette pièce sera l'endroit le plus sécuritaire de la maison lorsque les Français attaqueront la ville depuis la campagne. En plus du lit qui s'y trouvait déjà, Daniel a fait aménager un poêle, fait porter du bois en quantité suffisante et fait installer un meuble de rangement où se trouvera tout le nécessaire pour survivre au long siège à venir. Mais la confiance de Marie est moins grande que l'année précédente, car la maison est vraiment très proche des fortifications.

Entre la menace qui pèse sur la ville et celle qui guette ses entrailles, elle doit se retenir pour ne pas fondre en larmes. L'avenir fait naître tellement d'appréhensions!

*

Daniel avance furtivement dans la nuit, dissimulé dans l'ombre des boisés qui longent le chemin de Sainte-Foy. Ses pas s'enfoncent parfois dans la neige ou glissent dans la boue, mais cela le ralentit à peine. Rien ne saurait diminuer l'ardeur qu'il met dans cette marche nocturne.

Il y a moins d'une heure, il a quitté la maison d'un habitant, fidèle à la cause, qui a bien voulu le cacher dans sa cave jusqu'à la tombée de la nuit. C'est chez lui aussi, dans une de ses dépendances, qu'il a abandonné sa charrette et son cheval, qui, parce que trop bruyants, trop voyants aussi, auraient attiré l'attention des Anglais.

Maintenant, il a jusqu'au lever du jour pour parcourir à pied la distance qui le sépare du village de Sainte-Foy. Après ça, sa présence dans la campagne pourrait être repérée. Mais il y arrivera, il en est convaincu, car sa jambe ne le fait plus boiter depuis des mois.

En même temps qu'il s'éloigne d'un pas régulier, ses pensées vont à Marie, qui est sur le point d'accoucher. Il a jugé préférable qu'elle ait de l'aide, en plus de celle d'Odélie. C'est pourquoi, avant de quitter la ville, il a fait un détour par l'Hôpital-Général. Il voulait demander à Antoinette de se rendre auprès d'elle. Devant l'incompréhension qu'il a lue dans les yeux de la religieuse, il a été obligé de lui donner la raison de son mariage avec celle qui devait devenir sa bru, expliquant du même coup cette naissance prématurée. Le regard de la religieuse s'est alors éclairci. Elle ira l'aider, il le sait.

La lune n'est qu'un mince croissant au-delà des montagnes. Bien qu'elle éclaire faiblement la campagne, Daniel continue son chemin à l'orée du bois, plongeant plus profondément dans la pénombre chaque fois que passe une patrouille. Et elles sont nombreuses à la veille de la bataille. Il sent monter en lui l'excitation, la fébrilité, mais pas l'ombre de la peur. Il lui tarde d'agir concrètement pour que cette victoire soit spectaculaire, pour que les Anglais se replient et quittent la colonie devant l'ampleur de leur défaite.

Lorsque l'aurore arrive, une colonne de fumée s'élève à l'horizon, obscurcissant le ciel. Daniel sait qu'il peut regagner la route désormais. Il vient de comprendre la raison d'être des patrouilles de cette nuit.

Des flammes s'élèvent de l'église de Sainte-Foy où les Anglais avaient établi un poste de contrôle. Il atteint rapidement les lieux de l'incendie et constate, avec les habitants de la place, qu'il sera impossible d'éteindre le brasier. Avant de quitter les lieux, les Anglais se sont assurés que l'endroit ne servirait pas de refuge à leurs ennemis.

Une clameur familière monte du marais, au pied de la colline. Daniel se retourne juste à temps pour voir apparaître la tête de l'armée française. L'armée du général Lévis! Daniel s'élance vers les soldats, heureux enfin de rejoindre des frères d'armes. Et le sourire qu'il affichait devient brusquement radieux. Il vient de reconnaître, parmi les miliciens, ses vieux amis La Mire et Robichaud.

*

Le 28 avril 1760, neuf heures du matin. Debout devant les murs de Québec, Murray observe le terrain où aura lieu la bataille; un champ de boue parsemé de plaques de neige. Et tout au bout, à moins de trois mille pieds, l'armée française qui s'étire en rangées sur toute la largeur du plateau, presque au même endroit où s'était installée, sept mois plus tôt, l'armée de Wolfe. Murray évalue la force ennemie à sept mille soldats, miliciens et Indiens. Lui ne possède que les quatre mille hommes de la garnison. Alors il maudit intérieurement le général Lévis. Il espérait que le Français attendrait l'arrivée de renforts. Il le trouve bien téméraire de s'attaquer à la ville sans savoir à qui, de la France ou de l'Angleterre, appartiendront les premiers voiliers à remonter le fleuve.

Lévis vient d'ordonner à ses hommes de marcher vers la ville et toute son armée s'est mise en branle. Murray jette un œil à la sienne.

– Puisqu'il le faut, qu'ils se battent avec honneur! C'est là mon unique souhait.

Sans plus attendre, il s'élance à la rencontre des Français avec sa mince garnison.

Dans le boisé de Sillery, Daniel, La Mire et Robichaud sont embusqués avec le reste des Canadiens et des Indiens. Ils se déploient en manœuvrant de buisson en buisson, suivant le gros de l'armée qui progresse en direction de l'ennemi.

C'est de là que Daniel aperçoit les forces anglaises, surpassées en nombre et rapidement encerclées. S'ensuit un massacre au couteau et à la baïonnette auquel il se joint en hurlant sa hargne, suivi des autres miliciens et Indiens.

Combien en a-t-il égorgé? Combien en a-t-il transpercé? Suffisamment pour que le sang de ses victimes se répande sur ses vêtements en une telle quantité qu'on ne distingue plus la couleur originale de sa veste ni de sa chemise.

Sa fureur s'éteint moins de deux heures plus tard, avec la déroute de l'armée anglaise qui abandonne ses canons sur le champ de bataille pour se réfugier derrière les murs de la ville. Les blessés et les morts se comptent par milliers, autant dans un camp que dans l'autre. Parmi eux, le vieux Robichaud, le cœur transpercé par une baïonnette anglaise. Son corps gît dans la boue et son sang se déverse sans arrêt sur la terre qui dégèle, colorant une plaque de neige à proximité.

En quelques heures, Lévis est donc maître des lieux. Il a retourné les canons anglais et se met à bombarder Québec comme l'ont fait les Anglais l'été précédent. Et Daniel prie pour qu'aucun obus n'atteigne sa maison.

*

Un cri de douleur retentit dans la chambre, dans la maison, dans la ville. Marie n'est que larmes et souffrance en cette première nuit de bombardement. À ses côtés, Antoinette tente de l'assister dans l'accouchement, impuissante. C'est que, malgré les contractions de plus en plus fréquentes, l'enfant tarde à naître.

« Dix heures de travail et pas l'ombre d'un cheveu qui se présente », songe la religieuse en jetant un œil à la fenêtre.

Dehors, il fait nuit, mais le ciel est strié d'éclairs. Antoinette soupire. Il faudrait une sage-femme, mais elles ont toutes déjà quitté la ville à l'annonce de la bataille. Maintenant, les contractions sont comme des vagues qui se répercutent dans le ventre de Marie au rythme des boulets qui fracassent les maisons du voisinage. Un mur s'effondre à chaque hurlement de désespoir. La terre tremble à chaque sanglot qui secoue sa belle-sœur, la pièce, la maison tout entière.

— Je vais mourir, Antoinette. Je vais mourir.

— Mais non, Marie. Tu ne vas pas mourir. Ce bébé va bien finir par se pointer le bout du nez. Et alors, il aura bien besoin de sa maman.

— J'ai froid.

Odélie est demeurée en retrait depuis les premières contractions. Elle renifle, s'approche du poêle, y remet du bois à brûler et de l'eau à chauffer. C'est tout ce qu'elle peut faire pour aider sa mère. Elle n'a pas peur, mais elle se sent si impuissante devant la souffrance qui afflige Marie que des larmes ne cessent de ruisseler sur ses joues. Heureusement que sa tante est là. C'est avec un tel soulagement qu'elle l'a accueillie lorsqu'elle est arrivée à cinq heures du matin, réveillant la maisonnée avec une joie de vivre qu'on ne lui avait pas vue depuis longtemps. Elle venait aider Marie, a-t-elle dit en déposant son bagage sur le lit. Et Marie demeurait sur le pas de la porte, une main appuyée sur les reins, le regard incrédule et hésitant.

— Ton époux m'a raconté. Je te comprends maintenant, a alors ajouté Antoinette, au grand dam d'Odélie qui, elle, ne saisissait rien à ce discours à mots couverts.

Elle n'a été rassurée que lorsque les deux femmes se sont jetées dans les bras l'une de l'autre. Tout était redevenu comme avant. Odélie les a rejointes et pleurait avec elles un bonheur retrouvé. Mais, en ce moment, ce ne sont pas des larmes de joie qui coulent sur ses joues. Elle ne quitte pas des yeux Marie qui marche de long en large dans la pièce, s'appuyant tantôt à un mur, tantôt sur le dossier de la chaise. Parfois aussi elle se tient à croupetons, comme si elle allait enfin être libérée, mais chaque fois la contraction la laisse épuisée, le ventre toujours aussi chargé.

— J'ai peur, souffle Marie entre deux respirations difficiles. J'ai tellement peur !

— Je sais, murmure Antoinette en glissant un bras sous son épaule. Je vais t'aider à marcher. Ce sera moins fatigant.

Un nouveau sifflement fend le ciel. Une déflagration fait trembler le sol et s'écrouler un autre mur. Terrifiée, Marie s'accroupit sur le plancher. Ce brusque mouvement provoque une nouvelle contraction qui lui déchire les entrailles. Du sang se répand entre ses cuisses, coulant sur ses jambes repliées, se mêlant sur le plancher au liquide visqueux qui s'est écoulé par le même chemin, il y a déjà plusieurs heures.

Elle tremble. Comme cette nuit-là, dans la voûte, avant que Jean ne lui fasse l'amour. Antoinette s'est placée derrière elle pour la soutenir. C'est alors qu'un cri différent emplit la pièce, la maison, la ville tout entière. Le cri d'un petit garçon plein de vie.

Odélie observe chaque geste, écoute chaque parole. Un jour, il faudra qu'elle subisse cette épreuve, elle aussi. Cela la terrifie et la fascine en même temps. Gigotant dans les mains d'Antoinette, le bébé continue de hurler. Les poings serrés, les yeux fermés, il semble furieux de se retrouver dans un environnement aussi hostile. Il frissonne et pleure, mais cela n'attriste personne. Marie sourit, ne quittant pas son enfant des yeux, pendant qu'elle expulse les restes de ce qui lui a servi de nid pendant les neuf derniers mois. Antoinette a coupé le cordon qui liait le bébé à sa mère. Elle a lavé sa peau tiède et l'enroule maintenant dans un linge.

– Bonjour, mon bébé, murmure Marie en prenant son enfant dans ses bras.

Les bombes tombent encore sur la ville, mais, dans la maison, personne ne les entend plus. Odélie s'est approchée pour admirer son petit frère. Antoinette a posé une main sur l'épaule de sa nièce. Elle soupire de contentement, de bonheur aussi. Jamais elle n'oubliera cette nuit où elle a aidé à mettre au monde un enfant.

Tout à coup, un nouveau sifflement, plus intense que les autres, se fait entendre au-dessus de la rue. La maison est brusquement secouée du plus terrible tremblement de terre. Dans un fracas de pierres et de bois, une partie de la maison s'écroule, soulevant un nuage de poussière.

CHAPITRE XIII

Deux morts, cinq blessés. Et Daniel, dissimulé dans la tranchée creusée dans la neige, éclate d'un rire trop sonore. Un rire de nervosité, de vengeance, de raillerie. Il aperçoit, sur le rempart opposé, les hommes qui accourent vers la batterie des Anglais. Sur le sol gisent les corps des opérateurs et ceux des soldats qui se trouvaient à proximité.

Daniel rit parce que la batterie a explosé toute seule, sans l'aide d'une bombe des Français. Elle a explosé, juste devant lui, faisant plus de morts que n'en aurait fait cette bombe, si elle avait été lancée. Il rit des étranges exploits du hasard. L'explosion aurait pu avoir lieu pendant qu'il dormait, une heure plus tôt, ou pendant qu'il se trouvait à l'autre bout de la tranchée. Eh non ! Elle a eu lieu ce matin, sous ses yeux, lui permettant de jouir du spectacle. Alors il rit, si fort que les Anglais comme les Français tournent vers lui un regard méprisant. Car le spectacle n'a pas de quoi réjouir un homme.

Derrière Daniel s'étend la vaste plaine des hauteurs d'Abraham. La teinte brun foncé qu'a prise la neige ne vient pas de la boue qui recouvre le sol par endroits. Elle vient plutôt du sang coagulé, séché et noirci qui s'est répandu pendant la bataille de la veille, lorsque les hommes s'affrontaient à la lame plutôt qu'au fusil. C'est celui des blessés qu'on a transportés vers l'Hôpital-Général. C'est celui des morts qu'on a enterrés dans la fosse commune, deux cent soixante-six soldats et officiers français, et un millier d'Anglais. C'est le sang versé pendant la plus barbare bataille qu'ait vue l'Amérique de toute la guerre. Et c'est celui de Robichaud, son vieil ami.

Non, il n'y a pas de quoi rire. Mais le rire de Daniel vient de l'absurdité, de l'atrocité du tableau. Trop de sang, trop de jambes et de bras coupés ou déchiquetés, trop de morts. Son esprit n'en peut plus, alors il s'attarde au ridicule, à ce que l'âme peut analyser sans sombrer dans le cauchemar.

Soudain, son rire se transforme en sanglot. Affaissé contre la paroi de neige sale, les vêtements mouillés, la peau glacée par le vent, il pleure. Il pleure son fils, enfin. Il pleure aussi le vieil Acadien qui ne reverra jamais les siens. Il pleure aussi, étrangement, tous ces hommes qu'il a tués de ses mains, de même que tous ceux qu'il aurait voulu achever et tous les autres qu'il a souhaité égorger. Sur ses joues, les larmes se figent en gouttelettes et forment des petits glaçons qui luisent sous ce soleil de printemps.

L'air sent la terre qu'on devrait labourer. Il sent aussi les animaux qui devraient brouter enfin l'herbe fraîche. Il sent le pain qu'on devrait cuire, celui qu'on ferait encore avec le grain de l'an passé. Et Daniel gémit sur tout ce temps perdu, tout ce gaspillage à ses pieds.

À ses côtés, La Mire demeure immobile, le regard sévère, ses traits indigènes impassibles. Sur son torse et à sa ceinture pendent ses trophées de guerre dont le sang s'est répandu sur sa poitrine et sur son brayet avant de geler complètement et de former des cristaux brillants comme des pierres précieuses. La Mire attend patiemment et, comme à son habitude, silencieusement. Même s'il ne comprend pas la peine qui afflige son compagnon, il la respecte. Il reste debout, fier et arrogant face à tous ceux qui lui jettent des regards réprobateurs. Car lui, il sait.

Il sait qu'à l'intérieur des murs les Anglais sont terrifiés. Il sait qu'il ne se passe pas une journée sans qu'ils prient pour que le premier vaisseau à remonter le fleuve porte l'Union Jack. Il sait que, dans le cas contraire, ces Anglais auront perdu, sinon la ville, peut-être la guerre. Il a perçu leurs regards lorsqu'ils scrutent l'horizon en direction de l'île d'Orléans, angoissés par les glaces qui ont commencé à descendre des pays d'en haut.

Il reconnaît aussi, lorsqu'il plonge son regard noir dans celui d'un Français, la plus grande peur de celui-ci : avoir été abandonné par la mère patrie. Il craint que la France ne vienne pas au secours de sa colonie, qu'elle ait décidé de laisser ses hommes défendre seuls cet immense territoire qui, pourtant, l'a enrichie pendant plus de cent ans. Ces Français inquiets se demandent ce qu'il adviendra d'eux si, par malheur, le navire du capitaine Kanon n'a pas réussi à atteindre la France à temps. Non, ils n'osent pas l'imaginer. Tous ces morts, toutes ces souffrances, tous ces efforts, toutes ces privations, tout ce courage, pour rien.

La Mire sait que ces hommes ne peuvent imaginer un tel revers du destin alors qu'ils sont de nouveau les maîtres de Québec. Ils ne sont pas à l'intérieur, mais la ville est assiégée, affamée et à la merci du général Lévis. C'est leur chef. Ils ont confiance, malgré le doute. Car de la poudre pour enchaîner la ville, il n'en reste presque plus.

Le regard de La Mire affiche tout le dédain qu'il ressent face à ceux qui, en ce moment, considère Daniel comme faible et brisé. Dans quelques semaines, dans quelques jours peut-être, il n'y aura plus de glace sur le Saint-Laurent. Ce sera alors le jour de vérité.

*

Il s'est écoulé à peine deux semaines depuis la bataille sanglante que fut la victoire des Français. «Une victoire bien précaire», juge Daniel en parcourant la plaine désertée. Il ne reste plus un soldat, plus un canon, Lévis ayant ordonné le repli vers Montréal après avoir lancé du haut de la falaise l'artillerie qu'il ne pouvait pas apporter avec lui.

Daniel fait encore quelques pas. La neige a disparu. Des taches de sang sont encore visibles, ici et là, mais le sol en a absorbé la majorité. Et lui, il a décidé qu'il n'en verserait plus. Ni le sien ni celui des autres. Il est demeuré en retrait avec La Mire pendant que l'armée française s'en allait. Puis il a disparu dans le premier boisé, avec une centaine d'autres miliciens ayant décidé, eux aussi, de rentrer chez eux. Lorsque le gros des troupes n'a plus été visible, ils ont fait demi-tour et se sont rendus aux Anglais. Pour ces hommes, la guerre est finie.

Maintenant, debout devant la porte Saint-Louis, Daniel attend que l'Habit rouge termine sa fouille pour le laisser entrer dans la ville. Il a déposé sans regret son fusil contre le mur.

« Si Dieu le veut, plus jamais je n'y toucherai ! » a-t-il pensé en abandonnant son arme.

La Mire, lui, a ronchonné davantage, mais Daniel l'a fait taire de quelques mots en micmac. S'il ne veut pas franchir la porte, il peut toujours demeurer à l'extérieur. Mais, lui, il rentre à la maison. L'Indien a alors obtempéré en silence.

Les soldats les laissent finalement passer et, en pénétrant dans l'enceinte, ils découvrent toute l'horreur des bombardements des derniers jours. Dans cette partie de la ville, il n'y a pas un bâtiment qui soit intact. Daniel presse le pas, brusquement pris de panique.

Lorsqu'il atteint la maison, il constate avec effroi que le mur avant s'est effondré dans la rue. Il saute par-dessus les pierres et s'engouffre à l'intérieur par le trou béant.

— Marie ! hurle-t-il, en constatant que la maison est déserte.

C'est alors que la porte de la chambre du fond s'ouvre, lentement. Antoinette en sort, aux aguets. Odélie la suit, rassurée en entendant la voix de son père. Mais elle se pousse sur le côté, sans dire un mot. C'est alors que Marie apparaît dans l'embrasure, assise dans un fauteuil près du lit, tenant un enfant emmailloté dans ses bras.

— C'est un garçon, dit Antoinette qui, d'un geste, l'invite à entrer.

Après avoir caressé la tête d'Odélie, Daniel fait quelques pas, incertain. Il est soulagé de savoir Marie saine et sauve, mais il ne sait comment réagir face à ce petit-fils qu'il doit reconnaître comme un fils devant tout le monde. C'est avec soulagement qu'il entend derrière lui la porte qui se referme, puis les voix d'Antoinette et d'Odélie qui s'éloignent vers la cuisine. Il est maintenant seul avec Marie et cherche désespérément ce qu'il pourrait lui dire.

– Je suis heureux, avance-t-il au bout d'un moment, sans préciser ce qui lui apporte ce soudain bonheur.

Marie lui tend alors la main et il s'approche d'elle, ému. En posant un genou par terre, si près qu'il la frôle, il suit des yeux le regard qu'elle porte sur l'enfant, un regard chargé de tendresse, sur un enfant qui ressemble beaucoup à son père.

*

Un vent froid s'engouffre dans la chambre et Marie frissonne. Sans ouvrir les yeux, elle cale davantage son fils contre son corps et se rendort immédiatement. Daniel referme la porte, replaçant la portière de manière à cacher la lumière et l'air frais qui s'infiltrent par la fente près du plancher. Il dépose, sur la table de chevet, un bouillon chaud et un morceau de pain, et approche la chaise plus près du lit.

De la salle commune s'élèvent les voix des hommes qui travaillent à reconstruire le mur avant qu'il ne pleuve. Le bruit des matériaux qu'on déplace se mêle à ceux des chevaux qui vont et viennent dans la rue, tirant derrière eux les madriers et les pierres. La ville entière est en reconstruction, car même si le printemps est arrivé, il n'apporte pas avec lui la chaleur attendue. Il faut donc faire vite pour retrouver un minimum de confort à l'intérieur des maisons.

Daniel relève le col de son capot de laine qu'il n'a pas enlevé depuis des jours. Et il ne l'enlèvera pas avant que le mur soit entièrement terminé, même si le poêle qu'il chauffe sans arrêt diffuse dans la chambre une chaleur agréable. Il allonge le bras et remonte aussi les couvertures sur les épaules de Marie, évitant de regarder le visage de François qu'il aperçoit furtivement près de l'oreiller. Ce qu'il voit, lorsqu'il s'y attarde, le rend trop nerveux.

Il ne lui a pas fallu longtemps pour remarquer que les joues du bébé sont plus mates que le sein de Marie, ses petits yeux plissés, aussi noirs que la suie, et ses cheveux, drus et sombres. Non, il ne peut nier la ressemblance avec Jean et cela l'ennuie. S'il a compris que la dernière bataille a rendu nébuleuses les circonstances entourant cette naissance prématurée, il sait par contre qu'elle ne pourra pas effacer les traits indigènes évidents du rejeton.

Il avait pourtant tellement prié, implorant le Seigneur chaque jour, plusieurs fois par jour, pour que cet enfant ne porte pas de honte ni n'en apporte à sa mère. Et le voilà, aussi Sauvage que s'il avait vu le jour dans un village micmac de l'ancienne Acadie. Dieu chercherait-il à l'éprouver ?

Puisque Marie dort profondément, il en profite pour l'observer, avec plus d'insistance que d'habitude. Sa tête lourde est posée sur un oreiller, ses cheveux bruns et doux sont défaits et épars sur les draps. Malgré les cernes de fatigue qui assombrissent sa peau claire, son visage paraît paisible.

De toute évidence, elle n'est pas troublée par les traits de son enfant. Peut-être cela lui fait-il plaisir d'y retrouver le visage de Jean ? Peut-être espérait-elle avoir au moins ce souvenir de lui, un souvenir tangible qu'elle gardera près d'elle le reste de sa vie et qui lui rappellera toujours que l'homme qu'elle aimait n'est plus là? Daniel sent grandir en lui une exaspération qui le surprend.

«Voyons donc! se gronde-t-il. Je ne peux tout de même pas m'attendre à ce qu'elle éprouve pour moi ce qu'elle éprouvait pour mon fils!»

Il se trouve idiot d'avoir à se raisonner de la sorte. Mais il se sent vieux maintenant. Il regarde ses mains, rougies par le froid. Elles sont rugueuses, même si elles demeurent aussi blanches que puissent l'être des mains de Français. Les doigts sont minces, trop minces. Comme le reste de son corps! Il a tellement maigri qu'il lui semble que ses bras sont décharnés. Il n'a pas besoin d'un miroir pour savoir de quoi sa tête peut bien avoir l'air. Voilà quatre jours qu'il dort à peine. Il n'a pas vu l'ombre d'un peigne depuis des semaines, ni celle d'un ruban pour attacher cette masse grise qui lui retombe sur la nuque et partout dans le visage. Il y a aussi cette barbe qui a envahi ses joues. Et tous ces vêtements qui sont si sales, si collants et si puants! Où est donc passé cet élégant marchand qu'il était autrefois?

Il se trouve pitoyable et il en est brusquement furieux contre lui-même. Mais qu'est-ce qui lui arrive? Souhaiterait-il que cet enfant soit réellement le sien? Il ne le sait trop. Ce qu'il sait, par contre, c'est qu'il voudrait être, en ce moment, plus jeune, plus élégant, plus riche aussi. Il voudrait ravoir sa boutique de Louisbourg, ses repas copieux qui lui donnaient quelques rondeurs au menton et autour de la taille. Il voudrait caresser ces luxueuses étoffes dans lesquelles il se ferait faire de beaux habits, comme ceux venus de France. Et alors que son esprit divague sur ce qu'aurait pu être sa vie si les Anglais n'avaient pas décidé de prendre Louisbourg, il s'endort sur sa chaise, épuisé et ambivalent. Si les Anglais n'avaient pas pris Louisbourg, jamais il n'aurait épousé Marie.

*

Antoinette suspend un chaudron au crochet de la crémaillère. Elle attise ensuite les braises de l'âtre et ajoute un peu de bois pour s'assurer que le feu soit vif. Puis elle se redresse, les mains sur les reins, et se cambre vers l'arrière pour essayer d'effacer les courbatures de son dos. Elle inspire profondément et sent ses muscles se détendre, un à un. La pièce sent bon les herbes, c'est apaisant.

Antoinette sourit, consciente d'apprécier, pour la dernière fois, un des bonheurs simples de la vie de famille. Demain, il se sera peut-être évanoui. Elle le sait, elle le comprend.

Contrairement à ses compagnes de couvent, elle aurait aimé vivre cette vie de femme mariée, avoir des enfants, même si pour cela il aurait fallu subir le supplice de l'accouchement. Elle aurait aimé avoir un homme, avoir Robert. Mais Dieu a trouvé pour elle une autre voie. Celle de la compassion. Étrangement, elle l'accepte désormais, non plus avec résignation, mais plutôt avec une satisfaction toute personnelle. Elle trouve dans sa nouvelle vocation une valorisation qui la rend heureuse. Complètement heureuse.

« La vie est ainsi faite, songe-t-elle, l'âme en paix. Un grand malheur entraîne parfois à sa suite un grand bonheur. »

Le feu dégage une chaleur bienfaisante et Antoinette demeure debout à proximité, replaçant sa cape de laine sur ses épaules. Un bruit de foule s'élève soudain de la rue et Odélie pénètre dans la cuisine, hors d'haleine.

– Les gens reviennent ! s'exclame-t-elle. La guerre est finie !

Antoinette lui sourit et sort dans la cour à la suite de sa nièce. Oui, même si le général Lévis et son armée occupent encore Montréal, pour les gens de Québec et du reste de la colonie, la guerre a pris fin avec l'arrivée des navires anglais.

Une odeur de pain frais remplit l'air, mélangée à celle de la soupe qui cuit dans la cuisine. Ce matin, il y a eu le premier marché depuis la fin du second siège et tout le monde en a profité. C'est un autre signe que la guerre est belle et bien terminée dans la région. Antoinette savoure ce moment et rejoint sa nièce en bordure de la rue.

Quelques centaines de personnes, surtout des femmes et des enfants, viennent de franchir la porte Saint-Louis et pénètrent dans la ville. Antoinette reconnaît certaines d'entre elles. Ce sont les bourgeoises exilées à la campagne. Malgré le spectacle désolant qu'elles ont sous les yeux, c'est un brouhaha joyeux qui déferle entre les maisons. Ces femmes rentrent chez elles, enfin. Pour plusieurs, après plus d'un an d'exil.

Antoinette serre sa nièce contre elle. Celle-ci appuie la tête sur son épaule et se blottit dans ses bras, comme elle le faisait à Louisbourg. Mais, aujourd'hui,

Antoinette doit admettre qu'Odélie a grandi. Elle va avoir onze ans dans quelques semaines et est presque de la même taille qu'elle. Sa robe, qui commence à être trop courte, paraît trop serrée à la poitrine.

« Ce n'est plus une petite fille », songe-t-elle en l'admirant de biais.

Toutes deux regardent encore un moment la colonne qui s'enfonce profondément dans la ville, puis se disperse dans les rues, s'étirant jusqu'au château Saint-Louis. Lorsque la fin du cortège dépasse la maison, elles font demi-tour et retournent sans un mot à l'intérieur. En pénétrant dans la cuisine, Odélie se dirige immédiatement vers le chaudron.

– Que ça sent bon !

L'âme d'Antoinette se réchauffe brusquement. Oui, elle aurait vraiment aimé avoir une famille pour qui elle aurait cuisiné tous les jours, comme elle l'a fait pendant les deux dernières semaines. Elle se rend à l'âtre et remplit deux bols du liquide fumant.

– Viens manger, dit-elle à sa nièce, qui ne se fait pas prier pour la rejoindre à table.

– Maintenant que la guerre est finie, ma tante, vous allez rester avec nous, n'est-ce pas ?

Antoinette sent son cœur se serrer. Non, elle ne restera pas.

– Le Seigneur a choisi pour moi une autre voie, Odélie. Quand ta mère sera remise de ses couches, je vais retourner à l'hôpital. La guerre a fait un grand nombre de blessés et de malades qui ont besoin de moi.

– Nous aussi, on a besoin de vous !

Antoinette perçoit la détresse dans la voix d'Odélie. Elle étire le bras et prend sa main dans la sienne.

– Je sais, dit-elle. Mais vous, vous avez M. Rousselle maintenant.

Odélie est étrangement rassurée par ces paroles. C'est vrai. Elles ne seront plus jamais seules.

*

Les semaines ont passé. Ce qui reste encore de l'armée française s'est entièrement replié vers l'ouest, s'égrenant en chemin, comme si le vent soufflait pour décimer les troupes. Québec, qui est anglaise depuis près d'un an, continue de l'être. Surtout depuis qu'une imposante flotte britannique est passée devant la ville pour aller en finir avec Lévis qui s'obstine à Montréal. Tout le monde sait que cette ultime résistance sera vaine. Les Anglais foncent de l'est, de l'ouest et du sud. Ce n'est qu'une question de jours avant que ne soit proclamée définitivement la fin de la Nouvelle-France. Ce nom sonne déjà comme un souvenir dans la bouche des habitants, car la vie reprend son cours, maintenant que s'achève la guerre.

Dans la maison de Daniel Rousselle, quelques bougies disposées sur la table répandent une lumière qui danse sur les murs de la cuisine. Dans l'âtre, les braises s'éteignent lentement. La salle commune n'est pas encore complètement réparée, alors c'est dans la cuisine que s'est attablée la famille. Le repas est terminé depuis près d'une heure, mais autour de la table la discussion est animée.

Odélie est installée devant l'échiquier. Derrière elle, la voix de son père lui prodigue des conseils judicieux pour vaincre La Mire, son adversaire. Un verre de vin à la main, Daniel suit les pièces des yeux, ignorant volontairement les commentaires déplaisants de l'Indien.

Marie est assise près de la fenêtre et se laisse bercer par la brise d'août. Dans ses bras, François s'est endormi, repu. Elle aussi sent cet apaisement qu'apporte un bon repas et, ce soir, elle peut dire que le repas fut plus que copieux.

C'était une grande surprise de voir apparaître, dans l'embrasure de la porte, la silhouette de l'Indien, les bras chargés d'une demi-douzaine d'oiseaux. Sait-il seulement combien ce cadeau tombait à point? Est-il au courant que la ville manque toujours de vivres? Sans doute. Et Marie l'a remercié avec chaleur, parce qu'il n'avait pas besoin de faire ce détour avant de repartir chez lui.

Car ce soir, c'était aussi un souper d'adieu. La Mire leur a annoncé qu'il retournait dans son village.

— Il est satisfait du nombre de chevelures acquises cette dernière année, a traduit Daniel, pendant que l'Indien expliquait les raisons qui motivent son départ. Il pense qu'il y aura certainement là-bas une femme pour apprécier sa valeur.

Marie s'est retenue de sourire et d'ajouter que ce n'est pas dans la ville que La Mire aurait trouvé quelqu'un à impressionner avec ses parures dégoûtantes.

Ils ont alors mangé avec plaisir le produit de la chasse de l'Indien, sachant très bien qu'ils ne mangeraient pas autant de sitôt. Et lorsque le repas s'est terminé, Odélie a proposé une partie d'échecs. La Mire avait appris à jouer pendant son premier hiver chez Robichaud et, depuis, il lui plaisait de montrer son savoir-faire, appris de l'Acadien. Pour la première fois depuis qu'elle le connaît, Marie remarque qu'il n'a pas touché à son verre. Il se concentre plutôt sur le jeu et il est évident qu'il sait qu'il a besoin de toute sa concentration pour vaincre ses deux adversaires.

Elle embrasse la pièce d'un regard. Tout le monde semble tellement heureux ! Y aurait-il enfin un espoir de bonheur dans cette maison ? dans cette ville ? dans ce pays ? À regarder les sourires et à entendre les éclats de rire, elle doit avouer que la chose semble possible maintenant.

Dans ses bras, François gigote. Il vient de se réveiller et agite ses petites mains devant lui, comme pour saisir la flamme des bougies. Marie le presse contre elle. Il a pris beaucoup de poids et perdu de nombreux cheveux. Cependant, sa peau reste plus foncée que la sienne et ses yeux sont toujours noirs et légèrement bridés.

Des rires remplissent la pièce. À l'autre bout de la table, Odélie s'esclaffe, une pièce noire à la main. Elle paraît fière d'elle, et une main sur son épaule révèle l'orgueil de Daniel. Bientôt, quand la guerre sera réellement finie, Odélie retournera chez les ursulines pour poursuivre ses études. Marie n'a pas eu besoin d'insister, car Odélie s'est tout de suite montrée intéressée. Elle sait que c'est la grande connivence entre la fille et le père qui justifie cette prompte soumission.

«Tant mieux», songe Marie, en posant un regard attendri sur sa fille, avant de s'attarder sur son époux.

Toujours debout derrière Odélie, Daniel lui explique une nouvelle stratégie. Un cavalier blanc à la main, il montre les cases de l'échiquier, simule quelques mouvements et prend un air triomphant lorsque Odélie dérobe une autre pièce de l'Indien. Ce dernier ne perd pas une seconde et s'empare de la reine blanche sans que Daniel ait vu venir le coup. Et tout le monde se met à rire de nouveau, Marie aussi, gagnée par la bonne humeur de Daniel.

Après un an de vie avec lui, elle pourrait dire qu'elle commence à le comprendre. Elle est par contre consciente qu'elle ne connaît pas encore ce qui le motive ni ce qu'il attend de la vie. Et il lui en parle peu, parce que leur intimité se limite à une porte qu'ils referment derrière eux le soir.

Les Anglais les pensent unis. Odélie les voient comme des parents normaux, mais, dans les faits, ils sont deux entités séparées par l'ombre de Jean qui plane toujours au-dessus de la maison, au-dessus de leur lit.

Pourtant, Marie a l'impression qu'ils se rapprochent, de temps en temps. Un regard plus insistant, une main qui effleure la sienne plus souvent qu'avant. Même au lit, il lui semble qu'ils dorment plus près l'un de l'autre. L'autre jour, elle s'est surprise à l'attendre alors qu'il était parti pour la journée. Étrangement, elle espérait son retour, tournant en rond dans la maison sans aucune raison précise. Elle a bien essayé de justifier cette impatience par une question d'ordre domestique, mais celle-ci aurait pu, sans l'ombre d'un doute, être remise au lendemain.

Oui, elle doit désormais avouer qu'elle apprécie Daniel. C'est un homme solide, sur qui elle peut compter, qui s'avère un très bon père pour Odélie. Il est respecté partout dans la ville. Il n'est pas violent. Et, comme elle l'avait prévu avant son mariage, il est généreux. Il ne se passe pas une journée sans qu'elle en ait la preuve. Mais plus étonnant encore, il démontre une patience à toute épreuve. Car il attend toujours, comme il le fait depuis un an. Il attend qu'elle lui montre qu'elle l'accepte non seulement comme époux, mais comme une femme accepte un homme. Elle devine que cela ne dépend plus que d'elle. Elle ne saigne plus depuis deux mois. Son corps est prêt, elle le sait. Mais son cœur, lui, est-il disposé à accepter un autre homme ?

Elle soupire, sans quitter Daniel des yeux. Ce soir, pour la première fois, Marie se dit que s'il lui manifestait son désir elle ne le refuserait peut-être pas.

*

Le *Sabot d'argent* grouille déjà d'activité lorsque Daniel en franchit la porte en ces derniers jours d'octobre. Le violon, les cris, les rires, les altercations qu'on résout dans un verre d'eau-de-vie pour éviter la bagarre, les parties de cartes et de dés, les mauvais coups qu'on manigance, mais aussi la paix. Oui, si Daniel s'est rendu à la taverne de Grandbois, c'est pour y trouver la paix. Dans son esprit, du moins.

Il enlève son chapeau et son capot qu'il suspend avant de se rendre à une table du fond, saluant au passage quelques hommes de sa connaissance. Lorsque Josèphe Grandbois lui apporte son verre, il incline la tête pour la remercier, sans dire un mot. Il n'a pas envie de parler. Dans sa tête, les paroles du gouverneur se répètent en une litanie sans fin. Dans une de ses poches, un rêve ; dans l'autre, un cauchemar ; et dans son cœur, un froid. Un froid qui l'opprime, l'engourdit, l'empêche même de respirer librement.

Depuis que la guerre est finie, il échafaude des plans, observe les commerces existants, imagine ce que sera sa boutique, là où il vendra ses étoffes de prix, son café, son sucre fin, sa faïence et autres produits de luxe. Mais avant de se lancer plus à fond en affaires, Daniel devait d'abord s'assurer de pouvoir obtenir un permis, document obligatoire depuis qu'a été instauré, à la grandeur de ce qu'était la Nouvelle-France, un gouvernement anglais.

C'est pour cette raison qu'il s'est rendu chez le gouverneur Murray cet après-midi. Il avait demandé une audience chez son «ami», comme doivent le faire tous ceux intéressés à faire du commerce. En l'accueillant dans son bureau, le gouverneur était moins affable qu'à son habitude. Il l'a tout de même écouté, avec la diligence qui lui est propre. Il a acquiescé à ce qu'il demandait, n'y voyant aucune objection. À ce moment-là, Daniel s'est dit qu'il deviendrait sûrement un marchand prospère avec le gouverneur comme allié. Lorsqu'il a été sur le point de quitter la pièce, Murray l'a rappelé, hésitant.

Daniel ne pouvait pas deviner ce que Murray s'apprêtait à lui dire ni ce qu'il voulait lui remettre. S'il l'avait su, il serait peut-être parti au plus vite, pour éviter que cette information ne vienne empoisonner sa vie. Il se serait même enfui en courant. Jamais il n'aurait pu imaginer à quel point cette visite chez le gouverneur allait bouleverser sa vie.

Murray a sorti une lettre d'un tiroir. Le sceau étant brisé, il était évident qu'il en connaissait le contenu. Lorsque Daniel a tendu la main, le gouverneur s'est excusé avant de lui remettre le pli. Manifestement, il savait le tort que son geste allait causer. Daniel a déplié le papier. L'écriture était élégante et masculine. La lettre était datée de la semaine précédente et elle commençait par les mots « Chère Marie ». Il a retourné la feuille pour vérifier le nom du destinataire, puis il a levé des yeux confus vers le gouverneur.

— Puisque vous l'avez ouverte et que vous savez qu'elle n'est pas pour moi, pourquoi... ?

— Nous lisons tout le courrier, a coupé Murray, conscient que son geste pouvait être mal interprété. Surtout celui qui provient de ces vaisseaux qui ramènent le reste de l'armée française en France. En voyant à qui cette lettre était destinée, un de mes hommes a pensé me la donner pour que je vous la remette moi-même. C'est un homme très consciencieux. Et je vous assure que personne d'autre n'en a eu connaissance. Mais vous n'avez pas besoin de la lire ici. Je voulais simplement que vous compreniez que c'est par amitié que j'ai agi comme je l'ai fait.

Daniel a hoché la tête, perplexe, et a quitté le bureau du gouverneur. Sur la place d'Armes, n'y tenant plus, il s'est dirigé vers le parvis de l'église et s'est assis sur une marche pour lire la lettre. À ce moment-là, ses mains ne tremblaient pas encore. Il aurait pu tout de suite déchiffrer la signature. Ç'aurait d'emblée répondu à cette question qui le tracassait. Mais il a brutalement pris conscience que son cœur battait trop vite. Il a eu peur qu'il ne cède, surchargé par l'anxiété qu'avait fait naître Murray. Il a donc parcouru le texte dans l'ordre, retenant sa respiration.

Les premiers paragraphes racontaient la défaite de l'armée française à Montréal. Deux mille soldats français contre dix-sept mille Anglais venus de toutes les directions. Ils parlaient aussi des honneurs de la guerre que les vainqueurs avaient refusés aux vaincus. Ils racontaient comment les Français avaient préféré brûler les drapeaux des compagnies, plutôt que de les donner à l'ennemi. Ils décrivaient, avec des mots durs, l'humiliation qu'avait subie le général Lévis, abandonné par la France, déserté par les Canadiens qui, voyant venir la défaite, étaient retournés dans leurs fermes.

Oui, c'était l'ampleur de la victoire anglaise dont témoignaient ces quelques lignes. Daniel en était rassuré. Il était même tenté à nouveau de baisser les yeux jusqu'à la signature, mais le début du paragraphe suivant annonçait quelque chose de plus personnel, de presque intime.

J'aurais tant aimé vous revoir, encore une fois. Deux choses me retiennent toutefois: le respect que j'ai pour vous et le fait qu'on m'ait appris votre mariage avec Rousselle. Vous deviez avoir vos raisons, je n'en doute point. Sachez seulement que j'ai eu pour vous les sentiments les plus tendres et que je garderai longtemps le souvenir de cet après-midi, dans votre jardin.

Veuillez croire que je serai toujours,

Votre très dévoué,
Louis Antoine de Bougainville

Un coup de vent a presque fait glisser le papier entre les doigts tremblants de Daniel. La surprise le paralysait. Jean avait donc eu un rival. Et le voilà qui se mettait maintenant à douter de la paternité de l'enfant. «Tous les nouveau-nés ont les yeux noirs et plissés, qu'ils soient Français ou Micmacs», avait dit Marie pour le rassurer, lorsqu'il l'avait questionnée sur la physionomie de François. Et si ç'avait été pour mieux le berner. Et si…

Daniel s'est retenu d'écraser la lettre dans son poing. Il l'a enfouie rageusement dans la poche de sa veste et, au lieu de rentrer chez lui, s'est dirigé vers le refuge de tous les hommes bafoués : la taverne.

Et le voilà qui boit, pour oublier que cet enfant qui n'est pas le sien n'est peut-être pas non plus celui de son fils. Pendant que la colère contre Marie essaie de se frayer un chemin jusqu'à son cerveau, un autre sentiment, plus sournois celui-là, a réussi à pénétrer son cœur. Que se passera-t-il quand Marie recevra cette lettre ? Si elle apprend que Bougainville a toujours pour elle des sentiments puissants, décidera-t-elle de prendre le prochain bateau pour Le Havre, La Rochelle ou Brest ? Cela s'est déjà vu. Si elle choisit de retrouver cet homme en France et de recommencer sa vie avec lui, que fera-t-il pour la garder, lui, un simple commerçant ? Un petit-bourgeois de près de vingt ans son aîné ? Un homme qu'elle n'a pas délibérément choisi ? Un homme pour qui elle n'a que de la reconnaissance pour un geste généreux ?

Lorsque Josèphe Grandbois lui apporte son quatrième verre, il le boit d'une traite, paye la cabaretière et s'en va, sans un mot. Il a décidé que Marie n'apprendrait jamais l'existence de cette lettre. En passant devant le poêle, il y glisse le papier qui s'enflamme immédiatement. Daniel quitte l'auberge sans se retourner. L'avenir lui dira s'il a eu raison d'agir de la sorte.

*

Les rideaux sont fermés, la porte aussi. Le capitaine Shirley a annoncé que les officiers ne rentreraient pas ce soir. François dort dans son berceau et Odélie, dans sa chambre. La maison est silencieuse, comme la rue, comme la ville entière. Marie frissonne, mais il ne fait pas froid dans la pièce.

Ce soir, au souper, elle a senti le regard de Daniel posé sur elle, un regard d'envie qu'elle a déjà vu chez ses précédents époux. Elle a baissé les yeux, prenant alors conscience qu'elle ne portait pas ce mouchoir de cou qui dissimule habituellement sa gorge. Ainsi donc, le moment était venu de briser la glace. Daniel a dû sentir son trouble, car il s'est alors engagé dans une conversation avec Odélie, évitant son regard durant tout le reste du repas. Il est ensuite sorti, prétextant une visite au gouverneur, mais Marie a compris qu'il avait besoin de prendre l'air. Avec Odélie, elle a fait la vaisselle et nettoyé la salle commune, utilisable depuis moins d'une semaine.

Puis elle a nourri François, avant de le mettre au lit et de s'installer dans un fauteuil devant le foyer pour attendre le retour de Daniel. Au bout de quelques heures, fatiguée, elle est montée à sa chambre. Mais elle s'est retrouvée au lit, incapable de dormir, s'inquiétant du moindre bruit dans la rue. «Où est-il? Pourquoi ne rentre-t-il pas?» Finalement, elle s'est levée et s'est assise près de la fenêtre, jetant de temps en temps un œil dans la rue.

Sur la commode, le miroir incliné lui renvoie son reflet, nimbé par la lumière de la bougie. Marie l'admire un moment, pendant qu'elle brosse ses cheveux défaits. Elle n'est vêtue que d'une chemise blanche, sur laquelle se découpent les boucles sombres. Elle a choisi ce vêtement avec soin, sachant que l'ouverture du col met en évidence sa poitrine. Elle sait ce que Daniel désire. Et ce soir, elle va lui offrir.

Des pas font grincer les marches de l'escalier. Marie soupire. Il est rentré. Enfin! Le plancher du couloir craque et la porte de la chambre s'ouvre sur Daniel.

– Tu ne dors pas? interroge celui-ci en pénétrant dans la pièce, visiblement inquiet de la voir encore debout à cette heure tardive. Quelque chose ne va pas?

Marie comprend qu'il avait espéré la trouver endormie. Elle remarque qu'il hésite, puis décide d'aller mettre sa veste sur une chaise avant de se diriger vers elle.

– Je t'attendais, dit-elle à voix basse lorsqu'il est assez près pour l'entendre.

Daniel s'immobilise. Marie est consciente que son attitude l'intrigue et cela la fait sourire. Elle remarque alors son embarras quand il aperçoit sa chemise entrouverte.

– Tu devrais éteindre et te remettre au lit, dit-il en lui tournant le dos.

Doit-elle le laisser partir parce qu'il le demande? Doit-elle laisser mourir cette émotion légitime qu'elle a fait exprès de susciter chez lui? Elle secoue la tête. Ce n'est pas le moment de reculer. Elle l'observe à l'autre bout de la chambre. Il a commencé à se dévêtir, déposant lentement sur sa chaise chacun de ses vêtements, comme s'il attendait qu'elle éteigne pour finir de se déshabiller.

Lorsqu'il ne lui reste plus que sa chemise, il se glisse sous les draps, tendu, évitant toujours de regarder dans sa direction. Marie souffle la bougie et le rejoint sans faire de bruit.

Une fois sous les couvertures, elle hésite. Doit-elle prendre les devants? Elle écoute la respiration régulière de Daniel. Si elle ne fait rien, il va s'endormir. Soudain, ce qu'elle a à faire devient évident. Daniel a été plus que patient avec elle. Il a mérité qu'elle le traite en époux digne de ce nom, même dans l'intimité de leur chambre. Elle étire le bras et l'enroule autour de la taille de l'homme.

Elle le sent tressaillir et prie pour qu'il ne la repousse pas. Elle est soulagée en sentant la grande main venir se poser sur la sienne. Elle s'approche alors de lui, collant son corps contre le sien. Sa peau est douce et chaude contre son ventre.

Daniel l'effleure du bout des doigts, puis de la paume remonte le long de son bras. De longues minutes s'écoulent avant qu'il ne se retourne, lentement, pour la prendre par la taille et l'attirer contre lui. Il la serre plus fort, l'embrasse. Ses mains, si longtemps retenues, errent avidement dans son dos, sur ses hanches, sur sa poitrine, sous sa chemise. Marie sent son sexe qui se presse contre ses cuisses.

Cette nuit-là, leur mariage est consommé. Si, jusqu'à maintenant, ils étaient unis devant les hommes, ils le sont désormais devant Dieu.

ÉPILOGUE

Brest, décembre 1760. Un homme erre dans les rues, longeant les fortifications qui dominent la rade. Un vent froid venu de l'Atlantique fait voler sa cape derrière lui, collant contre ses cuisses les pans d'une veste de velours. Les gens qu'il croise sur son passage savent qu'il est descendu la veille d'un navire qui ramenait d'Angleterre les Français capturés en Amérique. Ils savent aussi qu'il s'agit du neveu d'un commerçant de la ville. C'est pourquoi leurs yeux s'attardent avec curiosité sur ces traits étrangers, sur ce teint mat, sur ces cheveux d'ébène qui descendent bas dans son dos.

– Est-ce vraiment là le neveu de Louis Rousselle ?

Ces passants qui s'interrogent ne devinent pas cependant que sous ces vêtements luxueux, sous cette chemise immaculée, cet homme est marqué de quatre cicatrices. Des blessures dont une aurait pu lui être fatale, n'eût été l'exceptionnelle compétence du chirurgien anglais qui l'a soigné pendant son transport vers l'Angleterre, avec les autres prisonniers. Mais la plus grave de ses blessures n'est pas physique. Et c'est pourquoi elle s'avive à mesure que le temps passe, à mesure que les événements se précipitent, effaçant la Nouvelle-France de la carte du monde.

Bien qu'il se trouve à Brest, port d'importance s'il en est, aucun navire ne partira pour le Canada. Il est trop tard dans la saison. Il est trop tard pour la France. Plus aucun de ses vaisseaux n'ira mouiller dans le port de Québec. Et depuis que la France a perdu sa colonie, Jean Rousselle sait, lui, qu'il a perdu Marie.

AUTRES TITRES PARUS
DANS LA MÊME COLLECTION